JUŻ CZAS

POLECAMY

JODI PICOULT

BEZ MOJEJ ZGODY
ZAGUBIONA PRZESZŁOŚĆ
ŚWIADECTWO PRAWDY
DZIESIĄTY KRĄG
JESIEŃ CUDÓW
CZAROWNICE Z SALEM FALLS
W IMIĘ MIŁOŚCI
JAK Z OBRAZKA
DZIEWIĘTNAŚCIE MINUT
DESZCZOWA NOC
KARUZELA UCZUĆ
PRZEMIANA
KRUCHA JAK LÓD
DRUGIE SPOJRZENIE
W NASZYM DOMU
LINIA ŻYCIA
TAM GDZIE TY
GŁOS SERCA
PÓŁ ŻYCIA
Z INNEJ BAJKI
TO, CO ZOSTAŁO

JODI PICOULT

JUŻ CZAS

Przełożyła
Magdalena Moltzan-Małkowska

Prószyński i S-ka

Tytuł oryginału
LEAVING TIME

First published in the United States by Ballantine Books, an imprint of Random House, a division of Random House LLC, a Penguin Random House Company, New York.

Opracowanie graficzne okładki
Ewa Wójcik

Zdjęcie na okładce
© Fot. Tanya Gramatikova / Trevillion Images

Redaktor prowadzący
Katarzyna Rudzka

Redakcja
Ewa Charitonow

Korekta
Grażyna Nawrocka

Łamanie
Jolanta Kotas

ISBN 978-83-7961-050-1

Warszawa 2014

Wydawca
Prószyński Media Sp. z o.o.
02-697 Warszawa, ul. Rzymowskiego 28
www.proszynski.pl

Druk i oprawa

MORAVIA BOOKS
www.cpi-moravia.com

Dla Joan Collison
prawdziwej przyjaciółki, która pokona z tobą setki mil
w deszczu, skwarze i zamieci

PROLOG

Jenna

Kiedyś wierzono, że istnieje cmentarzysko słoni, dokąd stare i chore zwierzęta podążają, aby umrzeć. Odłączają się od stada, zmierzając przez piaszczysty krajobraz niczym tytany, o których czyta się w siódmej klasie na lekcjach o mitologii. Według legendy, cmentarzysko takie znajdowało się w Arabii Saudyjskiej. Było źródłem siły nadprzyrodzonej i skrywało księgę zaklęć mających przywrócić pokój na świecie.

Badacze tego miejsca tygodniami podążali za umierającymi słoniami, po czym stwierdzali, że zwierzęta chodzą w kółko. Część poszukiwaczy przepadła bez wieści, niektórzy nie pamiętali, co widzieli. Żaden z tych, którzy twierdzili, że odnaleźli cmentarzysko, nie potrafił wskazać jego położenia.

Dlaczego? Bo cmentarzysko słoni to mit.

Owszem, odnajdywano grupy słoni, które umarły w okolicy, wiele w krótkim odstępie czasu. Alice, moja matka, stwierdziłaby, że istnieje logiczne wytłumaczenie – stado mogło paść z głodu lub pragnienia bądź zostało wyrżnięte przez amatorów kości słoniowej. Poza tym bardzo możliwe, że silne afrykańskie wiatry zdmuchnęły rozrzucone kości na stertę. „Jenno”, powiedziałaby Alice. „Wszystko, co widzisz, da się uzasadnić”.

Istnieje wiele informacji o słoniach, które nie są bajką, tylko faktem popartym badaniami. To również usłyszałabym od matki. Siedziałybyśmy obok siebie pod wielkim dębem, gdzie lubiła chłodzić się Maura, i patrzyłybyśmy, jak zbiera trąbą żołędzie i je podrzuca. Matka oceniałaby każdy rzut jak sędzia olimpijski. „8,5… 7,9. O rany! Dziesiątka!”.

Może słuchałabym. A może po prostu przymknęłabym oczy. Może próbowałabym zapamiętać zapach spreju na komary na skórze matki lub to, jak z roztargnieniem zaplatała mi włosy, związując je źdźbłem zielonej trawy.

A może modliłabym się jedynie, żeby naprawdę istniało takie cmentarzysko, ale nie tylko dla słoni. Bo wtedy bym ją odnalazła.

Alice

Kiedy miałam dziewięć lat – zanim dorosłam i zostałam naukowcem – myślałam, że wiem wszystko, a przynajmniej chciałam wiedzieć wszystko; na jedno wychodziło. Miałam bzika na punkcie zwierząt. Wiedziałam, że stado wilków to wataha i że delfiny są mięsożerne. Wiedziałam, że żyrafy mają cztery żołądki, a mięśnie nóg szarańczy są dziesięć tysięcy razy silniejsze niż ich wagowy odpowiednik ludzkich. Wiedziałam, że futro niedźwiedzi polarnych skrywa czarną skórę, a meduza nie ma mózgu. Wiedziałam to wszystko z miesięcznej subskrypcji kart Time-Life, prezentu urodzinowego od niby-ojczyma, który wyprowadził się przed rokiem i zamieszkał w San Francisco ze swym najlepszym kumplem Frankiem, zwanym przez matkę „inną kobietą", kiedy myślała, że nie słyszę.

Co miesiąc dostawałam pocztą nowe karty, aż któregoś dnia, w październiku 1977 roku, otrzymałam najlepszą – o słoniach. Trudno powiedzieć, dlaczego były moimi ulubionymi zwierzętami. Może z powodu pokoju z puszystym zielonym dywanem i tapetą w rysunkowych mieszkańców dżungli? Może dlatego, że pierwszym filmem mojego dzieciństwa był *Dumbo*? A może dlatego, że jedwabną podszewkę odziedziczonego po babci futra mamy uszyto z indyjskiego sari w słonie właśnie?

Z tamtej karty zaczerpnęłam podstawowe informacje. Dowiedziałam się, że słonie to największe zwierzęta lądowe na świecie, o masie ponad sześciu ton. Że codziennie pochłaniają do stu osiemdziesięciu kilogramów pożywienia. Ich ciąża trwa najdłużej spośród wszystkich ssaków lądowych – dwadzieścia dwa miesiące. Żyją w stadach pod wodzą samicy, często najstarszej członkini stada. To ona decyduje, dokąd uda się społeczność, kiedy ma odpocząć, gdzie się posilić i gdzie napić. Młode znajdują się pod opieką spokrewnionych samic i wędrują z nimi, ale w wieku trzynastu lat samce odchodzą. Bywa, że wolą egzystować w pojedynkę, niekiedy łączą się w stada z innymi samcami.

Ale o tym wiedzieli wszyscy. Tymczasem ja wpadłam w obsesję i drążyłam temat, czerpiąc wiedzę ze szkolnej biblioteki, od nauczycieli i z książek. Stąd wiedziałam, że również słoniom grożą poparzenia słoneczne, dlatego obsypują się ziemią i tarzają w błocie. Ich najbliżej spokrewnionym kuzynem jest góralek przylądkowy, mały włochacz podobny do świnki morskiej. Wiedziałam, że tak jak niemowlę ssie kciuk, żeby się uspokoić, tak słoniątko czasem ssie trąbę. I że w 1916 roku w Erwin w stanie Tennessee skazano na śmierć i powieszono słonicę Mary.

Z perspektywy czasu dochodzę do wniosku, że matka miała dość ciągłego słuchania o słoniach. Może właśnie dlatego któregoś sobotniego ranka obudziła mnie przed świtem ze słowami, że oto wyruszamy na poszukiwanie przygód. W naszej okolicy – tam gdzie mieszkałyśmy, w Connecticut – nie było ogrodów zoologicznych, ale w Forest Park Zoo w Springfield w stanie Massachusetts mieszkał prawdziwy słoń. Pojechałyśmy go zobaczyć.

Z przejęcia omal nie wyszłam ze skóry. Godzinami zamęczałam matkę kawałami o słoniach.

„Co jest piękne, szare i nosi szklane pantofelki? Kopciuszkosłoń".

„Czemu słonie są pomarszczone? Bo nie mieszczą się na desce do prasowania".

„Jak zejść ze słonia? Ostrożnie".

„Dlaczego słonie mają trąby? Bo głupio wyglądałyby z saksofonem".

Kiedy dotarłyśmy na miejsce, biegłam bez tchu przed siebie, dopóki nie stanęłam przed słonicą Morganettą.

Która wyglądała zupełnie inaczej, niż sobie wyobrażałam.

W niczym nie przypominała majestatycznego zwierzęcia z mojej karty kolekcjonerskiej. Przykuto ją łańcuchem do betonowego bloku pośrodku wybiegu, aby nie mogła się przemieszczać w żadną stronę. Jej tylne nogi były poranione od kajdan do krwi. Nie miała jednego oka, a drugim nie chciała na mnie spojrzeć. Byłam zaledwie kimś, kto przyszedł pogapić się na jej niedolę.

Matka też oniemiała na jej widok. Zagadnęła dozorcę, który powiedział, że Morganetta uczestniczyła kiedyś w miejscowych paradach i bawiła się w przeciąganie liny z dziećmi z pobliskiej szkoły, ale na starość stała się nieprzewidywalna i skora do przemocy. Machała trąbą na odwiedzających, jeśli podchodzili zbyt blisko klatki. Złamała nadgarstek opiekunowi.

Wybuchłam płaczem.

Matka zapakowała mnie z powrotem do samochodu i wyruszyłyśmy w czterogodzinną drogę powrotną, mimo że spędziłyśmy w zoo zaledwie dziesięć minut.

– Nie możemy jej pomóc? – spytałam.

Tak w wieku dziewięciu lat stałam się orędowniczką słoni. Po odwiedzinach w bibliotece usiadłam przy kuchennym stole i napisałam do burmistrza Springfield w stanie Massachusetts z prośbą o więcej wolności i przestrzeni dla Morganetty.

Nie tylko mi odpisał, ale również wysłał swoją odpowiedź do „The Boston Globe", który zamieścił ją na łamach. Po czym zadzwonił do nas dziennikarz, żeby napisać artykuł o dziewięciolatce, która przekonała burmistrza do przeniesienia Morganetty na znacznie większy wybieg dla bawołów. W szkole dostałam specjalną nagrodę dla Wzorowego Obywatela, zaproszono mnie do zoo na wielkie otwarcie. Przecięłam z burmistrzem czerwoną wstęgę. Oślepiły mnie lampy błyskowe; Morganetta stała z tyłu. Tym razem przyjrzała mi się ocalałym okiem, a ja zrozumiałam, po prostu wyczułam przez skórę, że wciąż jest nieszczęśliwa. To, co ją spotkało: łańcuchy i kajdany, bicie i klatka, może nawet wspomnienie wywiezienia z Afryki, wszystko to towarzyszyło jej i na wybiegu dla bawołów, zajmując dodatkową przestrzeń.

Burmistrz Dimauro nie zaniechał wysiłków mających na celu poprawienie bytu słonicy. W 1979 roku, po śmierci niedźwiedzia polarnego, ogród zoologiczny zamknięto, a Morganettę przeniesiono do zoo w Los Angeles. Miała tam znacznie większy dom, z zabawkami, basenem i dwoma starszymi współlokatorami.

Gdybym wówczas wiedziała to, co wiem teraz, powiedziałabym burmistrzowi, że samo umieszczenie słonia wraz z innymi nie oznacza, że zwierzęta się dogadają. Słoń jest indywidualistą, tak samo jak człowiek, i nigdy nie wiadomo, czy zaprzyjaźni się z drugim tylko dlatego, że jest słoniem. Podobnie jak z góry nie da się założyć, że zaprzyjaźnią się dwie przypadkowe osoby. Morganetta popadała w coraz większą depresję, chudła i marniała. Mniej więcej rok po przeprowadzce do Los Angeles znaleziono ją martwą na dnie basenu.

Morał tej opowieści jest taki, że choćbyś się starał, i tak nie zawrócisz kijem rzeki.

I nawet gdybyśmy stawali na głowie, niektóre bajki po prostu nie mają szczęśliwego zakończenia.

CZĘŚĆ I

Jak wytłumaczyć moją bohaterską kurtuazję? Czuję,
jakby nadmuchał mnie mały psotnik.

Kiedyś byłem wielkości sokoła, wielkości lwa,
kiedyś nie byłem słoniem, którym dziś jestem.

Skóra wisi na mnie, a pan beszta za nieuwagę.
Całą noc ćwiczyłem w swoim namiocie, więc byłem

trochę senny. Ludzie kojarzą mnie ze smutkiem
i często z racjonalnością. Randall Jarrell porównał mnie

do Wallace'a Stevensa, amerykańskiego poety. Dostrzegam to
w zwalistych trójwierszach, ale według mnie

bardziej przypominam Eliota, Europejczyka, człowieka
z klasą. Każdy tak ceremonialny cierpi

na załamania. Nie lubię widowiskowych eksperymentów
z równowagą, sztuczek na linie i stołkach.

My, słonie, jesteśmy chodzącą pokorą, jak wówczas gdy
podejmujemy smętną migrację ku umieraniu.

Ale czy wiecie, że słonie uczono
pisania nogami greckiego alfabetu?

Znękane cierpieniem leżymy na grzbietach,
podrzucając trawę ku niebu – dla zabicia czasu, nie
w ramach rozrywki.

To nie pokorę widzicie podczas naszych długich ostatnich
wędrówek,
lecz ociąganie. Leżenie sprawia za duży ból.

Dan Chiasson, *Słoń*

Jenna

Jeśli chodzi o pamięć, to jestem ekspertem. Może i mam dopiero trzynaście lat, lecz studiowałam ją równie wnikliwie, jak moje rówieśniczki pochłaniają czasopisma o modzie. Istnieje pamięć o świecie, jak to, że piec jest gorący, a zimą nie chodzi się na bosaka, bo można odmrozić nogi. Istnieje pamięć zmysłów – że patrząc na słońce, mrużysz oczy, a robaki to nie najlepszy pomysł na posiłek. Istnieją daty, które trzeba zapamiętać z lekcji historii i przypomnieć sobie na egzaminie z uwagi na ich (podobno) duże znaczenie w ogólnym porządku wszechświata. I osobiste szczegóły, niczym coraz wyżej rysowane linie na wykresie własnego życiorysu, mające znaczenie wyłącznie dla ciebie i nikogo innego.

W zeszłym roku nauczycielka przyrody kazała mi przygotować niezależną prezentację na temat pamięci. Większość nauczycieli pozwala mi robić prezentacje, bo wiedzą, że nudzę się na lekcjach, a poza tym trochę się boją, że wiem więcej od nich, i nie chcą się do tego przyznać.

Moje pierwsze wspomnienie ma wybielone brzegi, jak prześwietlone zdjęcie. Matka trzyma na patyku watę cukrową. Kładzie palec na ustach: „Nasza tajemnica”, po czym urywa maluteńki kawałek. Kiedy podnosi go do moich warg, cukier się rozpuszcza. Łapczywie oblizuję jej palec. *Iswidi*, mówi. „Słodkie". To nie butelka, nie znam tego smaku, ale jest pyszny. Potem matka nachyla się i całuje mnie w czoło. *Uswidi*, mówi. „Cukiereczku".

Nie mogę mieć więcej niż dziewięć miesięcy.

To niesamowite, gdyż większość dzieci sięga pamięcią do piątego, góra drugiego roku życia. Co wcale nie znaczy, że niemowlęta są sklerotykami – mają wspomnienia na długo przed mową, ale – o dziwo – tracą do nich dostęp, z chwilą gdy zaczynają mówić. Możliwe, że zapamiętałam incydent z watą cukrową, ponieważ matka mówiła w języku xhosa, którego nauczyła się w trakcie pracy nad doktoratem w RPA. Albo to wspomnienie jest swoistym towarem wymiennym, udostępnionym mi przez mózg w miejsce tego, co usilnie pragnę sobie przypomnieć – szczegółów nocy, kiedy zaginęła.

Matka była naukowcem i przez pewien czas zajmowała się badaniem pamięci, przy okazji badań nad stresem pourazowym i słoniami. Znacie to stare powiedzenie, że słonie nigdy nie zapominają? Jest faktem. Jak chcecie dowodów, mogę wam pokazać materiały zebrane przez matkę. Wykułam je praktycznie, hm, na blachę. Matka wykazała, że pamięć powiązana jest z silnymi emocjami, a przykre chwile są jak bazgroły permanentnym markerem na ścianie mózgu. Jednak istnieje drobna różnica między zdarzeniem przykrym a traumatycznym. Przykre sytuacje zapadają w pamięć, traumatyczne idą w zapomnienie bądź też zniekształcają się nie do poznania lub zmieniają w wielką, białą n i c o ś ć, którą mam w głowie, ilekroć powracam myślami do tamtej nocy.

Oto co wiem.

1. Miałam trzy lata.

2. Matkę znaleziono nieprzytomną na terenie rezerwatu, półtora kilometra od zwłok. Tak napisano w policyjnym raporcie. Przewieziono ją do szpitala.

3. W raporcie nie ma o mnie mowy. Babcia zabrała mnie do siebie, ponieważ ojciec miał na głowie martwą opiekunkę słoni i nieprzytomną żonę.

4. Przed świtem matka odzyskała świadomość i niepostrzeżenie opuściła szpital.

5. Więcej jej nie zobaczyłam.

Czasami myślę o swoim życiu jak o dwóch wagonach sczepionych w chwili zniknięcia matki, lecz gdy próbuję dojrzeć, jak się łączą, nagłe szarpnięcie na torach z powrotem odwraca mi głowę. Wiem, że byłam jasnowłosą dziewczynką, która biegała jak szalona, podczas gdy matka bez końca pisała o słoniach. Dziś jestem zbyt poważną i bystrą jak na swój wiek nastolatką, lecz mimo imponujących postępów w nauce w codziennych sprawach gubię się z kretesem. Jeśli nawet ósma klasa to mikrokosmos młodzieżowej hierarchii społecznej (dla matki byłaby nim z pewnością), to znajomość pięćdziesięciu stad słoni w botswańskim Tuli Block nie może równać się ze znajomością danych osobowych wszystkich członków zespołu One Direction.

Nie chodzi o to, że odstaję od reszty, bo jako jedyna nie mam matki. Jest wiele dzieciaków z rozbitych rodzin, dzieciaków, które unikają tematu rodziców bądź których rodzice mieszkają z nowymi partnerami i dziećmi. Tak czy siak, nie mam koleżanek. W czasie przerwy śniadaniowej siadam na szarym końcu stołu i jem to, co zapakowała mi babcia, podczas gdy szkolne gwiazdy – które, słowo daję, każą się nazywać „Plejadami" – snują opowieści o tym, że dorosną, podejmą pracę dla OPI* i będą wymyślać nazwy lakierów do paznokci. Pewnie raz czy dwa próbowałam włączyć się do rozmowy… Ale wtedy patrzą na mnie jak na zgniłe jajo i trajkoczą dalej, jakby nie słyszały. Nie powiem, że ten bojkot bardzo mnie obchodzi. Chyba mam ważniejsze sprawy na głowie.

Wspomnienia po zniknięciu matki są równie wybiórcze. Mogę opowiedzieć wam o moim nowym pokoju u babci i pierwszym „dorosłym" łóżku. Na nocnym stoliku nie wiedzieć czemu stał koszyk z różowymi saszetkami ze słodzikiem, chociaż w pobliżu nie było ekspresu. Co wieczór, jeszcze zanim nauczyłam się liczyć, sprawdzałam, czy jeszcze tam były. I robię to nadal.

Mogę opowiedzieć wam o odwiedzinach u ojca, na początku. Korytarze Hartwick House pachniały amoniakiem i siuśkami. Gdy babcia namawiała mnie do rozmowy, wspinałam się na łóżko, struchlała od bliskości niby znanej mi, a zarazem obcej osoby. Ojciec nie odzywał się i nie poruszał. Mogę opisać, jak łzy płynęły mu z oczu, co było niemal tak naturalne, jak zroszona puszka coli w letni dzień.

Pamiętam koszmary, a w zasadzie nie koszmary, ale to, że budziło mnie ze snu trąbienie Maury. Babcia przybiegała z zapewnieniem, że matka słonica mieszka setki

* Amerykańska firma produkująca akcesoria do pielęgnacji paznokci (przyp. tłum.).

kilometrów stąd, w nowym rezerwacie w Tennessee, ale mnie dręczyło poczucie, że Maura próbuje mi coś powiedzieć, i że zrozumiałabym, gdybym tylko znała jej język tak dobrze jak mama.

Po matce pozostały mi tylko jej badania. Przeglądam zapiski, gdyż wiem, że któregoś dnia słowa się przetasują i poprowadzą mnie do niej. Na przekór swej nieobecności nauczyła mnie, że każda teoria rozpoczyna się od hipotezy, czyli – mówiąc prostym językiem – przeczucia. A ja mam przeczucie, że nie zostawiłaby mnie nigdy. Nie z własnej woli.

Udowodnię to, choćbym miała paść trupem.

Kiedy się budzę, Gertie leży na moich stopach jak wielki psi dywanik. Wzdryga się w pogoni za czymś, co widzi tylko w snach.

Doskonale znam to uczucie.

Próbuję chyłkiem wymknąć się z łóżka, żeby jej nie obudzić, ale ona zrywa się i szczeka pod zamkniętymi drzwiami.

– Spokojnie – mówię i zatapiam palce w gęstej sierści na jej karku.

Liże mnie w policzek, ale się nie uspokaja. Wpatruje się w drzwi, jakby przewiercała je wzrokiem na wylot.

Co za ironia, wziąwszy pod uwagę to, co zaplanowałam na dzisiaj.

Gertie zjawiła się u babci rok po mnie. Przedtem mieszkała w rezerwacie, gdzie przyjaźniła się ze słonicą o imieniu Syrah. Były nierozłączne; gdy Gertie chorowała, Syrah nad nią czuwała i czule głaskała ją trąbą. Nie był to pierwszy przypadek przyjaźni psa ze słoniem, ale pierwszy tak znany, opisywany w książkach dla dzieci i pokazywany w wiadomościach. Znany fotograf zrobił nawet kalendarz o niespotykanych przyjaźniach między zwierzętami i Gertie została Miss Lipca. A gdy Syrah odesłano po zamknięciu rezerwatu, Gertie została na lodzie, zupełnie jak ja. Przepadła na wiele miesięcy, po czym któregoś dnia ktoś ze schroniska zapukał do drzwi z pytaniem, czy znamy psa, który błąka się w okolicy. Gertie wciąż miała na szyi obrożę z imieniem. Była chuda i zapchlona, ale zaczęła lizać mnie po twarzy. Babcia pozwoliła jej zostać, pewnie w nadziei, że suka pomoże mi się zadomowić.

Szczerze powiedziawszy, muszę przyznać, że się nie udało. Zawsze byłam samotnikiem i nigdy nie czułam się tutaj jak u siebie. Przypominam kobiety, które maniakalnie czytają Jane Austen w nadziei na spotkanie swojego pana Darcy'ego. Albo pasjonatów wojny secesyjnej, warczących na siebie podczas inscenizacji na polach bitew, usianych dzisiaj boiskami i ławkami. Jestem księżniczką w wieży z kości słoniowej własnej roboty, gdzie każda cegła jest odlana z historii.

Miałam w szkole j e d n ą koleżankę, która w pewnym sensie rozumiała. Chatham Clark była jedyną osobą, której opowiedziałam o matce i o tym, że chcę ją odszukać. Chatham mieszkała z ciocią, bo jej mama była narkomanką i siedziała w więzieniu. Ojca nie znała. „To szlachetne, tak bardzo chcieć zobaczyć mamę", stwierdziła. Zapytałam ją, co to znaczy, a wtedy opowiedziała mi, jak ciotka zabrała ją kiedyś do więzienia, w którym odsiadywała wyrok mama, jak ona wystroiła się na tę okazję w spódnicę z falbankami i włożyła czarne lakierki. Lecz matka była poszarzała i bez życia – miała martwe spojrzenie i zęby spróchniałe od narkotyków. Choć wyraziła ubolewanie, że nie może przytulić córki, Chatham dziękowała Bogu za dzielący je plastikowy ekran. Była to jej pierwsza i ostatnia wizyta.

Chatham przydała się na wiele sposobów. Poszła ze mną kupić pierwszy stanik, gdyż babcia nie wpadła na to, żeby zasłaniać mój nieistniejący biust, choć przecież nikt powyżej dziesiątego roku życia (zdaniem Chatham) nie powinien chodzić bez. Na angielskim słała mi liściki z karykaturami nauczycielki, która przesadzała z samoopalaczem i śmierdziała kotami. Chodziła ze mną pod rękę po korytarzu (każdy badacz zwierzyny potwierdzi, że dwuosobowe stado ma zawsze większe szanse przetrwania we wrogim środowisku niż samotny wilk).

Któregoś ranka Chatham nie przyszła do szkoły. Zadzwoniłam do jej domu, ale nikt nie odebrał. Pojechałam tam na rowerze i zobaczyłam tabliczkę „na sprzedaż". Nie wierzyłam, że zostawiłaby mnie bez słowa, zwłaszcza wiedząc o mojej mamie, lecz minął jeden tydzień, potem drugi. Coraz trudniej było mi ją usprawiedliwiać. Kiedy przestałam odrabiać lekcje i zaliczać sprawdziany, co kompletnie do mnie nie pasowało, zostałam wezwana do szkolnego pedagoga. Pani Sugarman miała tysiąc lat i kukiełki, aby młodzież, która wstydziła się słowa „pochwa", mogła zademonstrować na nich sposób molestowania. Tak czy inaczej, nie podejrzewałam, że pani Sugarman potrafi pomóc komukolwiek, a już na pewno nie mnie. Gdy zapytała, co moim zdaniem stało się z Chatham, odpowiedziałam, że pewnie ją porwano. A ja zostałam na lodzie.

Nie po raz pierwszy.

Pani Sugarman nie wezwała mnie ponownie. Jeśli wcześniej uchodziłam za szkolną dziwaczkę, wtedy zostałam spisana na straty oficjalnie.

Babcia nie mogła się nadziwić zniknięciu Chatham.

– Tak bez uprzedzenia? – zapytała przy kolacji. – Przyjaciółka by tak nie zrobiła.

Nie wiedziałam, jak jej wytłumaczyć, że przeczuwałam to od początku. Gdy ktoś raz cię wykiwa, podświadomie czekasz na powtórkę. W końcu zaczynasz unikać ludzi, żeby się nie przywiązywać, bo wtedy nie zauważasz, jak znikają z twojego życia. Wiem, jak to brzmi w ustach trzynastolatki, jednak lepsze to niż wniosek, że sama sobie zawiniłam.

Może nie zmienię swojej przyszłości, ale przeszłość rozgryzę, choćby nie wiem co!

Dlatego mam swój poranny rytuał. Niektórzy piją kawę i czytają gazetę, inni sprawdzają Facebooka, prostują włosy albo robią sto przysiadów. Ja się ubieram i siadam przy komputerze. Spędzam mnóstwo czasu w Internecie, głównie na www.NamUs.gov, oficjalnej stronie Departamentu Sprawiedliwości poświęconej zaginionym i niezidentyfikowanym osobom. Szybko sprawdzam bazę NN, na wypadek wzmianki o niezidentyfikowanej zmarłej kobiecie. Następnie przechodzę do listy zmarłych, o których nie upomniał się nikt bliski. Wreszcie zaglądam do spisu osób zaginionych i od razu przechodzę do matki.

Status: zaginiona

Imię: Alice

Nazwisko panieńskie: Kingston

Nazwisko: Metcalf
Pseudonim: brak
Data zaginięcia: 16 lipca 2004, godzina 23.45
Wiek w chwili zaginięcia: 36
Obecny wiek: 46
Rasa: biała
Płeć: kobieta
Wzrost: 165 centymetrów
Waga: 56 kilo
Miasto: Boone
Stan: New Hampshire
Okoliczności: Alice Metcalf była przyrodnikiem i badaczką w rezerwacie słoni w Nowej Anglii. Znaleziono ją nieprzytomną wieczorem 16 lipca 2004 roku, około godziny dwudziestej drugiej, półtora kilometra od ciała stratowanej przez słonia pracownicy rezerwatu. Po przyjęciu do szpitala Mercy United w Boone Heights w stanie New Hampshire Alice odzyskała przytomność około godziny dwudziestej trzeciej. Po raz ostatni widziała ją pielęgniarka na obchodzie, kwadrans przed północą.

Nic się nie zmieniło. Wiem, bo napisałam to sama.

Jest też rubryka podająca kolor włosów (rudy) i oczu (zielony), informacje o bliznach, tatuażach i protezach, po których ewentualnie można by ją rozpoznać (brak). Nie uzupełniłam, w co była ubrana w chwili zaginięcia, bo nie wiem; komórki tabeli dotyczące potencjalnego środka transportu, danych dentystycznych i próbki DNA również świeciły pustkami. Zamieściłam odbitkę jedynego zdjęcia, którego babcia nie upchnęła na strychu – zbliżenie mamy ze mną na rękach, na tle słonicy Maury.

Na stronie zamieszczono informacje o prowadzących sprawę policjantach. Jeden z nich, Donny Boylan, przeniósł się na Florydę i ma alzheimera (niesamowite, co można wyczytać w Google!). Wzmianka o drugim, Virgilu Stanhope, dotyczy jego awansu na detektywa podczas uroczystości, która odbyła się trzeciego października 2004 roku. Wyszperałam, że nie pracuje już w policji w Boone. Wygląda na to, że wszelki słuch po nim zaginął.

Co wcale nie jest takie niespotykane.

Przepadają całe rodziny, pozostawiając włączony telewizor, czajnik na gazie i porozrzucane zabawki, rodziny, których vany odnajdują się na pustych parkingach bądź zatopione w miejscowym stawie, choć ciała znikają jak kamfora. Studentki, które zapisały swój numer na barowej serwetce. Dziadkowie idący na spacer do lasu, aby nigdy nie wrócić. Niemowlęta ucałowane na dobranoc w kołysce, w której przed nastaniem świtu jest już tylko pustka. Matki, które sporządziły listę zakupów, wsiadły do samochodu i szukaj wiatru w polu.

– Jenna! – Z zamyślenia wyrywa mnie głos babci. – Ja nie prowadzę restauracji!

Wyłączam komputer i wychodzę z pokoju. Po namyśle sięgam do szuflady z bielizną i wyjmuję błękitny szal. Nie pasuje do dżinsowych szortów i podkoszulka, lecz zawiązuję go na szyi, zbiegam na dół i zasiadam na kuchennym stołku.

– Jakbym nie miała nic lepszego do roboty, tylko cię obsługiwać! – zrzędzi babcia.

Stoi plecami do mnie i odwraca naleśnik na patelni.

Nie jest babcią z telewizji, siwowłosą dobroduszną anielicą. Pracuje jako parkingowa i mogę policzyć na palcach jednej ręki, ile razy widziałam jej uśmiech.

Szkoda, że nie mogę porozmawiać z nią o mamie. W przeciwieństwie do mnie zachowała tyle wspomnień; w końcu mieszkała z nią osiemnaście lat, a nie marne trzy, jak ja. Szkoda, że nie jest babcią, z którą mogłabym pooglądać rodzinne albumy albo upiec ciasto na urodziny mamy, zamiast słuchać jej rad, bym umieściła swoje uczucia pod kluczem.

Żeby było jasne – kocham babcię. Przychodzi posłuchać, jak śpiewam w szkolnym chórze, i gotuje dla mnie wegetariańskie potrawy, chociaż sama nie stroni od mięsa. Pozwala mi również oglądać filmy dla dorosłych, gdyż (podobno) nie ma w nich nic, czego nie zobaczę na szkolnym korytarzu. Kocham babcię. Tylko że ona nie jest moją mamą.

Skłamałam, że idę dziś popilnować syna jednego z moich ulubionych nauczycieli, pana Allena, który w siódmej klasie uczył mnie matematyki. Mały ma na imię Carter, lecz ja nazwałam go Antykoncepcyjnym, gdyż trudno o lepszy powód, żeby nie mieć dzieci. To najbrzydszy bachor, jakiego w życiu widziałam. Ma wielką głowę, a gdy na mnie patrzy, mogłabym przysiąc, że czyta w moich myślach.

Babcia odwraca się z naleśnikiem na łopatce i zastyga na widok szala. Fakt, nie pasuje do reszty, ale to nie dlatego babcia zaciska usta. W milczeniu potrząsa głową i z rozmachem stuka łopatką w mój talerz.

– Mam ochotę na jakiś dodatek – mówię, niezgodnie z prawdą.

Babcia nie rozmawia o mamie. Podczas gdy ja jestem pusta w środku, ona wręcz kipi gniewem. Nie może darować mamie, że ta odeszła. Jeżeli tak się stało. Innej wersji, czyli śmierci, nie bierze pod uwagę.

– Carter... – Gładko zmienia temat. – Czy to ten mały, który wygląda jak bakłażan?

– Nie cały. Tylko jego czoło – zaznaczam. – Ostatnim razem darł się trzy godziny.

– Weź zatyczki do uszu – radzi babcia. – Wrócisz na kolację?

– Nie jestem pewna. Ale do zobaczenia.

Powtarzam to za każdym razem przed jej wyjściem. Obie chcemy to usłyszeć. Babcia odkłada patelnię do zlewu i sięga po torebkę.

– Wypuść Gertie, zanim wyjdziesz – przypomina, skrzętnie omijając wzrokiem i mnie, i szal.

Intensywne poszukiwania matki wszczęłam, kiedy miałam jedenaście lat. Wcześniej za nią tęskniłam, ale nie wiedziałam, co z tym począć. Babcia umyła ręce, a ojciec – o ile wiedziałam – nigdy nie zgłosił zaginięcia, bo gdy to do niego dotarło, leżał w szoku w szpitalu psychiatrycznym. Wypytywałam go kilkakrotnie, lecz efektem były kolejne załamania, więc dałam sobie spokój.

Wtedy, któregoś dnia w poczekalni u dentysty, przeczytałam w „People" artykuł o szesnastolatku, który doprowadził do ponownego śledztwa w sprawie morderstwa matki. Sprawcę ujęto. Przyszło mi do głowy, że brak pieniędzy i środków nadrobię determinacją, więc jeszcze tego samego dnia postanowiłam spróbować. Owszem, to mógł być ślepy zaułek, ale nikomu nie udało się odnaleźć mamy. Być może nikt nie przyłożył się do tego tak, jak zamierzałam zrobić to ja.

Ludzie, do których się zwracałam, na ogół spławiali mnie lub żałowali. Policja w Boone odmówiła pomocy, ponieważ: (a) byłam nieletnią, która działała bez zgody opiekuna prawnego, (b) sprawa zaginięcia mamy utknęła w martwym punkcie dziesięć lat temu, wreszcie (c) sprawę powiązanej śmierci rozwiązano, uznając ją za przypadkową. Rezerwat słoni, rzecz jasna, był w rozsypce, jedyna zaś osoba, która mogła zdradzić mi co nieco na temat tamtego zgonu – czyli tata – nie wiedziała, gdzie jest i jak się nazywa. Dokładne przyczyny załamania nerwowego pozostały niewyjaśnione.

Dlatego postanowiłam wziąć sprawy we własne ręce. Próbowałam zatrudnić prywatnego detektywa, ale szybko się przekonałam, że nie pracują z urzędu, jak niektórzy prawnicy, zaczęłam więc pilnować dzieci, aby do jesieni uzbierać sumkę, która być może kogoś znęci. Następnie postanowiłam sama zmienić się w prywatnego detektywa.

Prawie wszystkie internetowe narzędzia do odnajdywania zaginionych są płatne i wymagają posiadania karty kredytowej, której nie miałam. Ale na jarmarku kościelnym wygrzebałam książkę pod tytułem *A więc chcesz zostać prywatnym detektywem?* i poświęciłam kilka dni na wykucie na blachę informacji z rozdziału zatytułowanego „Szukanie tych, co zaginęli".

Książka wyróżnia trzy typy zaginionych:

1. Ludzie, którzy wcale nie zaginęli, tylko żyją własnym życiem, a ciebie wykluczyli z kręgu znajomości. Do tej

kategorii należą dawne sympatie i współlokatorzy z akademika, z którymi straciłeś kontakt.

2. Ludzie, którzy wcale nie zaginęli, ale nie chcą zostać odnalezieni. Na przykład sterani ojcowie czy świadkowie koronni.

3. Wszyscy pozostali, czyli uciekinierzy i dzieci z kartonów z mlekiem, uprowadzone przez psychopatów w białych furgonetkach bez okien.

Prywatny detektyw wpada zazwyczaj na trop osoby zaginionej, bo jej miejsce pobytu zna wiele osób. Ty po prostu do nich nie należysz, lecz wystarczy znaleźć kogoś, kto i owszem.

Ludzie znikają z różnych przyczyn. Może zrobili manko lub ukrywają się przed policją? Może postanowili zacząć od nowa? Może siedzą po uszy w długach bądź mają tajemnicę, której nie chcą ujawnić światu. Według *A więc chcesz zostać prywatnym detektywem?* zasadnicze pytanie brzmi, czy dana osoba pragnie zostać odnaleziona.

Muszę przyznać, że nie wiem, czy chcę znać odpowiedź na to pytanie. Jeśli mama odeszła z własnej woli, być może, aby skłonić ją do powrotu, wystarczy jej świadomość, że wciąż jej szukam. Że pamiętam, mimo upływu dziesięciu lat. Czasem myślę, że łatwiej byłoby dowiedzieć się o jej śmierci niż o tym, że żyje, lecz postanowiła nie wracać.

Według książki szukanie zaginionych jest jak jolka. Masz wszystkie hasła i próbujesz je ułożyć tak, by trzymały się kupy. Zbieranie informacji to broń prywatnego detektywa, fakty zaś są jego przyjaciółmi. Nazwisko, data urodzenia, numer ubezpieczenia. Szkoły. Daty odbycia służby wojskowej, historia zatrudnienia, dane przyjaciół i krewnych. Im dalej zarzucasz sieć, tym większe prawdopodobieństwo złapania osoby, która rozmawiała z zaginionym o możliwym celu podróży bądź wymarzonej pracy.

Co począć z tymi faktami? No, przede wszystkim przy ich użyciu można wykluczyć pewne ewentualności. Jako jedenastolatka w pierwszej kolejności sprawdziłam listę numerów ubezpieczenia osób zmarłych. Czy nie ma na niej nazwiska mamy.

Nie figurowała jako zmarła, ale to mi nie wystarczyło. Mogła żyć pod inną tożsamością. Albo nie żyć i figurować jako NN.

Nie było jej na Facebooku, Twitterze, Classmates.com i stronie Vassar, jej uczelni. Niemniej jednak praca i słonie pochłaniały ją zawsze do tego stopnia, że zwyczajnie nie starczało jej czasu na takie rozrywki.

W książce telefonicznej widniało trzysta sześćdziesiąt siedem Alice Metcalf. Dzwoniłam do dwóch lub trzech tygodniowo, żeby nie rozjuszać babci rachunkiem za międzymiastowe. Pozostawiałam mnóstwo wiadomości. Jedna bardzo miła pani z Montany zaoferowała modlitwę za mamę, a inna, producentka z Los Angeles, obiecała wyłuszczyć sprawę swojemu szefowi. Ale żadna z nich nie była moją matką.

Książka zawierała też inne rady – przeszukanie rejestru więźniów, znaków towarowych, a nawet archiwów genealogicznych Kościoła Jezusa Chrystusa Świętych w Dniach Ostatnich. Próbowałam, ale wszystko na nic. Gdy wpisałam w wyszukiwarkę „Alice Metcalf”, wyskoczyło mi ponad półtora miliona wyników. Dlatego zawęziłam poszukiwania do „Alice Kingston Metcalf słonie" i dostałam spis badań naukowych mamy, w większości sprzed roku 2004. Ale na szesnastej stronie z wynikami natknęłam się na artykuł o żałobie zwierząt, zamieszczony na blogu psychologicznym. W trzecim akapicie przytoczono słowa Alice Metcalf: „To egoizm uważać, że tylko ludzie mają monopol na żałobę. Istnieją wystarczające dowody, że słonie opłakują śmierć bliskich". Nic wielkiego. Mówiła to wielokrotnie i często ją cytowano.

Jednak ten wpis pochodził z 2006 roku.

Dwa lata po jej zniknięciu.

Przeszukiwałam Internet przez rok, ale nie znalazłam innych dowodów na jej istnienie. Nie mam pojęcia, czy w artykule zamieszczono błędną datę, czy zacytowano jakąś wypowiedź sprzed lat. Ani czy matka żyje i ma się dobrze.

Najważniejsze jednak, że zrobiłam początek.

***

Uparłam poruszyć niebo i ziemię, więc nie ograniczyłam poszukiwań do rad zawartych w *A więc chcesz zostać prywatnym detektywem?* Zamieszczałam wpisy we wszystkich bazach osób zaginionych. Kiedyś na festynie zgłosiłam się na ochotnika do hipnotyzera, w nadziei, że uwolni zawieruszone głęboko wspomnienia, ale na oczach gapiów oznajmił tylko, że byłam pomywaczką w książęcym pałacu. Poszłam na darmowe seminarium o znaczeniu snów, licząc, że dotrę do swego zablokowanego umysłu, ale dostałam jedynie zbiór rad na temat pisania pamiętnika i niewiele poza tym.

Dziś po raz pierwszy idę do jasnowidza.

Dotąd nie zrobiłam tego z kilku powodów. Po pierwsze, miałam za mało pieniędzy. Po drugie, nie wiedziałam, gdzie szukać zaufanego. Po trzecie, trudno nazwać to podejściem naukowym, tymczasem matka nauczyła mnie pośrednio, że można wierzyć wyłącznie w suche i niezbite fakty. Ale dwa dni temu, kiedy porządkowałam jej zapiski, z jednego z notesów wypadła zakładka.

A właściwie nie zakładka, tylko banknot dolarowy. Origami w kształcie słonia.

W mgnieniu oka przypomniałam sobie to zaginanie i składanie, raz w jedną, raz w drugą stronę, dopóki nie przestawałam się mazać i gapiłam się jak urzeczona w nową zabawkę, którą dla mnie zrobiła.

Dotknęłam słonia ostrożnie, jakbym się spodziewała, że zniknie w obłoku dymu. Następnie mój wzrok padł na otwarty notes i akapit, który nagle zaczął do mnie krzyczeć.

Koledzy robią dziwne miny, kiedy im mówię, że najlepsi badacze rozumieją, że dwa, trzy procent tego, nad czym ślęczą, nie podlega wytłumaczeniu. Że to kwestia czarów, kosmitów bądź kompletnego braku logiki, którego nie sposób wykluczyć. Jeśli mamy być uczciwi jako naukowcy... Cóż, musimy przyznać, że być może paru rzeczy wiedzieć nie powinniśmy.

Wzięłam to za znak.

Pozostali mieszkańcy planety woleliby być może patrzeć na złożone dzieło niż na jego pierwotny kształt, ale nie ja. Ja musiałam zacząć od początku. Godzinami rozkładałam origami, udając, że wciąż czuję na banknocie ciepło jej palców. Krok po kroku, jakbym przeprowadzała operację, dopóki nie potrafiłam złożyć dolara jak ona i dopóki na biurku nie stanęło sześć nowych słoników. Cały dzień sprawdzałam, czy pamiętam, i puchłam z dumy, ilekroć mi się udawało. Tamtego wieczoru zasnęłam z wizją dramatycznych okoliczności odnalezienia matki, która nie poznaje mnie dopóty, dopóki nie robię na jej oczach słonika z banknotu. A potem mnie obejmuje. I nie puszcza.

Zdziwilibyście się, ilu jasnowidzów widnieje w lokalnej panoramie firm. Przewodnictwo w duchu New Age, Wróżby Laurel, Tarot Pogańskiej Księżniczki, Konsultacje Kate Kimmel, Feniks z Popiołów, czyli jak zapewnić sobie majątek i powodzenie w miłości.

Trzecie Oko Serenity, Cumberland Street, Boone.

Serenity nie miała reklamy dużych rozmiarów, infolinii ani nazwiska, ale mogłam dotrzeć do niej na rowerze. No i jako jedyna oferowała swoje usługi za okazyjne dziesięć dolarów.

Cumberland Street leży w części miasta, której babcia każe mi unikać. To w zasadzie uliczka ze spelunką i sklepem zabitym deskami. Na chodniku stoją dwie drewniane tablice: jedna proponuje shoty za dwa dolary przed siedemnastą, na drugiej widnieje napis „TAROT, $10, 14R".

Co oznacza to „14R"? Dolną granicę wieku? Rozmiar biustonosza?

Wolę nie zostawiać roweru na ulicy, bo nie mam blokady – w szkole ani na Main Street i nigdzie tam, dokąd zwykle jeżdżę, nie muszę go zapinać – więc pakuję się do korytarzyka na lewo od wejścia do baru i wciągam rower po schodach, na których śmierdzi piwem i potem. Na górze znajduje się mała poczekalnia. Na jednych drzwiach widnieje numer 14R oraz napis: „Sesje Serenity".

Ściany pokrywa łuszcząca się aksamitna tapeta. Na suficie kwitną żółte plamy i trochę za mocno pachnie potpourri. Widzę koślawy stolik, podparty książką telefoniczną, a na nim porcelanową miskę z wizytówkami. SERENITY JONES, JASNOWIDZ.

Mało tu miejsca, więc przesuwam się boczkiem. Usiłuję oprzeć rower o ścianę.

Zza drzwi dobiegają mnie stłumione kobiece głosy. Nie jestem pewna, czy mam zapukać, dać znać, że przyszłam. Dochodzę do wniosku, że jeśli Serenity jest cokolwiek warta, raczej już wie.

Na wszelki wypadek kaszlę. Głośno.

Z biodrem wciśniętym w ramę od roweru przyciskam ucho do drzwi.

– Stoi pani przed wielkim dylematem.

Zduszone westchnienie, a potem drugi głos.

– Skąd pani wie?

– Ma pani poważne wątpliwości, czy chce obrać słuszną drogę.

Ponownie drugi głos.

– Tak mi ciężko bez Berta.

– Jest tutaj z nami. Mówi, że powinna pani zawierzyć swemu sercu.

Chwila ciszy.

– To do Berta niepodobne…

– Oczywiście, że nie. Czuwa nad panią ktoś jeszcze.

– Ciocia Louise?

– Właśnie! Mówi, że była pani jej ulubienicą.

Prycham mimowolnie. Niezły refleks, Serenity, myślę.

Może usłyszała mój śmiech, bo za drzwiami zapada głucha cisza. Nachylam się bardziej i przewracam rower. Próbuję go przytrzymać, ale potykam się o szal matki, który się rozwiązał, po czym rower – wraz ze mną – wpada na stolik. Miska ląduje na podłodze i roztrzaskuje się w drobny mak.

Drzwi otwierają się z hukiem. Podnoszę wzrok, bo klęczę, usiłując pozbierać skorupy.

– Co się tutaj dzieje?

Serenity Jones jest wysoka; różowe włosy piętrzą się na jej głowie wysoko jak wata cukrowa. Ma szminkę pod kolor fryzury. Jakbym skądś ją znała.

– Pani Serenity?

– A kto pyta?

– Czy nie powinna pani w i e d z i e ć?

– Ja przewiduję, ale nie jestem wszechwiedząca. W przeciwnym razie znajdowałybyśmy się na Park Avenue, a ja miałabym konto na Kajmanach. – Głos ma zużyty. Brzmi jak skrzypienie sprężyn w zużytym tapczanie. Jej wzrok pada na rozbitą miskę. – Kpisz sobie? To moja misa rytualna!

Nie mam pojęcia, co to jest misa rytualna. Wiem tylko, że narozrabiałam.

– Przepraszam. To było niechcący…

– Zdajesz sobie sprawę, jaki to antyk? To była pamiątka rodzinna! Dziękuj Bogu, że moja matka tego nie dożyła. – Zgarnia skorupy i łączy je z sobą, jakby miały się skleić.

– Spróbuję naprawić…

– To na nic. No, chyba że jesteś magikiem. Moja matka i babcia przewracają się w grobach, bo masz tyle rozumu, co kot napłakał.

– Jeśli była tak cenna, dlaczego postawiła ją pani w poczekalni?

– A po co ty pchałaś się tu z rowerem?

– Bałam się, że na dole ktoś go ukradnie. – Wstaję. – Zapłacę pani.

– Kochana, drobniaki z harcerskiej kwesty nie zwrócą mi antyku z 1858 roku.

– Nie prowadzę harcerskiej kwesty – mówię. – Przyszłam na sesję.

Tego się nie spodziewała.

– Dzieci to nie moja specjalność.

Ciekawe.

– Jestem starsza, niż wyglądam.

To prawda. Wszyscy myślą, że chodzę do piątej, a nie do ósmej klasy.

W progu niespodziewanie staje klientka.

– Serenity? Czy wszystko w porządku?

Serenity potyka się o mój rower.

– Tak, tak. – Posyła mi wymuszony uśmiech. – Nie mogę ci pomóc.

– Słucham? – pyta klientka.

– Nie mówię do pani, pani Langham – odpowiada Serenity i mruczy do mnie: – Zabieraj się stąd, bo wezwę policję i wniosę skargę.

Może pani Langham nie życzy sobie wróżki, która jest niemiła dla dzieci, a może po prostu chce uniknąć konfrontacji z policją. Tak czy inaczej zerka na Serenity, jakby właśnie miała coś na końcu języka, po czym wymyka się chyłkiem i zbiega po schodach.

– No ładnie… – mamrocze Serenity. – Nie dość że straciłam bezcenną pamiątkę, to jeszcze dziesięć dolców.

– Zapłacę podwójnie – zapewniam.

Mam sześćdziesiąt osiem dolarów. Tyle odłożyłam z pilnowania dzieci na prywatnego detektywa. Nie jestem przekonana, że Serenity jest wiarygodna, ale mogę wysupłać dwudziestaka, żeby sprawdzić.

Oczy jej rozbłyskują.

– Dla ciebie – oznajmia – zrobię wyjątek. – Otwiera szerzej drzwi, odsłaniając zwykły pokój z kanapą, ławą i telewizorem. Wnętrze przypomina dom mojej babci, co sprawia mi pewien zawód. Nie ma tu nic, co dowodziłoby obecności jasnowidza. – Masz jakiś problem? – pyta.

– Chyba spodziewałam się szklanej kuli i zasłony z koralików…

– Za to trzeba zapłacić dodatkowo.

Zerkam na nią, bo nie wiem, czy żartuje.

Ciężko siada na kanapie i wskazuje mi krzesło.

– Jak się nazywasz?

– Jenna Metcalf.

– No dobra, Jenno – mówi i wzdycha. – Miejmy to z głowy.

Podaje mi notes i każe zapisać nazwisko, adres i numer telefonu.

– Po co?

– Na wypadek gdybym chciała się z tobą skontaktować. Jeśli duchy przekażą jakąś wiadomość czy coś w tym stylu.

Raczej po to, żeby mi przesłać ofertę handlową z dwudziestoprocentowym upustem na kolejną sesję. Ale biorę notes i się wpisuję. Ręce mi potnieją. Nagle dopadają mnie wątpliwości. Cóż, w najgorszym razie Serenity Jones okaże się oszustką, kolejnym ślepym zaułkiem na drodze do odszukania matki.

Nie. W najgorszym razie Serenity Jones okaże się utalentowanym jasnowidzem i dowiem się jednego z dwojga: że matka porzuciła mnie z własnej woli albo nie żyje.

Kobieta bierze karty tarota i zaczyna tasować.

– To, co ci powiem, może się wydawać bez sensu. Ale wszystko zapamiętaj, bo któregoś dnia dowiesz się czegoś i zrozumiesz, co duchy próbowały ci dzisiaj przekazać. – Mówi to w taki sam sposób, w jaki stewardesy instruują pasażerów, jak zapinać i rozpinać pasy. Następnie podaje mi karty, żebym rozłożyła je na trzy kupki. – Co chcesz wiedzieć? Komu wpadłaś w oko? Czy dostaniesz szóstkę z angielskiego? Do którego iść college'u?

– Nie interesuje mnie żadna z tych rzeczy. – Odkładam karty na stół. – Moja matka zaginęła dziesięć lat temu – dodaję. – Proszę pomóc mi ją odnaleźć.

W zapiskach matki jest fragment, który znam na pamięć. Czasem, kiedy nudzi mi się w klasie, zapisuję go w zeszycie, próbując odwzorować zawijasy jej pisma.

Pochodzi z czasu pobytu w Botswanie, gdzie po zrobieniu doktoratu badała w Tuli Block żałobę słoni i opisała śmierć słonia w dżungli. Było to słoniątko piętnastoletniej samicy o imieniu Kagiso. Kagiso urodziła tuż przed świtem; młode przyszło na świat martwe bądź zmarło tuż po porodzie. Z notatek matki wynikało, że tak się zdarza u słoni w przypadku pierwszego potomstwa. Niespotykana była natomiast reakcja Kagiso.

WTOREK

9.45 Kagiso stoi obok młodego na polanie, w pełnym słońcu. Głaszcze je po głowie i unosi mu trąbkę.

Od godziny 6.35 młode nie daje znaku życia.

11.52 Kagiso grozi Aviwe i Cokisie, kiedy dwie samice podchodzą do ciała słoniątka.

15.15 Kagiso wciąż stoi nad dzieckiem. Dotyka go trąbą. Próbuje podnieść.

ŚRODA

6.36 Martwię się o Kagiso. Nie była u wodopoju.

10.42 Kagiso obsypuje liśćmi ciało dziecka. Łamie gałęzie, żeby je przykryć.

15.46 Upał nie do zniesienia. Kagiso idzie do wodopoju, po czym wraca na posterunek.

CZWARTEK

6.56 Podchodzą trzy lwice, próbują odciągnąć martwe słoniątko. Kagiso atakuje, lwice uciekają na wschód.

Kagiso staje nad ciałem i trąbi.

8.20 Nadal trąbi.

11.13 Kagiso wciąż stoi nad ciałem.

21.02 Trzy lwy zjadają słoniątko. Nigdzie nie widać Kagiso.

Pod spodem matka dopisała:

Po trzydniowym czuwaniu Kagiso porzuca ciało potomka. Z potwierdzonych badań wynika, że słoniątko poniżej drugiego roku życia nie przeżyje, jeśli zostanie osierocone.

Do dziś nie wiadomo, co się dzieje z matką, która traci młode.

Pisząc to, mama nie wie jeszcze, że jest ze mną w ciąży.

– Zaginieni to nie moja specjalność – oświadcza kategorycznie Serenity.

– Dzieci to nie pani specjalność – wyliczam, pokazując na palcach. – Zaginieni to nie pani specjalność. To w czym się pani specjalizuje?

Mruży oczy.

– Przekaz energii? Nie ma sprawy. Tarot? Do usług. Kontakt ze zmarłym? Dobrze trafiłaś. – Nachyla się, żebym nie miała wątpliwości. – Ale zaginieni to nie moja broszka.

– Jest pani jasnowidzem.

– Różni jasnowidze mają różne dary – ucina. – Podświadomość, czytanie z aury, kontakt z zaświatami, telepatia. Jeden dar nie oznacza całego arsenału.

– Zaginęła dziesięć lat temu – ciągnę, udając, że nie słyszę. Zastanawiam się, czy opowiedzieć jej o zadeptaniu

przez słonia czy przewiezieniu do szpitala, ale porzucam ten pomysł. Nie chcę podsuwać gotowych odpowiedzi.
– Miałam trzy lata.

– Większość znika, bo tego chce – stwierdza Serenity.

– Ale nie wszyscy – zauważam. – Ona mnie nie zostawiła. Ja to wiem. – Z wahaniem ściągam szal i podsuwam go Serenity. – To należało do niej. Może pomoże...?

Serenity nawet go nie dotyka.

– Nie twierdzę, że nie umiem jej odnaleźć. Tylko że nie chcę.

Przerobiłam w myślach różne scenariusze tej rozmowy, ale nie wzięłam pod uwagę takiego obrotu sprawy.

– Dlaczego? – pytam ze zdumieniem. – Dlaczego nie chce mi pani pomóc, jeżeli pani potrafi?

– Bo nie jestem cholerną Matką Teresą! – wybucha. Robi się czerwona jak burak; ciekawe, czy miała wizję, jak pada na zawał. – Przepraszam na chwilę – dodaje i znika w przedpokoju.

Niebawem słyszę szum bieżącej wody.

Nie ma jej pięć minut. Dziesięć. Wstaję i chodzę po pokoju. Na półce nad kominkiem stoją zdjęcia pani domu z George'em i Barbarą Bushami, z Cher i gościem z „Zoolandera". Nic z tego nie rozumiem. Dlaczego ktoś, kto się zadawał z gwiazdami, wróży za dziesięć dolarów na prowincji w New Hampshire?

Na dźwięk spuszczanej wody pośpiesznie dopadam kanapy i siadam, jakbym w ogóle się z niej nie ruszała. Serenity wraca, już opanowana. Różową grzywkę ma wilgotną, jakby ochlapała wodą twarz.

– Nie wezmę dziś od ciebie pieniędzy – oznajmia. Prycham. – Przykro mi z powodu twojej mamy. Może ktoś inny powie ci to, co chciałabyś usłyszeć.

– Na przykład kto?

– A bo ja wiem? Nie spotykamy się na wieczorkach paranormalnych. – Idzie do drzwi i otwiera je na oścież, żeby mnie wyprosić. – W razie czego zadzwonię.

Przypuszczam, że to wybieg. Łże jak z nut, żebym już sobie poszła. Wychodzę do poczekalni i podnoszę rower.

– Jeśli nie chce jej pani odnaleźć – mówię – niech mi pani chociaż powie, czy ona żyje.

Nie wierzę, że to wykrztusiłam, dopóki słowa nie zawisają między nami jak kurtyna. Mam ochotę złapać rower i wiać, gdzie pieprz rośnie, zanim usłyszę odpowiedź.

Serenity wzdryga się, jakbym jej przyłożyła.

– Owszem.

Kiedy zatrzaskuje mi drzwi za plecami, zastanawiam się, czy przypadkiem znowu nie skłamała.

Zamiast wrócić do domu, mijam obrzeża Boone i jadę pięć kilometrów polną drogą w stronę wjazdu do rezerwatu przyrody Stark, nazwanego tak na cześć generała, który ukuł motto stanu: „Żyj wolnym lub zgiń". Ale dziesięć lat temu, zanim teren ten objęto ochroną, znajdował się tu rezerwat dla słoni założony przez mojego ojca, Thomasa Metcalfa. Obejmował wówczas ponad osiemset hektarów; od najbliższego domu dzielił go przeszło kilometr. Dziś połowę tego obszaru zajmują dyskont i osiedle mieszkaniowe. Resztę przeznaczono na rezerwat.

Zostawiam rower i idę przez dwadzieścia minut, mijając po drodze zagajnik brzozowy i jezioro, dzikie i zarośnięte, gdzie słonie przychodziły do wodopoju. W końcu docieram w ulubione miejsce, pod wielki dąb z konarami jak ramiona sękatej czarownicy. Mimo że o tej porze roku ziemia jest pokryta mchem i paprocią, pod tym drzewem zawsze ściele się jaskrawofioletowy dywan z kwiatów. Mieszkałyby tu wróżki, gdyby naprawdę istniały.

Grzyby noszą nazwę *Laccaria amethystina*, lakówka ametystowa. Sprawdziłam w sieci. Gdyby zobaczyła je mama, zrobiłaby tak samo.

Siadam pośrodku, ale nie gniotę kapeluszy, gdyż tylko uginają się pod moim ciężarem. Głaszczę spód jednego, żłobiony blaszkami. Jest aksamitny, a zarazem mięsisty. Jak czubek słoniowej trąby.

To właśnie tutaj Maura pochowała swoje dziecko, jedynego słonia, który przyszedł na świat w rezerwacie. Byłam zbyt mała, żeby to pamiętać, ale czytałam w zapiskach matki. Maura zjawiła się w rezerwacie już w ciąży, choć w ogrodzie zoologicznym, z którego pochodziła, o tym nie wiedziano. Urodziła prawie piętnaście miesięcy po przyjeździe; słoniątko było martwe. Zaniosła je pod dąb i przysypała gałęziami oraz igliwiem. Później pochowali je pracownicy, a po roku wystrzeliły tu przepiękne fioletowe grzyby.

Wyciągam z kieszeni komórkę. Jedyny pożytek ze sprzedaży połowy terenu jest taki, że w pobliżu stoi ogromna wieża nadawcza i zasięg jest pewnie lepszy niż w całej reszcie stanu. Otwieram wyszukiwarkę i wystukuję: „Serenity Jones, jasnowidz”.

Najpierw pojawia się hasło w Wikipedii. „Serenity Jones (ur. 1 listopada 1966 roku), amerykańska jasnowidzka i medium. Wielokrotnie występowała w telewizji śniadaniowej. Miała własny program *Serenity!*, w którym wróżyła dla widowni. Prowadziła również sesje indywidualne. Specjalizowała się w zaginięciach".

Słucham? Trzymajcie mnie, bo padnę!

„Współpracowała z różnymi wydziałami policji oraz FBI, szczycąc się 88-procentową skutecznością, lecz nietrafna przepowiednia w sprawie porwania syna senatora Johna McCoya odbiła się głośnym echem w mediach i skłoniła rodzinę do wniesienia skargi. W 2007 roku Jones znikła z życia publicznego".

Czy to możliwe, że znane medium – choćby i skompromitowane – rozpłynęło się w powietrzu i dopiero po latach wypłynęło w Boone w stanie New Hampshire? Jak najbardziej. Jeśli ktoś chciał się zaszyć na odludziu, moje miasteczko – gdzie największą atrakcję stanowiła parada z okazji czwartego lipca – nadawało się do tego doskonale.

Przeglądam listę „osiągnięć" Serenity.

„W 1999 roku Jones powiedziała Thei Katanopoulis, że jej syn Adam, zaginiony od siedmiu lat, jednak żyje. Odnaleziono go w 2001 roku; pracował na statku handlowym u wybrzeży Afryki.

Jones trafnie przepowiedziała uniewinnienie O.J. Simpsona oraz wielkie trzęsienie ziemi w 1989 roku.

W 1998 roku oznajmiła, że najbliższe wybory prezydenckie zostaną odroczone. Wprawdzie wybory w 2000 roku odbyły się planowo, jednak oficjalne wyniki podano dopiero po trzydziestu sześciu dniach.

Również w 1998 roku Jones powiedziała matce zaginionej studentki Kerry Rashid, że jej córka została śmiertelnie ugodzona nożem, a dowody DNA oczyszczą z zarzutu mężczyznę skazanego za popełnienie tej zbrodni. W 2004 roku Orlando Ickes został zwolniony w wyniku ustawy o niewinności. Skazano jego dawnego współlokatora.

W 2001 roku Jones poinformowała policję, że ciało Chandry Levy zostanie odnalezione w gęsto zalesionej okolicy na wzniesieniu. Znaleziono je w kolejnym roku w Rock Creek Park w stanie Maryland, na stromej skarpie. Twierdziła też, że Thomas Quintanos IV, nowojorski strażak uznany za zmarłego po jedenastym września, żyje. I faktycznie, wydobyto go spod gruzów pięć dni po ataku na World Trade Center.

Podczas swojego programu telewizyjnego w 2001 roku Jones w obecności kamer zaprowadziła policję do domu listonosza Earlena O'Doule'a, gdzie w piwnicy odnaleziono Justine Fawker, porwaną osiem lat wcześniej w wieku lat jedenastu i uznaną za zmarłą.

W programie w listopadzie 2003 roku Jones poinformowała senatora Johna McCoya i jego żonę, że ich uprowadzony syn żyje i przebywa na dworcu autobusowym w Ocala w stanie Floryda. Na miejscu zastano gnijące zwłoki chłopca".

To wydarzenie wyznaczyło początek końca błyskotliwej kariery Serenity Jones.

„W grudniu 2003 roku Jones powiedziała wdowie po komandosie Navy SEAL, że ta urodzi zdrowego chłopca. Dwa tygodnie później kobieta poroniła.

W styczniu 2004 roku Jones oznajmiła Yolandzie Rawls z Orem w stanie Utah, że jej zaginiona piętnastoletnia córka Velvet została poddana praniu mózgu i mieszka z mormońską rodziną; wywołało to falę protestów w Salt Lake City. Pół roku później chłopak Yolandy przyznał się do zamordowania dziewczynki i wskazał policji płytki grób nieopodal miejscowego wysypiska śmieci.

W lutym 2004 roku Jones przepowiedziała, że zwłoki Jimmy'ego Hoffy znajdą się w betonowych ścianach schronu wzniesionego przez rodzinę Rockefellerów w Woodstock w stanie Vermont. Informacja okazała się nieprawdziwa.

W marcu 2004 roku Jones ogłosiła, że Audrey Seiler, zaginiona studentka uniwersytetu Wisconsin-Madison, padła ofiarą seryjnego mordercy i że zostanie odnaleziony nóż, który potwierdzi tę wersję. Ustalono jednak, że Seiler zaaranżowała własne porwanie w celu zwrócenia na siebie uwagi chłopaka.

W maju 2007 roku Jones zapowiedziała, że Madeleine McCann, która zaginęła podczas wakacyjnego pobytu z rodzicami w Portugalii, zostanie odnaleziona do sierpnia. Sprawy nie rozwiązano po dziś dzień".

Od tamtej pory Serenity nie udzielała się publicznie. Z tego, co widzę, sama zaginęła.

Nic dziwnego, że dzieci to nie jej specjalność...

No dobrze, popełniła fatalny błąd w sprawie McCoyów, ale w połowie miała rację – chłopiec został odnaleziony. Tyle że martwy. Pech chciał, że po serii spektakularnych sukcesów przejechała się na znanym polityku.

Oglądam zdjęcie Serenity ze Snoop Dogiem, z uroczystości wręczenia nagród Grammy, i z George'em W.

Bushem, z obiadu w Białym Domu. Na kolejnej fotografii, z rubryki kryminalnej „US Weekly", ma na sobie sukienkę z dwiema wielkimi rozetami na piersiach.

Włączam YouTube, wystukuję nazwisko Serenity i senatora. Pierwsze nagranie to fragment jej programu telewizyjnego; widzę różowy zawijas włosów i takiż kombinezon, ciemniejszy o parę tonów. Naprzeciwko niej, na fioletowej kanapie, siedzi senator McCoy, facet ze szczęką, którą wyznaczać można kąty proste, i skronią atrakcyjnie przyprószoną siwizną. Żona przycupnęła obok. Ściska jego dłoń.

Nie interesuję się polityką, ale omawialiśmy senatora McCoya w szkole jako przykład zmarnowanej kariery. Wymieniano go wśród kandydatów na prezydenta, bawił u rodziny Kennedych w Hyannis Port i wygłaszał porywające przemówienia na konwencji demokratów. A potem porwano mu siedmioletniego syna. Sprzed prywatnej szkoły.

Na filmie Serenity nachyla się w stronę polityka.

– Senatorze McCoy – mówi. – Miałam wizję.

Najazd kamery na chór.

– Wiz-ję! – powtarza śpiewnie. – W której pański synek... – zawiesza głos – ...jest cały i zdrowy.

Żona senatora osuwa się na męża. Szlocha.

Ciekawe, czy Serenity wybrała senatora celowo i czy faktycznie miała wizję. A może po porostu chciała się ogrzać w blasku jego popularności?

Dalej pokazywany jest dworzec autobusowy w Ocali. Serenity prowadzi państwa McCoy do wnętrza; sunie jak w transie ku szafkom w pobliżu męskiej toalety. Żona senatora krzyczy: „Henry?!". Serenity każe policjantowi otworzyć szafkę numer 341. Policjant wydobywa ze środka poplamioną walizę i wszyscy cofają się jak na komendę. Jak najdalej od smrodu ukrytych wewnątrz zwłok.

Kamera na chwilę ucieka w bok, obraz jest przekrzywiony. Potem kamerzysta odzyskuje rezon. Widać wymiotującą Serenity. Ginny McCoy mdleje, a senator McCoy, złoty chłopiec Partii Demokratycznej, wrzaskiem nakazuje wyłączyć kamerę i rzuca się na operatora z pięściami.

Serenity Jones nie tylko popadła w niełaskę. Ona stoczyła się na samo dno. Państwo McCoy ją pozwali, choć wreszcie stanęło na ugodzie. Senator dwukrotnie został aresztowany za jazdę po pijanemu i wyjechał gdzieś na „rehabilitację", jego żona zmarła rok później, po przedawkowaniu tabletek nasennych. A Serenity ulotniła się, szybko i cichaczem.

Kobieta, która poległa na całej linii w tak głośnej sprawie, odnalazła przedtem dziesiątki zaginionych. Traf chciał, że zamieszkała w szemranej dzielnicy i ledwo wiązała koniec z końcem. Pytanie, czy straciła smykałkę, czy udawała od początku? Czy była prawdziwym jasnowidzem, czy trafiało się ślepej kurze ziarno?

Z tego, co mi wiadomo, zdolności nadprzyrodzone są jak jazda na rowerze. Wystarczy spróbować, żeby sobie przypomnieć.

I chociaż wiem, że Serenity nie chce mnie więcej widzieć, wiem też, że sprawa zaginięcia mamy to dla niej wymarzony bodziec.

Alice

Wszyscy znamy to powiedzenie: „Ma pamięć jak słoń". Jak się okazuje, jest ono w pełni uzasadnione.

Widziałam kiedyś w Tajlandii azjatyckiego słonia, którego nauczono robienia sztuczki. Przyprowadzano do niego dzieci, którym kazano siadać w jednym rzędzie, a następnie proszono je o zdjęcie butów, które zrzucano na stertę. Potem opiekun słonia kazał mu oddawać dzieciom buty. Słoń przeczesywał stertę trąbą i zwracał każdemu dziecku jego własność.

W Botswanie widziałam samicę, która trzykrotnie zamachnęła się na helikopter z weterynarzem, który chciał ją uśpić do badań. Musieliśmy poprosić o strefę wolną od lotów nad rezerwatem, gdyż przelatujące śmigłowce medyczne budziły panikę wśród słoni, które na ich widok zbijały się w ciasną gromadkę. Jedynymi helikopterami, jakie widziały kiedykolwiek, były helikoptery, z których przed pięćdziesięciu laty, w czasach uboju selektywnego, ostrzeliwano ich rodziny...

Krążą anegdoty o słoniach, które były świadkami śmierci członka stada z rąk kłusownika. Po czym przypuściły nocą atak na wioskę w poszukiwaniu sprawcy.

W ekosystemie Amboseli w Kenii żyją dwa plemiona, które mają do czynienia ze słoniami: Masajowie, ubierający się na czerwono i polujący na nie z włóczniami, oraz Kamba, rolnicy, którzy na słonie nie polowali nigdy. Według wyników jednego z badań, słonie okazywały większy strach, czując zapach ubrań masajskich niż tych noszonych przez Kamba. Rozpoznawszy woń Masajów, zbijały się w gromadę, usiłowały jak najprędzej oddalić od źródła zapachu i długo nie mogły się uspokoić.

Uwaga, podczas tego eksperymentu nie widziały ubrań, polegały wyłącznie na czynnikach olfaktorycznych, wynikających z diety i feromonów (Masaje spożywają więcej produktów odzwierzęcych niż Kamba, którzy ponoć silnie pachną bydłem). Co ciekawe, słonie potrafią bezbłędnie określić, kto im sprzyja, a kto wręcz przeciwnie. Tymczasem my, ludzie, nadal włóczymy się po nocach w ciemnych zaułkach, dajemy się nabierać na piramidy finansowe i pozwalamy wciskać sobie kit w komisie samochodowym.

Myślę, że biorąc pod uwagę te przykłady, pytanie wcale nie brzmi, czy słonie pamiętają. Może powinniśmy raczej zapytać, czego nie zapominają.

Serenity

Miałam osiem lat, kiedy zrozumiałam, że na świecie roi się od ludzi, których nie widzi nikt poza mną. Chłopiec, który na placu zabaw zaglądał mi pod spódnicę, kiedy się wspinałam na drabinki. Stara Murzynka, pachnąca liliami, która przysiadała na skraju mojego łóżka i śpiewała mi kołysankę. Czasem, kiedy szłyśmy z matką ulicą, czułam się jak łosoś płynący pod prąd, tak trudno było uniknąć zderzenia z setkami ludzi, którzy na mnie nacierali.

Prababka mamy była irokeską szamanką, a babcia ze strony taty wróżyła z fusów koleżankom w fabryce petard, gdzie pracowała. Rodzice nie zdradzali żadnych zdolności nadprzyrodzonych, ale mama twierdzi, że ja od dziecka miałam dar. Mówiłam jej na przykład, że dzwoni ciocia Jeannie, a dźwięk telefonu rozlegał się po pięciu sekundach. Albo upierałam się, żeby włożyć do przedszkola kalosze, chociaż na zewnątrz świeciło piękne słońce. Oczywiście, niedługo zaczynało lać. Moi wyimaginowani przyjaciele nie zawsze byli dziećmi, również żołnierzami z wojny secesyjnej i wiktoriańskimi wdowami. Raz nawet znalazł się wśród nich zbiegły niewolnik imieniem Pająk, z otarciami po sznurze na szyi. Inne dzieci w szkole uważały mnie za dziwną i omijały szerokim łukiem, dlatego rodzice postanowili przenieść się z Nowego Jorku do New Hampshire. Pierwszego dnia w drugiej klasie przykazali: „Serenity, musisz ukrywać swój dar, żeby nie stała ci się krzywda".

Posłuchałam ich rady. W klasie usiadłam obok dziewczynki i odczekałam, aż ktoś odezwie się do niej pierwszy, na dowód, że nie tylko ja ją widzę. Kiedy nauczycielka, pani DeCamp, sięgnęła po pióro, które miało zachlapać tuszem jej białą bluzkę, przygryzłam wargi i patrzyłam na to w milczeniu, zamiast ją ostrzec. Gdy po ucieczce klasowego myszoskoczka ujrzałam w myślach, jak przebiega po biurku dyrektorki, wyparłam tę wizję, dopóki nie usłyszałam wrzasków z sekretariatu.

Stało się tak, jak zapowiedzieli rodzice – zyskałam koleżanki. Jedną z nich była Maureen, która zapraszała mnie do siebie na zabawę zestawem Polly Pocket i opowiadała w tajemnicy, że jej brat trzyma pod materacem „Playboya", a matka okrągłą sumkę pod podłogą, w kartoniku po butach. Dlatego możecie sobie wyobrazić, co czułam, gdy kiedyś się huśtałyśmy i Maureen wymyśliła konkurs, kto zeskoczy dalej, a ja zobaczyłam, jak leży na ziemi. W tle migały światła karetki.

Chciałam ją ostrzec, a zarazem pragnęłam zachować przyjaciółkę, która nie wiedziała nic o darze. Dlatego milczałam. A gdy Maureen policzyła do trzech i sfrunęła z huśtawki, zacisnęłam mocno powieki, żeby nie widzieć, jak spada i łamie nogę.

Rodzice mówili, że mam ukrywać dar, żeby nie stała mi się krzywda. Lecz było lepiej, żeby stała się mnie, a nie komuś innemu. Od tamtej pory obiecałam sobie, że nie będę milczeć, jeżeli dar pomoże mi przewidzieć coś złego. Bez względu na to, co mogę stracić.

W tym wypadku straciłam Maureen, która nazwała mnie dziwolągiem i przestała się ze mną zadawać.

Z wiekiem nauczyłam się rozpoznawać, czy mam do czynienia z żywym czy ze zmarłym. Rozmawiałam z kimś i kątem oka dostrzegałam cień za jego plecami. Przywykłam nie zwracać na to uwagi, podobnie jak większość z was omiata wzrokiem twarze setek mijanych ludzi, nie przyglądając się ich rysom. Mówiłam matce, żeby sprawdziła hamulce, zanim jeszcze zapalało się światełko awaryjne na desce rozdzielczej, i gratulowałam sąsiadce ciąży, której jeszcze nie była świadoma. Mówiłam wszystko, co dostawałam pod postacią wizji, jak leci, bez wnikania, czy powinnam.

Mój dar bywał jednak wybiórczy. Kiedy miałam dwanaście lat, spłonął należący do ojca sklep z częściami samochodowymi. Ojciec zabił się po dwóch miesiącach, pozostawiając matce łzawy list, swoje zdjęcie w sukni wieczorowej i stos karcianych długów. Nie przewidziałam żadnej z tych rzeczy i nie macie pojęcia, ile razy mnie pytano dlaczego. Sama chciałabym to wiedzieć, Bóg mi świadkiem. Nie potrafię jednak przewidzieć zwycięskich numerów na loterii ani doradzić zakupu akcji. Nie wiedziałam o ojcu, a po latach nie zdołałam przewidzieć wylewu matki. Jestem jasnowidzem, a nie cholernym Czarnoksiężnikiem ze Szmaragdowego Grodu! Analizowałam to do znudzenia, zachodząc w głowę, czy przeoczyłam jakiś znak, komunikat z zaświatów, czy może byłam zbyt zajęta odrabianiem lekcji. Lecz z biegiem czasu zrozumiałam, że pewnych rzeczy wiedzieć nie powinnam. A poza tym – na co mi znajomość całej przyszłości? Po kiego grzyba miałabym wtedy żyć?

Przeniosłyśmy się z matką do Connecticut, gdzie ona podjęła pracę pokojówki w hotelu, a ja stroiłam się na czarno, interesowałam pogaństwem i przetrwałam liceum. Dopiero w college'u zaczęłam naprawdę celebrować swój dar. Nauczyłam się stawiać tarota i wróżyłam koleżankom. Zaprenumerowałam „Fate". Zamiast podręczników czytałam Nostradamusa i Edgara Cayce'a. Nosiłam gwatemalskie szale, powłóczyste kiecki i paliłam kadzidła w akademiku. Poznałam Shanae, która interesowała się okultyzmem. W przeciwieństwie do mnie nie potrafiła komunikować się ze zmarłymi, ale miała zdolność współodczuwania i bolał ją brzuch, ilekroć jej współlokatorka miała okres. Razem próbowałyśmy czarów. Stawiałyśmy przed sobą świecę, siadałyśmy przed lustrem i wpatrywałyśmy się w nie, dopóki nie ukazywało naszych poprzednich wcieleń. Shanae pochodziła z rodu mediów i podsunęła mi pomysł, abym poprosiła o ujawnienie się moich duchów przewodnich; jej babcia i ciotki miały takowe po obu stronach. Tym sposobem oficjalnie poznałam Lucindę, starszą Murzynkę, która dawniej śpiewała mi kołysanki, i Desmonda, zawadiackiego geja. Towarzyszyli mi bez przerwy, jak wierne psy, gotowi na każde zawołanie. Od tej pory radziłam się ich bez przerwy i prowadzili mnie za rękę.

Desmond i Lucinda byli najlepszymi opiekunami, umożliwiając mi – nieopierzonemu jasnowidzowi – bezkolizyjną podróż przez świat nadprzyrodzony. Czuwali, żebym unikała demonów, duchów, które nigdy nie były ludźmi. Wybijali mi z głowy zadawanie pytań, na które nie powinnam znać odpowiedzi. Uczyli kontrolować mój dar i wyznaczać granicę, za którą to on mógł mnie wziąć w posiadanie. Jak byście się czuli, gdyby co pięć minut budził was telefon? Tak bywa z duchami, gdy się je dopuści zbyt blisko. Tłumaczyli też, że wizje to jedno, ale nie wypada czytać w kimś bez pytania. Inni jasnowidze robili tak ze mną, a ja czułam się wtedy tak, jakby szperali mi w szufladzie z bielizną albo zamknęli w windzie, aby przejrzeć moje rzeczy osobiste.

Latem w Old Orchard Beach w stanie Maine wróżyłam za pięć dolarów, a po college'u zdobywałam klientów dzięki poczcie pantoflowej, zaczepiając się dorywczo, gdzie popadnie. Miałam dwadzieścia osiem lat i pracowałam jako kelnerka w miejscowym lokalu, kiedy zjawił się tam kandydat na gubernatora, na sesję fotograficzną z rodziną. Kiedy zasiadł z żoną nad talerzem naszych firmowych naleśników z jagodami, jego córeczka przycupnęła na jednym ze stołków przy barze.

– Nuda, co? – zapytałam, a ona pokiwała głową. Nie miała więcej niż siedem lat. – Może się napijesz gorącej czekolady?

Podając kubek, musnęłam ręką jej palce i aż mnie zatkało. Nie potrafiłam nazwać tego inaczej.

Mała nie udzieliła zgody na wróżbę, więc moje duchy przewodnie nie omieszkały mi przypomnieć, że nie mam prawa się wtrącać. Ale jej matka na drugim końcu sali z uśmiechem machała do kamery, nieświadoma tego, co zrobiłam. Kiedy poszła do toalety, wymknęłam się za nią. Podała mi rękę w przekonaniu, że ma przed sobą potencjalnego wyborcę.

– Wiem, jak to zabrzmi – powiedziałam. – Ale proszę zbadać córkę pod kątem białaczki.

Zamarła.

– Czy Annie wspomniała pani o swoich bólach? Przepraszam, że zawracała pani głowę, doceniam troskę, ale pediatra zapewnił, że nie ma powodu do niepokoju.

I poszła.

„A nie mówiłem?", wyszczerzył się Desmond, kiedy po chwili kandydat i jego świta opuścili lokal. Długo wpatrywałam się w niedopitą czekoladę, po czym wylałam ją do zlewu. „To bardzo trudne, kochana", powiedziała Lucinda. „Wiedzieć to, co wiesz, i nie móc nic z tym zrobić".

Żona kandydata wróciła po tygodniu. Sama, w dżinsach zamiast drogiego kostiumu z czerwonej wełny. Podeszła do mnie, kiedy wycierałam stół.

– Wykryli raka – szepnęła. – Nawet nie było go jeszcze we krwi. Kazałam im zbadać szpik. Ale ma szansę... – Zaczęła płakać. – ...bo to wczesne stadium. – Złapała mnie za rękę. – Skąd pani wiedziała?

Na tym mogło się skończyć – ot, jeden dobry uczynek, żeby zagrać Desmondowi na nosie – ale żona kandydata okazała się siostrą producenta *Cleo!* Ameryka kochała Cleo, która dorastała w Washington Heights, a stała się jedną z najbardziej rozpoznawalnych kobiet pod słońcem. Kiedy Cleo czytała książkę, nakład rozchodził się w mgnieniu oka. Kiedy oznajmiła, że puszysty bambusowy szlafrok to wymarzony prezent na święta, sprzedawca nie nadążał z zamówieniami. Gdy proponowała wywiad kandydatowi, ten wygrywał wybory. Zatem gdy zaprosiła mnie do programu, żebym jej powróżyła, moje życie wywróciło się do góry nogami.

Powiedziałam Cleo rzeczy, które odgadłby każdy głupi: że zdobędzie jeszcze większą sławę, że „Forbes" umieści ją na liście najbogatszych kobiet świata, a jej nowa firma producencka wylansuje kandydata do Oscara. A potem coś mnie naszło i wypaliłam, bo mi na to pozwoliła, chociaż powinnam pójść po rozum do głowy:

– Córka cię szuka.

– Ona nie ma córki – oznajmiła przyjaciółka Cleo, która również brała udział w programie.

Fakt, była singielką, nigdy jej z nikim nie łączono. Ale w oczach Cleo stanęły łzy.

– A jednak – przyznała.

Była to jedna z sensacji roku. Wyszło na jaw, że jako szesnastolatka Cleo została zgwałcona na randce i odesłana do zakonu w Portoryko, gdzie urodziła dziecko i oddała je do adopcji. Wszczęła publiczne poszukiwania córki, obecnie trzydziestojednoletniej, po czym nastąpiło łzawe spotkanie na wizji. Notowania Cleo skoczyły; zdobyła nagrodę Emmy. W podziekowaniu jej firma producencka awansowała mnie z kelnerki na jasnowidza gwiazd i podarowała własny telewizyjny show.

Szczególną smykałkę miałam do smarkaczy. Wydziały zabójstw zapraszały mnie do lasów, gdzie odnajdywano dziecięce ciała, żebym pomogła im odnaleźć mordercę. Chodziłam do domów, skąd uprowadzono dzieciaki, aby naprowadzać policję na właściwy trop. Spacerowałam po miejscach zbrodni w plastikowych nakładkach na buty i próbowałam dociec, co dokładnie zaszło. Pytałam Lucindę i Desmonda, czy dziecko przeszło już na drugą stronę. W przeciwieństwie do fałszywych jasnowidzów, którzy sami garną się na świecznik, żeby liznąć trochę sławy, zawsze czekałam, aż to policja zrobi pierwszy krok. Czasami przedstawiałam w programie sprawy niedawne, czasem przedawnione. Miałam zadziwiającą skuteczność, no ale nie udawałam. W tym samym czasie zaczęłam sypiać z pistoletem pod poduszką i założyłam w domu alarm. Zatrudniłam ochroniarza o imieniu Felix, skrzyżowanie lodówki z pitbullem. Użytek z daru naraził na szwank moje bezpieczeństwo, bo znalazłam się na celowniku bandytów, których mogłam wsadzić za kratki.

Zaznaczam, że nie brakowało krytyki pod moim adresem. Sceptycy nazywali mnie oszustką, która doi ludzi z pieniędzy. No cóż, istnieją i tacy jasnowidze. Nazywam ich wiedźmami z bagien, wróżbitami z przypadku. Tak jak istnieją świetni prawnicy, lekarze i kierowcy, w każdej profesji znajdują się zakały. Inny, dziwniejszy zarzut pochodził z ust tych, którzy mieli mi za złe, że trwonię dar od Boga, przeliczając go na pieniądze. Przepraszam, że nie chciałam mieszkać pod mostem. Jakoś nikt nie ma pretensji do Sereny Williams i Adele, że żyją ze swoich talentów, prawda? Przeważnie więc ignorowałam to, co wypisywano o mnie w prasie. Próba dyskusji z hejterami jest z góry skazana na porażkę. Szkoda zdrowia.

Zatem tak, miałam przeciwników, ale miałam też i fanów. I dzięki nim korzystałam z przeróżnych przywilejów: jedwabnej pościeli, domu w Malibu, prawdziwego szampana, numeru do Jennifer Aniston na szybkim wybieraniu.

Nagle przestałam po prostu widzieć więcej – zaczęłam śledzić oglądalność. Nie słuchałam Desmonda, kiedy mi mówił, że robię z siebie medialną dziwkę. Jak to, przecież wciąż pomagam ludziom? Czy nie zasługuję w zamian na coś małego?

Gdy w trakcie jesiennych badań oglądalności porwano syna senatora McCoya, dostrzegłam w tym jedyną i niepowtarzalną szansę na zostanie jasnowidzem wszech czasów. Któż bowiem lepiej potwierdzi wartość mego daru, jeżeli nie kandydat na prezydenta? Widziałam oczami wyobraźni, jak McCoy tworzy Ministerstwo Spraw Nadprzyrodzonych, ze mną na czele, i śliczny domek, jaki kupię sobie w Georgetown. Musiałam tylko przekonać go – mężczyznę, który żył na widoku publicznym – że może dzięki mnie zyskać coś więcej niż tylko kpinę wyborców.

Korzystając ze swych wpływów, wszczął poszukiwania na skalę ogólnopaństwową, ale bez rezultatu. Prawdopodobieństwo, że pojawi się w moim programie i zgodzi wystąpić na żywo, było w najlepszym razie mizerne, z czego doskonale zdawałam sobie sprawę. Dlatego użyłam własnego arsenału – zadzwoniłam do żony gubernatora Maine, której córka wyzdrowiała. Ona zaś przekonała żonę senatora McCoya. Jego sztab zadzwonił do mojego, a reszta, jak mówią, jest historią.

W dzieciństwie nie byłam pewna, na czym polega różnica między duchem a żywą istotą, zakładałam tylko, że każde ma mi coś do powiedzenia. Kiedy stałam się sławna, różnica nie sprawiała mi problemu, lecz nie zawracałam sobie już głowy słuchaniem.

Nie powinnam była obrosnąć w piórka. I zakładać, że moje duchy przewodnie zawsze stawią się na wezwanie.

Tamtego dnia podczas programu, zapewniając McCoyów, że ich syn żyje, skłamałam.

Nie miałam wizji chłopca, widziałam wyłącznie kolejną nagrodę Emmy.

Przywykłam do nieustannego wsparcia Desmonda i Lucindy, toteż gdy senator usiadł ze mną przed kamerami, czekałam na podpowiedź w sprawie porwania. Lucinda podsunęła mi Ocalę, lecz Desmond kazał jej siedzieć cicho. Nie odezwali się później słowem. Dlatego improwizowałam i oznajmiłam rodzicom to, co oni – i cała Ameryka – chcieli usłyszeć.

Wszyscy wiemy, co z tego wyszło.

Potem się wycofałam. Nie włączałam telewizora ani radia, gdzie używali sobie na mnie krytycy. Nie miałam ochoty rozmawiać z producentami i z Cleo. Czułam się upokorzona, a co gorsza, świadoma, że zraniłam ludzi, którzy wystarczająco oberwali od losu. Ofiarowałam im promyk nadziei, a potem go zabrałam.

Obwiniałam Desmonda, toteż gdy wreszcie raczył się pojawić, kazałam jemu i Lucindzie spadać. Bo i z nimi nie chciałam mieć do czynienia.

Na wypowiadane życzenia trzeba uważać…

Wreszcie uwagę ludzi zaprzątnął kolejny skandal, a ja wróciłam do programu. Tyle że moje duchy przewodnie zrobiły dokładnie to, o co je prosiłam, więc byłam zdana na własne siły. Wciąż przepowiadałam, ale popełniałam gafę za gafą. Straciłam pewność siebie i koniec końców zostałam z pustymi rękami.

Byłam jasnowidzem. Nie miałam w zanadrzu nic innego. Znalazłam się w położeniu, które dawniej wyszydzałam – zostałam wiedźmą z bagien, wioskową czarodziejką, która ogłaszała się po jarmarkach w nadziei na zwabienie desperatów.

Mija właśnie dziesięć lat, odkąd miałam prawdziwe, przeszywające widzenie, lecz jeszcze utrzymuję się na powierzchni. Dzięki ludziom pokroju pani Langham, która przychodzi co tydzień, żeby pogadać ze swoim zmarłym mężem Bertem. Wraca, ponieważ mam smykałkę do oszukiwania, tak jak niegdyś miałam do wizji. Wystarczy czytać z mowy ciała, być spostrzegawczym i mieć zacięcie detektywa. Podstawowa zasada jest taka – ludziom, którzy chodzą do wróżki, zależy na powodzeniu, zwłaszcza jeśli liczą na kontakt ze zmarłym. Łakną informacji, podobnie jak ja pragnę im ich dostarczać. To dlatego „sesja" mówi więcej o kliencie niż o wróżbitce, która ją przeprowadza. Strzelam na chybił trafił: ciocia, wiosna, coś z wodą, litera S, Sarah, a może Sally, czyżby coś z wykształceniem? Książki? Pisanie? Klientka raczej podchwyci co najmniej jeden punkt z listy, gorliwie przypisując mu znaczenie dla własnej sprawy. Jedyny cud polega na tym, że przeciętna osoba doszukuje się znaku w przypadkowych hasłach. Jesteśmy rasą, która widzi Matkę Boską w sęku, szuka Boga w zakolu tęczy i słyszy zakodowaną wiadomość w piosence Beatlesów puszczonej wspak. Ten sam skomplikowany umysł, który dopatruje się sensu w jego braku, uwierzy fałszywemu jasnowidzowi.

Jak to się odbywa? Wiedźmy z bagien są dobrymi śledczymi. Zwracam uwagę na wpływ, jaki wywierają moje słowa – rozszerzone źrenice, wstrzymanie oddechu. Starannie dobieram słowa. Na przykład mówię do pani Langham: „Dzisiaj zaprezentuję wspomnienie, o którym pani myśli...", po czym zaczynam mówić o świętach. I proszę, trafiłam w sedno. Słowo „zaprezentować" wywołało ciąg skojarzeń w jej głowie i „prezent" majaczy na horyzoncie. Mogła myśleć o urodzinach, ale bingo! – pomyślała o Bożym Narodzeniu. Jakbym czytała w jej głowie.

Odnotowuję cień zawodu, kiedy plotę od rzeczy, toteż zaraz się reflektuję i zmieniam front. Patrzę, jak jest ubrana i jak mówi, by dociec jej pochodzenia. Zadaję pytania i na ogół podsuwana mi jest odpowiedź.

– Słyszę literę B. Czy pani dziadek miał imię na B?

– Nie... Może P? Dziadek miał na imię Paul.

Trafiony, zatopiony.

Jeśli klientka powie mi za mało, wyjścia są dwa. Po pierwsze, „afirmacja", czyli wiadomość z zaświatów, jaką chce usłyszeć każdy o zdrowych zmysłach. Na przykład: „Dziadek mówi, że odzyskał spokój, i prosi panią o to samo". Po drugie, mogę zamydlić oczy komentarzem pasującym do dziewięćdziesięciu dziewięciu procent populacji, który klientka na bank weźmie do siebie: „Dziadek wie, że kieruje się pani rozsądkiem, ale uważa, iż czasem postępuje pani pochopnie". A potem czekam na kolejny punkt zaczepienia. Zdziwilibyście się, czym ludzie zapełniają luki w rozmowie.

Czy to czyni mnie oszustką? W pewnym sensie. Obstaję przy teorii Darwina – przystosowuję się, aby przeżyć.

Ale dzisiaj wszystko wzięło w łeb. Straciłam i dobrą klientkę, i miskę po babci, i opanowanie. A wszystko przez chudą smarkulę i jej zardzewiały rower. Jenna Metcalf wcale nie była starsza, niż na to wyglądała – Jezu, pewnie wciąż wierzy w krasnoludki! – sprawiła jednak, że koszmar sprzed dziesięciu lat jak żywy stanął mi przed oczami. „Zaginieni to nie moja specjalność", oznajmiłam zgodnie z prawdą. Przekazywanie komuś wiadomości od zmarłego męża to jedno, ale nie będę zwodzić nikogo fałszywą nadzieją. Wiecie, do czego to prowadzi? Do zamieszkania w Koziej Wólce w stanie New Hampshire i pobierania co czwartek zasiłku dla bezrobotnych.

Lubię być oszustką. Klient nasz pan; tak jest bezpieczniej. Ani on nie ucierpi, ani ja, gdy zaglądając w zaświaty, widzę wyłącznie frustrację. Poniekąd byłoby łatwiej, gdybym nigdy nie miała daru. Nie wiedziałabym, co straciłam.

A tymczasem napatoczył się ktoś, kto błądzi po omacku.

Sama nie wiem, co mnie tak rąbnęło w Jennie Metcalf. Może oczy, bladozielone pod rudą grzywką, hipnotyczne i nadprzyrodzone. Może obgryzione do krwi skórki przy paznokciach? A może to, jak się skurczyła, jak Alicja w Krainie Czarów, na wieść, że jej nie pomogę. To jedyny możliwy powód, dla którego odpowiedziałam jej na pytanie, czy matka żyje.

Tak bardzo wówczas pragnęłam odzyskać swoje zdolności, naprawdę się starałam. Dawno nie zdobyłam się na tyle wysiłku, bo rozczarowanie jest jak walenie głową w mur.

Przymknęłam oczy, próbując odbudować pomost między mną a duchami przewodnimi, aby usłyszeć cokolwiek. Szept, chichot, szmer oddechu.

Ale nie usłyszałam kompletnie nic.

Dlatego na użytek Jenny Metcalf zrobiłam coś, czego poprzysięgłam więcej nie robić – uchyliłam drzwi prawdopodobieństwa z pełną świadomością, że się przez nie wślizgnie. Zapewniłam ją, że jej matka żyje.

Chociaż tak naprawdę nie miałam o tym zielonego pojęcia.

Po wyjściu Jenny Metcalf łykam xanax. Czuję się usprawiedliwiona; w końcu przez tę dziewczynę stanęłam nad przepaścią. Zanim dochodzi trzecia, odpływam.

Muszę wam powiedzieć, że nie śniłam od lat. Marzenia senne to stan najbliższy nadprzyrodzonemu, czas, gdy umysł traci czujność i można zajrzeć na drugą stronę. To dlatego po przebudzeniu tylu ludzi opowiada, że spotkało zmarłego. Ale nie ja. Nie odkąd odeszli Desmond i Lucinda.

Ale dziś, kiedy zasypiam, mój umysł jest kalejdoskopem barw. Widzę łopoczącą flagę, która przesłania mi widok, po czym stwierdzam, że to nie flaga, lecz niebieski szal na szyi kobiety, której twarzy nie widzę. Leży nieruchomo na plecach pod klonem i jest deptana przez słonia. Spoglądam uważniej i dochodzę do wniosku, że być może słoń wcale po niej nie depcze, tylko stara się ją ominąć, unosząc jedną z tylnych nóg i przenosząc ją nad ciałem kobiety. Gdy wyciąga trąbę i ciągnie za szal, kobieta ani drgnie. Trąba głaszcze ją po policzku, szyi, czole, po czym zsuwa i unosi szal, aż ten płynie na wietrze jak plotka.

Słoń sięga po coś w skórzanej oprawie, czego nie widzę dokładnie, wsunięte pod biodro leżącej. Po książkę? Odznakę w etui? Jestem pod wrażeniem zręczności, z jaką je otwiera. Następnie ponownie kładzie trąbę na piersi kobiety, niemal jak stetoskop, i bezszelestnie znika w lesie.

Budzę się we wstrząsie, oszołomiona – no bo skąd te słonie? – i zdziwiona burzą, która nadal huczy w mojej głowie. Ale to nie grzmot. To ktoś dobija się do drzwi.

Z góry wiem, kogo ujrzę w progu.

– Zanim pani powie cokolwiek, nie przyszłam żebrać o pomoc – oznajmia Jenna Metcalf, ładując się do środka. – Po prostu coś zostawiłam. Coś naprawdę ważnego.

Zamykając drzwi, przewracam oczami na widok głupiego roweru znów wciśniętego do poczekalni. Jenna zaczyna myszkować w okolicach kanapy. Nurkuje pod stołem i zagląda pod krzesła.

– Gdybym coś znalazła, dałabym ci znać.

– Wątpię – kwituje.

Zaczyna otwierać szuflady, w których trzymam znaczki, zapas oreo i karty dań restauracji na wynos.

– Nie przeszkadzaj sobie – mówię z przekąsem.

Ale Jenna nie zwraca na mnie uwagi. Wsuwa rękę pod poduszki na kanapie.

– Wiedziałam, że tu jest – oświadcza z ulgą, po czym wyciąga jak wstęgę niebieski szal z mojego snu i owija nim szyję.

Jest tak namacalny, że trochę się uspokajam; ten widok zapadł mi w podświadomość i stąd jego obecność we śnie. Ale co począć z pozostałymi szczegółami, które zobaczyłam? Z pomarszczoną skórą słonia, baletem trąby? I z jeszcze czymś, co dopiero sobie uświadamiam – słoń sprawdzał, czy kobieta oddycha. Następnie odszedł. Nie dlatego że przestała, ale ponieważ wciąż tliło się w niej życie.

Nie wiem, skąd to wiem. Po prostu wiem.

Przez całe życie tak właśnie określałam nadprzyrodzone. Nie sposób go pojąć, wyjaśnić ani mu zaprzeczyć.

Nie można być urodzonym jasnowidzem i nie wierzyć w moc znaków. Czasem to korek na drodze, przez który spóźniasz się na samolot i unikasz katastrofy. Czasem róża kwitnąca w ogrodzie pełnym chwastów. Czasem dziewczynka, którą spławiłaś, a która prześladuje cię we śnie.

– Przepraszam za kłopot – mamrocze Jenna.

Jest w połowie drogi do drzwi, kiedy słyszę swój głos.

– Jenno. To pewnie nic, ale… – mówię. – Czy twoja matka pracowała w cyrku czy coś w tym stylu? Albo w ogrodzie zoologicznym? Nie… Nie wiem dlaczego, ale skądś wzięły mi się słonie.

Od siedmiu lat nie miałam prawdziwej wizji. Od siedmiu. Lat. Wmawiam sobie, że to zbieg okoliczności, łut szczęścia albo niestrawność po burrito, które zjadłam na lunch.

Kiedy mała się odwraca, na jej twarzy malują się zdumienie i szok.

W tamtej chwili wiem już, że miała do mnie trafić.

I że odnajdę jej matkę.

Alice

Nie ulega wątpliwości, że słonie rozumieją śmierć. Być może nie przygotowują się do niej tak jak my, nie wyobrażają sobie życia wiecznego na kształt obiecywanego w naszych doktrynach religijnych. Dla nich żal jest prostszy, ma czystszy wymiar. I sprowadza się do straty.

Nie wykazują specjalnego zainteresowania kośćmi innych zwierząt, tylko wyłącznie słoni. Gdy napotykają szczątki pobratymca, który nie żyje od dawna i został rozwłóczony przez hieny, a jego szkielet się pokruszył, stają blisko siebie, zdradzając objawy napięcia. Razem zbliżają się do truchła i z nabożeństwem dotykają kości. Trudno to ująć inaczej. Głaszczą martwego słonia, muskają go trąbami i tylnymi nogami. Obwąchują. Zdarza się, że zabierają jakiś fragment i niosą go przez pewien czas. Kładą pod nogami najmniejszy odłamek słoniowej kości, delikatnie kołysząc się w przód i w tył.

Przyrodnik George Adamson pisał o tym, jak w latach czterdziestych musiał zastrzelić słonia, który wdarł się do ogrodów rządowych w Kenii. Rozdał mięso miejscowym, a resztę ciała przeniósł kilometr od wioski. Słonie natknęły się na nie tamtej nocy. Wzięły obojczyk oraz kość udową i zaniosły z powrotem na miejsce, gdzie zwierzę zostało zastrzelone. W zasadzie wszyscy wielcy badacze słoni opisywali rytuały związane ze śmiercią: Iain Douglas-Hamilton, Joyce Poole, Karen McComb, Lucy Baker, Cynthia Moss, Anthony Hall-Martin.

Również ja.

Widziałam kiedyś stado idące przez rezerwat w Botswanie. Naraz Bontle, przewodniczka, upadła. Kiedy pozostałe słonie stwierdziły, że coś się dzieje, próbowały dźwignąć ją kłami, zmusić do wstania. Gdy to nie pomogło, jeden z młodych samców dosiadł Bontle, chcąc przywrócić jej przytomność. Jej syn, Kgosi, wówczas mniej więcej czteroletni, wsunął trąbę do jej paszczy, zwyczajem młodych, które w ten sposób witają się zwykle z matkami. Stado pochrząkiwało, słoniątko wydawało odgłosy, które brzmiały jak krzyki, po czym wszystko ucichło. Wtedy zrozumiałam, że Bontle umarła.

Kilka słoni podeszło do linii drzew; zerwały liście i gałęzie, którymi przykryły Bontle. Pozostałe obsypały jej ciało piaskiem. Przez dwa i pół dnia stado stało uroczyście nad zwłokami, oddalając się jedynie po pożywienie i wodę; następnie znowu wracało. Nawet po latach, gdy kości Bontle rozproszyły się i zbielały, a czaszka znalazła się w wyschniętym korycie rzeki, przechodząca mimo społeczność zatrzymywała się na kilka minut. Ostatnio widziałam, jak Kgosi – obecnie dorosły ośmioletni samiec – podchodzi do czaszki i wsuwa trąbę tam, gdzie znajdowałby się otwór gębowy. Najwyraźniej przypisuje szkieletowi pewne znaczenie ogólne, gdybyście jednak to widzieli, uwierzylibyście w to, w co wierzę ja.

Że on rozpoznaje w nim swoją matkę.

Jenna

– Jeszcze raz – żądam.

Serenity stawia oczy w słup.

Już od godziny siedzimy w jej pokoju, a ona relacjonuje mi szczegóły dziesięciosekundowego snu o mamie. Wiem, że to mama, z powodu niebieskiego szala, słonia i... Kiedy bardzo chcesz w coś wierzyć, możesz sobie wmówić wszystko.

Fakt, Serenity mogła wygooglować mnie zaraz po moim wyjściu i wymyślić bajeczkę. Lecz gdy wpiszesz w wyszukiwarkę „Jenna Metcalf", wzmianka o mnie pojawia się dopiero na czwartej stronie i mowa w niej o trzyletniej córce swojej matki. Istnieje całe mnóstwo ciekawszych Jenn Metcalf, a mama zaginęła zbyt dawno temu. Poza tym Serenity nie wiedziała, że wrócę po szal.

Chyba że wiedziała, co dowodzi, że nie oszukuje, prawda?

– Słuchaj – mówi. – Nie powiem ci nic oprócz tego, co już powiedziałam.

– Ale moja matka oddychała.

– Oddychała kobieta, którą widziałam we śnie.

– Coś mówiła? Wydała jakiś odgłos?

– Nie. Tylko leżała. To było wrażenie, nic więcej.

– Ona żyje – mruczę, bardziej do siebie niż do Serenity.

Podoba mi się, jak te słowa napełniają mnie bąbelkami, jakby w żyłach popłynęła mi woda sodowa. Wiem, że powinnam się wściekać i zaniepokoić tym jakże kruchym dowodem, że mama żyje – i spędziła dziesięć lat z dala ode mnie – ale za bardzo cieszę się na myśl, że jeśli to właściwie rozegram, znów ją zobaczę.

Potem zdecyduję, czy chcę ją nienawidzić, i zapytam, dlaczego po mnie nie przyszła.

Albo mocno ją przytulę i zaproponuję, żebyśmy zaczęły od początku.

Nagle robię wielkie oczy.

– Pani sen. To nowy dowód. Jeżeli powie pani policji to, co mnie, sprawa zostanie rozpatrzona ponownie.

– Kochana, żaden detektyw w tym kraju nie potraktuje snu jasnowidza jak oficjalnego dowodu. To jakbyś poprosiła prokuratora generalnego o wezwanie na świadka wielkanocnego zajączka.

– A jeśli tak było naprawdę? Jeśli to, co się pani przyśniło, to wycinek z przeszłości?

– To nie działa w ten sposób. Miałam kiedyś klientkę, która przychodziła do mnie po śmierci babci. Babcia wyraźnie dawała o sobie znać, wskazywała mi Wielki Mur, plac Tiananmen, przewodniczącego Mao, ciasteczka z wróżbą. Jak gdyby robiła wszystko, co w jej mocy, żeby mi nasunąć skojarzenie z Chinami. Zapytałam, czy babcia była kiedyś w Chinach, interesowała się feng shui czy coś w tym rodzaju, na co klientka odparła, że to do babci niepodobne i nie ma najmniejszego sensu. Wówczas babcia pokazała mi różę. Powiedziałam o tym klientce, która stwierdziła, że babcia wolała polne kwiaty. No to zaczęłam kombinować: Chiny, róża. Róża, Chiny. Klientka spojrzała na mnie i oznajmiła: „Po jej śmierci odziedziczyłam serwis z chińskiej porcelany w różyczki". Pojęcia nie mam, dlaczego babcia, zamiast wazy w róże, pokazywała mi sajgonki. Ale do czego zmierzam: słoń nie musi oznaczać słonia. Może symbolizować coś innego.

Patrzę na nią ze zdziwieniem.

– Przecież dwa razy mi pani powiedziała, że mama żyje.

Serenity się waha.

– Słuchaj, powinnaś wiedzieć, że nie mam najlepszej prasy...

Wzruszam ramionami.

– Jedna wpadka nie oznacza, że znów pani nawali.

Otwiera usta, po czym je zamyka.

– Kiedy odnajdywała pani zaginionych... – mówię. – Jak pani to robiła?

– Brałam ubranie lub zabawkę, po czym szłam z policjantami tam, gdzie widziano daną osobę po raz ostatni – odpowiada Serenity. – I czasami coś... miałam.

– Na przykład co?

– Przelotną wizję. Znaku drogowego, krajobrazu, marki samochodu. Raz nawet akwarium ze złotą rybką z pomieszczenia, w którym trzymano porwane dziecko. Ale... – Wierci się niepewnie. – Chyba trochę wyszłam z wprawy.

Jasnowidz zawsze wychodzi na swoje, bo wizję można traktować dosłownie albo dokładnie odwrotnie. Tylko pozazdrościć takiego wentylu bezpieczeństwa. No tak, może słoń ze snu to metafora przeszkody, w obliczu której stanęła moja matka, ale – jak zapewne powiedziałby Freud – może naprawdę jest słoniem. Jest tylko jeden sposób, żeby to sprawdzić.

– Ma pani samochód, tak?

– Tak. A co?

Idę przez pokój, owijając się szalem, a następnie sięgam do jednej z szuflad przeszukanych po przyjściu, w której mignęły mi klucze. Rzucam je Serenity i kieruję się do drzwi wyjściowych. Żaden ze mnie jasnowidz, lecz to wiem na pewno – ciekawość każe jej pójść za mną.

Serenity jeździ żółtym volkswagenem garbusem z lat osiemdziesiątych, na wskroś przeżartym rdzą.

Wciskamy rower na tylne siedzenie. Prowadzę ją bocznymi drogami i autostradą, gubiąc się zalewie dwa razy, bo trasę tę pokonuję zwykle rowerem. Samochód nie wszędzie dotrze. Kiedy dojeżdżamy do rezerwatu, nasz pojazd jest jedyny na parkingu.

– Czy teraz mi powiesz, po co mnie tu przywlokłaś? – pyta Serenity.

– Tu był kiedyś rezerwat dla słoni – tłumaczę.

Wygląda przez okno, jakby spodziewała się zobaczyć jakiegoś.

– Tutaj? W New Hampshire?

Kiwam głową.

– Mój tata był behawiorystą zwierzęcym. Założył ten rezerwat przed poznaniem mamy. Wszyscy myślą, że słonie zamieszkują tylko upalne miejsca, jak Tajlandia czy Afryka, ale one bardzo szybko przystosowują się do niskich temperatur, a nawet do śniegu. Kiedy się urodziłam, tata miał siedem słoni. Uratowanych z ogrodów zoologicznych i cyrków.

– Gdzie są teraz?

– W rezerwacie w Tennessee. – Patrzę na łańcuch zagradzający wjazd. – Teren ponownie stał się własnością stanu. Ale ja tego nie pamiętam, byłam za mała. – Otwieram drzwiczki i wysiadam, sprawdzając przez ramię, czy Serenity idzie za mną. – Dalej pójdziemy pieszo.

Serenity zerka na swoje klapki w cętki i przenosi wzrok na zarośniętą ścieżkę.

– Dokąd?

– Niech pani mi powie.

Po chwili dociera do niej, w czym rzecz.

– O, nie – mówi. – Nigdy w życiu.

Obraca się na pięcie i rusza z powrotem do samochodu. Łapię ją za rękę.

– Sama pani mówiła, że od lat nic się jej nie śniło. A teraz przyśniła się pani moja mama. Chyba nie zaszkodzi spróbować, prawda?

– Dziesięć lat to kupa czasu. Nie zostało tu nic, co było w chwili jej zaginięcia.

– Ja zostałam – przypominam.

Nozdrza Serenity drgają.

– Wiem, że nie zależy pani na pokazaniu, że ten sen nic nie znaczył – dodaję. – Ale to jest jak loteria. Żeby wygrać, trzeba zagrać.

– Gram co tydzień, a jakoś do dzisiaj nic nie wygrałam... – mamrocze Serenity, ale przechodzi nad łańcuchem i zaczyna przedzierać się przez gąszcz.

Chwilę podążamy w milczeniu. Słychać tylko bzyczenie owadów i szum otaczającego nas zewsząd lata. Serenity muska dłonią gałęzie. W pewnej chwili zrywa liść i go wącha.

– Czego szukamy? – szepczę.

– Powiem ci, jak się dowiem.

– Tak tylko pytam. Bo jesteśmy już prawie poza granicami rezerwatu…

– Mam się skupić czy nie? – Wchodzi mi w słowo.

Milknę na kolejne kilka minut. Ale coś nie daje mi spokoju przez całą drogę. Jakby stanęła mi w gardle jakaś kość.

– Serenity? – rzucam. – Gdyby pani wiedziała, że moja matka nie żyje… Czy skłamałaby pani, że jest wręcz przeciwnie?

Przystaje i odwraca się z rękami na biodrach.

– Skarbie, za mało się znamy, żebym cię lubiła, a co dopiero pieściła się z twoim wrażliwym serduszkiem. Nie wiem, dlaczego jej nie słyszę. Może dlatego, że żyje. Albo, jak powiedziałam, wyszłam z wprawy. Ale daję słowo… Jeżeli wyczuję, że twoja matka jest duchem albo widmem, nie omieszkam cię o tym poinformować.

– Duchem albo widmem?

– To dwie różne rzeczy. Ludzie naoglądali się hollywoodzkich filmów i myślą, że to jedno i to samo. – Zerka na mnie przez ramię. – Kiedy ciało osiąga datę ważności, to już koniec. Pociąg odjechał. Ale dusza pozostaje nietknięta. Jeśli wiodłaś przyzwoite życie i pozamykałaś większość spraw, możesz zabawić jeszcze przez chwilę, ale prędzej czy później dokończysz tranzycję.

– Tranzycję?

– Przejście na drugą stronę. Do nieba. Jak zwał, tak zwał. Odbędziesz ten proces i staniesz się duchem. Ale powiedzmy, że masz za uszami, więc święty Piotr, Jezus albo Allah spiorą ci tyłek i poślą do piekła czy w inne parszywe miejsce. Albo jesteś wściekła, że młodo umarłaś lub, co gorsza, nawet nie wiesz, że nie żyjesz. W każdym razie stwierdzasz, że jeszcze nie dojrzałaś do opuszczenia tego świata ani do tego, żeby umrzeć. Sęk w tym, że nie żyjesz. Tego nie przeskoczysz. Dlatego trwasz w zawieszeniu jako widmo.

Znów idziemy obok siebie przez gęste zarośla.

– Czyli jeśli mama jest duchem, przeszła... gdzie indziej?

– Właśnie.

– A jeśli widmem, to gdzie się znajduje?

– Tutaj. Stanowi część tego świata, ale na innych zasadach. – Serenity potrząsa głową. – Jak ci to wytłumaczyć... – mamrocze. Nagle pstryka palcami. – Widziałam kiedyś dokument Disneya o filmach animowanych. Żeby powstał jeden Kaczor Donald albo Goofy, nakłada się na siebie przezroczyste warstwy z różnymi kształtami i kolorami. Z widmami jest tak samo. Są warstwą nałożoną na nasz świat.

– Skąd pani to wszystko wie? – pytam.

– Tak mi powiedziano – odpowiada Serenity. – Z tego, co widzę, to jedynie czubek góry lodowej.

Rozglądam się w poszukiwaniu widm, które muszą majaczyć na obrzeżach mojej wizji. Próbuję wyczuć obecność matki. Może nie byłoby tak źle, gdyby nie żyła, lecz wciąż znajdowała się gdzieś blisko?

– Czy wiedziałabym, gdyby była widmem i próbowała się ze mną porozumieć?

– A odbierasz czasem głuche telefony? Może to duch próbuje ci coś powiedzieć. One są energią, toteż najłatwiejszym sposobem na zwrócenie twojej uwagi jest dla nich manipulacja tym samym. Telefony, zakłócenia komputerów, zapalanie i gaszenie świateł...

– Czy tak komunikują się z panią?

Jej twarz zdradza wahanie.

– Ja czuję się tak jak wówczas, gdy po raz pierwszy założyłam szkła kontaktowe. Nie mogłam się przyzwyczaić, ciągle coś mi przeszkadzało. Nie nazwałabym tego niewygodą, po prostu miałam w oku obce ciało. Tak samo się czuję, odbierając wiadomość z zaświatów. To coś na kształt pogłosu, echo myśli, która nie zakiełkowała w mojej głowie.

– Którą słyszy pani mimowolnie? – podsuwam. – Jak piosenkę, od której nie sposób się uwolnić?

– Coś w tym stylu.

– Kiedyś mi się zdawało, że widzę ją nieustannie – mówię cicho. – W zatłoczonym miejscu puszczałam rękę babci i rzucałam się biegiem, ale nigdy nie mogłam jej dogonić.

Serenity patrzy na mnie z dziwną miną.

– Może sama jesteś jasnowidzem?

– A może tęsknota daje te same objawy – kwituję.

Nagle Serenity przystaje.

– Coś czuję – oznajmia dramatycznie.

Odwracam się, ale widzę tylko wysokie źdźbła trawy, kilka drzew oraz stadko motyli monarchów ponad naszymi głowami.

– Jesteśmy daleko od klonu – zaznaczam.

– Wizje są jak metafory – tłumaczy Serenity.

– To ciekawe, bo użyła pani porównania.

– Słucham?

– Nieważne. – Zdejmuję z szyi niebieski szal. – Może to coś pomoże.

Wyciągam rękę, lecz Serenity cofa się jak oparzona. Niestety, zdążyłam wypuścić szal i wiatr porywa go w górę jak niebieskie tornado.

– Nie! – krzyczę i rzucam się w pogoń.

Szal wznosi się i opada, jak na szyderstwo, niesiony prądami powietrza, lecz zawsze daleko, zawsze poza moim zasięgiem. Jednak po chwili zaplątuje się w gałęzie drzewa, na wysokości jakichś sześciu metrów. Zahaczam stopę o pień, ale jest gładki. Nie ma jak się wspiąć. Ze łzami w oczach zsuwam się w dół.

Tak niewiele po niej mam.

– Proszę.

Serenity kuca obok, z dłońmi splecionymi w siodełko, żeby mnie podsadzić.

Szoruję policzkiem i ramionami, łamię paznokcie, wbijając je w korę. Lecz udaje mi się wspiąć na tyle, aby się podciągnąć o konar. Macam i czuję pod palcami gałązki i kamyki. Porzucone gniazdo przedsiębiorczego ptaka.

Szal zahaczył się, ale ciągnę i wreszcie go uwalniam. Obsypują nas liście i patyki. Coś trafia mnie w czoło i spada na ziemię.

– A co to takiego? – pytam, starannie zawiązując szal na szyi.

Zdumiona Serenity patrzy na swoje dłonie. Podaje mi przedmiot, który spadł z drzewa.

To spękany czarny portfel z nienaruszoną zawartością – trzydzieści trzy dolary. Stara karta kredytowa. I prawo jazdy.

Na nazwisko Alice K. Metcalf.

To dowód, prawdziwy, niepodważalny dowód! Wypala dziurę w kieszeni moich szortów. Z jego pomocą mogę dowieść, że zniknięcie matki być może nie było dobrowolne. No bo jak daleko zajechałaby bez pieniędzy i kart kredytowych?

– Czy pani wie, co to znaczy? – pytam Serenity, która milczy przez całą drogę do samochodu, i teraz, gdy wracamy do miasta, wciąż się nie odzywa. – Policja może spróbować ją znaleźć.

Zerka na mnie.

– Minęło dziesięć lat. To nie takie proste.

– Ależ tak. Nowy dowód wymusza ponowne otwarcie sprawy. I już.

– Myślisz, że tego chcesz... – odpowiada. – Ale możesz się zdziwić.

– Co pani mówi? Właśnie o tym marzyłam, odkąd sięgam pamięcią!

Serenity zaciska usta.

– Ilekroć pytałam moje duchy przewodnie o to, jak jest w zaświatach, dawały mi do zrozumienia, że o niektórych rzeczach wiedzieć nie powinnam. Sądziłam, że chodzi o ochronę wielkiej tajemnicy życia pozagrobowego, ale koniec końców zrozumiałam, że one chroniły mnie.

– Jeśli nie spróbuję jej odnaleźć – ucinam – przez resztę swoich dni będę się zastanawiać, co by się stało, gdybym jednak spróbowała.

Przystanek na czerwonym świetle.

– A jeśli ją odszukasz…

– Kiedy – precyzuję.

– Więc kiedy ją odszukasz – ciągnie Serenity. – Czy zapytasz ją, dlaczego nie szukała cię przez te wszystkie lata? – Milczę. Serenity odwraca głowę. – Mówię tylko, że jeśli zależy ci na odpowiedziach, lepiej się na nie przygotuj.

Widzę, że mijamy posterunek policji.

– Proszę się zatrzymać! – wołam. Serenity hamuje ostro. – Musimy tam pójść i opowiedzieć, co odkryłyśmy!

Podjeżdża do krawężnika.

– „My" niczego nie musimy. Przekazałam ci swoją wizję. Ba, zawiozłam cię do rezerwatu. I bardzo się cieszę, że nasza wyprawa nie poszła na marne. Ale osobiście nie chcę mieć do czynienia z policją.

– To wszystko? – pytam ze zdumieniem. – Wrzuca pani w czyjeś życie informację jak granat i odchodzi, zanim wybuchnie?

– Do posłańca się nie strzela.

Sama nie wiem, czemu się dziwię. Wcale nie znam Serenity Jones, więc nie powinnam oczekiwać, że mi pomoże. Ale mam serdecznie dość tego, że wiecznie ktoś mnie zawodzi; ona jest kolejna. Dlatego idę po linii najmniejszego oporu, jak zawsze gdy czuję, że ktoś chce mnie wystawić do wiatru.

Pierwsza robię w tył zwrot.

– Nic dziwnego, że ludzie panią znienawidzili!

Serenity gwałtownie podnosi głowę.

– Dzięki za wizję. – Wysiadam i wyszarpuję rower z tylnego siedzenia. – Powodzenia życzę.

Zatrzaskuję drzwi, stawiam rower i maszeruję po granitowych schodach na posterunek.

Podchodzę do dyspozytorki w okienku. Jest niewiele starsza ode mnie, niedawno skończyła liceum. Ma na sobie bezkształtną koszulę polo z policyjnym logo na piersi; przesadnie pomalowała oczy na czarno. Zerkam na monitor i widzę, że sprawdza swój facebookowy profil.

Chrząkam, co słyszy na pewno, bo w szybie jest głośniczek.

– Przepraszam? – mówię, ale ona nie przestaje bębnić w klawiaturę.

Pukam w szybę. Policjantka patrzy na mnie kątem oka. Macham, żeby zwrócić jej uwagę.

Dzwoni telefon; dziewczyna odwraca się ode mnie, jakbym była niewidzialna, i podnosi słuchawkę.

Przysięgłabym, że to przez takie jak ona obrywa się mojemu pokoleniu!

Podchodzi do mnie druga dyspozytorka, krępa, starsza kobieta z figurą w kształcie jabłka, z napuszonymi blond loczkami. Ma przypiętą plakietkę z imieniem. POLLY.

– Mogę pomóc?

– Tak. – Posyłam jej mój najbardziej dorosły uśmiech. No bo kto weźmie na poważnie trzynastolatkę, która przyszła zgłosić zaginięcie sprzed dziesięciu lat? – Chciałabym rozmawiać z detektywem.

– W jakiej sprawie?

– To trochę skomplikowane – tłumaczę. – Dziesięć lat temu w dawnym rezerwacie słoni zginęła pracownica. Śledztwo prowadził Virgil Stanhope. I ja… Ja bardzo chciałabym z nim pomówić.

Polly zaciska usta.

– Jak się nazywasz, kochanie?

– Jenna. Jenna Metcalf.

Zdejmuje słuchawki i wraca na zaplecze.

Omiatam wzrokiem fotografie zaginionych i ojców, którzy uchylają się od płacenia alimentów. Gdyby dziesięć lat temu widniało na tej tablicy zdjęcie mamy, czy stałabym tu teraz?

Polly zjawia się po mojej stronie okienka, przeszedłszy przez drzwi z zamkiem szyfrowym. Prowadzi mnie do rzędu krzeseł i prosi, żebym usiadła.

– Pamiętam tę sprawę – mówi.

– Czy pani zna detektywa Stanhope'a? Rozumiem, że już tutaj nie pracuje, ale może powiedziałaby mi pani, gdzie go znajdę...

– Nie bardzo wiem, jak miałabyś się z nim skontaktować. – Polly delikatnie kładzie mi dłoń na ramieniu. – Virgil Stanhope nie żyje.

Ośrodek, w którym mieszka ojciec, odkąd *to* się stało, mieści się zaledwie siedem kilometrów od domu babci, ale chodzę tam niezbyt często. Miejsce jest przygnębiające, ponieważ: (a) zawsze śmierdzi sikami, (b) na szybach widnieją papierowe śnieżynki, fajerwerki albo halloweenowe dynie. Zupełnie jakby mieszkały tu przedszkolaki, a nie chorzy psychicznie.

Przybytek nazywa się Hartwick House, co nasuwa skojarzenie z serialem kostiumowym, a nie ze smutną rzeczywistością nafaszerowanych prochami świetlicowych zombi, którym pielęgniarki donoszą kubeczki z pigułkami na uspokojenie, bądź nieruchomych pacjentów na wózkach, odsypiających elektrowstrząsy. Idąc tam, przeważnie się nie boję – jestem tylko zdołowana myślą, że mój tata, postrzegany w kręgach przyrodników jako zbawiciel, nie zdołał uratować sam siebie.

Tylko raz spanikowałam jak diabli. Grałam z tatą w warcaby, kiedy do świetlicy wpadła nastolatka z włosami w strąkach i nożem kuchennym w dłoni. Nie mam pojęcia, skąd go wytrzasnęła; wszystko, co może uchodzić za broń – nawet sznurowadła – jest w Hartwick House zabronione albo pod specjalnym nadzorem. W każdym razie przechytrzyła ochronę i wbiegła do świetlicy ze wzrokiem utkwionym prosto we mnie. Potem wzięła zamach i nóż poszybował w moją stronę.

Uchyliłam się i zjechałam pod stół, pragnąc zapaść się pod ziemię. Zasłoniłam rękami głowę. Zwaliści pielęgniarze obezwładnili dziewczynę i podali jej zastrzyk uspokajający, a następnie zanieśli do pokoju.

Myślałam, że i do mnie ktoś przyjdzie, ale pielęgniarki miały na głowie innych zaniepokojonych zamieszaniem pacjentów, którzy narobili hałasu. Kiedy odważyłam się wyjrzeć spod stołu i ponownie wpełznąć na krzesło, cała się trzęsłam.

Ojciec nie krzyczał ani nie panikował. Spokojnie przesunął pionek.

– Twój ruch – oznajmił, jak gdyby nigdy nic.

Po pewnym czasie zrozumiałam, że w jego świecie – gdziekolwiek się znajdował – nic się nie stało. I że miał w nosie (o co nie mogłam mieć pretensji), że omal nie zostałam wybebeszona jak indyk w Święto Dziękczynienia.

Trudno obwiniać kogoś, kto nie zdaje sobie sprawy, że jego rzeczywistość różni się od twojej.

Dziś, kiedy się zjawiam w Hartwick House, ojca nie ma w świetlicy. Zastaję go w jego pokoju, przy oknie. W dłoniach ma tęczę z poplątanej muliny; nie po raz pierwszy przychodzi mi do głowy, że pomysłowość psychiatrów to osobny temat. Tata podnosi wzrok, gdy wchodzę, ale jest zupełnie spokojny. To dobry znak, ma niezły dzień. Postanawiam to wykorzystać i zapytać o mamę.

Klękam na wprost niego i przytrzymuję mu ręce, które plączą nici jeszcze bardziej.

– Tato... – zagajam. Wyciągam z supła pomarańczową nitkę i kładę na jego lewym kolanie. – Jak myślisz, co by się stało, gdybyśmy ją znaleźli?

Milczy.

Odplątuję czerwoną nitkę.

– A co, jeśli ona jest jedynym powodem, dla którego wszystko nam się posypało?

Ujmuję jego dłonie, zaciśnięte na dwóch pozostałych niciach.

– Czemu pozwoliłeś jej odejść? – szepczę, przytrzymując jego wzrok. – Dlaczego nie zgłosiłeś na policji jej zaginięcia?

Ojciec z pewnością trwał w załamaniu nerwowym, ale przez ostatnie dziesięć lat miewał przebłyski przytomności umysłu. Być może nikt nie wziąłby na poważnie jego komunikatu, że mama zaginęła. A może wręcz przeciwnie?

Istniałaby może wówczas sprawa zaginięcia, którą można by otworzyć powtórnie. Nie musiałabym zaczynać od zera ani usiłować nakłaniać policji do zbadania zaginięcia, o którym dziesięć lat temu nie wiedziała.

Nagle wyraz twarzy ojca się zmienia. Frustracja topnieje jak piana, kiedy fale sięgają piasku, rozbłyskują mu oczy. Są w tym samym kolorze, co moje, zbyt zielone. Budzą niepokój.

– Alice? – rzuca. – Wiesz, jak to zrobić? – Unosi garść muliny.

– Nie jestem Alice – mówię.

Oszołomiony potrząsa głową.

Przygryzam wargę. Rozplątuję nitki i robię z nich prostą bransoletkę, jaką potrafi zrobić każda nastolatka. Gdy plotę, jego dłonie muskają moje palce, jak kolibry. Na koniec odpinam agrafkę, którą ma przypiętą do spodni, i zawiązuję mu kolorową bransoletkę na nadgarstku.

Ogląda ją ze wszystkich stron.

– Zawsze byłaś w tym dobra – mówi z uśmiechem.

Wtedy uświadamiam sobie, dlaczego nie zgłosił zaginięcia mamy. Dla niego zapewne nie zaginęła. Odnajdywał ją zawsze. W mojej twarzy, głosie i obecności.

Też bym tak chciała.

Kiedy wracam do domu, babcia ogląda *Koło Fortuny* i pierwsza wykrzykuje odpowiedzi, udzielając prowadzącej porad modowych.

– W tym pasku wyglądasz jak zdzira – informuje ją. Po czym dostrzega mnie w drzwiach. – I jak poszło?

Pytanie zbija mnie z tropu, ale zaraz przypominam sobie, że mówi o opiece nad dzieckiem.

– W porządku – kłamię.

– W lodówce są jajka faszerowane, jeśli masz ochotę je podgrzać – dodaje babcia, przenosząc wzrok z powrotem na ekran. – „F", ty głupia krowo! – krzyczy.

Korzystam z okazji i wymykam się na górę z depczącą mi po piętach Gertie. Suka robi sobie w poduszkach gniazdko na moim łóżku i kręci się w kółko, żeby je udeptać.

Nie wiem, co robić. Mam informację, ale nie mam pojęcia, do kogo się z nią zwrócić.

Wyciągam z kieszeni plik banknotów i biorę jeden. Zaginam go bezmyślnie w kształt słonia, ale bez przerwy się mylę, więc w końcu zgniatam go w kulkę i rzucam na podłogę. Wciąż mam przed oczami ręce ojca, plączące mulinę.

Jeden z detektywów badających sprawę rezerwatu ma alzheimera. Drugi nie żyje. Ale może to nie ślepy zaułek. Muszę tylko znaleźć sposób, aby przekonać obecnych detektywów, że wydział nawalił dziesięć lat temu. Powinien był uznać moją matkę za zaginioną.

Bułka z masłem.

Włączam laptopa i ekran ożywa. Melodyjka. Wpisuję hasło i otwieram wyszukiwarkę. „Virgil Stanhope", wpisuję. „Śmierć".

Pierwszy wynik to wzmianka o planowanej uroczystości mianowania na detektywa. Jest i zdjęcie – płowe włosy zaczesane na bok, szeroki uśmiech i grdyka jak gałka w drzwiach. Wygląda młodo i zawadiacko, choć dziesięć lat temu pewnie taki był.

Otwieram nowe okno. Loguję się w publicznej bazie danych (co, dla waszej informacji, kosztuje mnie czterdzieści dziewięć dolarów dziewięćdziesiąt pięć centów rocznie) i znajduję nekrolog Virgila Stanhope'a. O zgrozo, jego śmierć przypadła dokładnie w rocznicę wspomnianej uroczystości. Ciekawe, czy dostał odznakę i czy w drodze do domu wpadł na drzewo lub, co gorsza, nie dotarł na miejsce. Życie pokrzyżowało mu plany.

Hm. Wiem coś na ten temat.

Klikam na link, ale się nie otwiera. Czytam informację o błędzie serwera.

Wracam do pierwszego wyszukiwania i przeglądam nagłówki, aż znajduję coś, od czego włosy stają mi dęba.

– „Stanhope. Dochodzenia" – czytam na głos. – „Znajdź przyszłość w przeszłości".

Beznadziejny slogan. Ale otwieram stronę w nowym okienku.

„Licencjonowany detektyw. Sprawy domowe i małżeńskie. Nadzór całodobowy. Odzyskiwanie okupów. Poszukiwania. Śledztwa w sprawie opieki nad dziećmi. Dochodzenia w sprawie przypadkowych zgonów. Zaginięcia".

Zakładka na górze: O NAS.

„Vic Stanhope to licencjonowany prywatny detektyw i były policjant. Ukończył wydział prawa sądowego i kryminalistyki na Uniwersytecie New Haven. Członek Międzynarodowego Zrzeszenia Badaczy Podpaleń, Amerykańskiego Stowarzyszenia Łowców Nagród oraz Amerykańskiego Stowarzyszenia Licencjonowanych Detektywów".

To wciąż może być zbieg okoliczności. Gdyby nie miniaturowa fotografia pana Stanhope'a.

Fakt, wygląda starzej. I goli głowę jak wielu łysiejących mężczyzn, którzy robią z siebie twardzieli na wzór

Bruce’a Willisa. Ale wystająca grdyka nadal przykuwa uwagę i rozwiewa wątpliwości.

Możliwe, że Vic i Virgil to bliźniaki. Ale co mi szkodzi? Biorę komórkę i wystukuję numer ze strony.

Trzy sygnały później ktoś podnosi słuchawkę. Następnie, sądząc po odgłosach, chyba ją upuszcza, przeklinając, a następnie zbiera z podłogi.

– Czego?

– Pan Stanhope? – pytam szeptem.

– Taaa – brzmi odpowiedź.

– Virgil Stanhope?

Chwila milczenia.

– Już nie – bełkocze głos i się rozłącza.

Krew dudni mi w uszach. Virgil Stanhope albo powstał z martwych, albo wcale nie umarł.

Może chciał, aby tak uważano? Żeby zniknąć.

Jeśli mam rację, nie ma lepszej osoby, która może mi pomóc w odnalezieniu matki.

Alice

Ktokolwiek widział słonie w zetknięciu ze szkieletem współbrata, rozpozna symptomy żałoby: nagłe wyciszenie, spuszczenie uszu i trąby, ostrożne pieszczoty, smutek, który zdaje się osnuwać stado niczym całun, kiedy napotyka ono szczątki jednego ze swoich. Pojawia się jednak pytanie, czy słonie odróżniają kości znajomych okazów od obcych.

Intrygujące są badania moich kolegów z kenijskiej Amboseli, gdzie żyje ponad dwa tysiące dwieście traktowanych indywidualnie słoni. Badacze przedstawili kolejno każdemu stadu niewielki fragment kości słoniowej, czaszkę słonia oraz kawałek drewna. Przeprowadzono ten eksperyment jak w laboratorium, kolejno podkładając wyżej wymienione przedmioty i rejestrując reakcje słoni w celu określenia czasu trwania poszczególnych oględzin. Odłamek kości bez wątpienia zelektryzował zwierzęta najbardziej, potem czaszka, a następnie drewno. Głaskały ten fragment, podnosiły go, przenosiły, turlały tylnymi nogami.

W dalszej kolejności badacze okazali słoniowym społecznościom czaszkę słonia, nosorożca i bawołu. W tym przypadku największe zainteresowanie wzbudziła ta pierwsza.

Na koniec naukowcy skupili się na trzech stadach, które w ciągu ostatnich kilku lat straciły przewodniczki. Pokazano im czaszki tych trzech samic.

Spodziewalibyśmy się, że słonie najbardziej zainteresują się czaszką własnej przewodniczki. Bądź co bądź, pozostałe części eksperymentu wykazały, że stada kierowały się rozmysłem, nie ciekawością, a żaden z dokonywanych wyborów nie był przypadkowy.

Spodziewaliśmy się – na podstawie tego, co osobiście zaobserwowałam w Botswanie, gdzie słonie sprawiały wrażenie głęboko poruszonych śmiercią jednego ze swoich i pamiętały ją latami – że stado odda hołd własnej przewodniczce.

Lecz tak się nie stało. Słonie z Amboseli wykazały jednakowe zainteresowanie każdą z czaszek. Znały poszczególne przewodniczki, mieszkały z nimi, a nawet opłakiwały ich śmierć, ale nie znalazło to odzwierciedlenia w ich zachowaniu.

Wprawdzie powyższy eksperyment dowodzi fascynacji zwierząt kośćmi współbraci, lecz zdaniem niektórych obala również teorię o indywidualnym charakterze ich żałoby. Część osób uznałaby, że skoro nie wyróżniły żadnej z czaszek, fakt, iż jedna z nich należała do ich matki, nie jest ważny.

Lecz być może oznacza to, że słonie przywiązują jednakową wagę do *wszystkich* matek.

Virgil

Każdy glina ma robaka, co go gryzie.

Dla niektórych problem obrasta legendą, przytaczaną na każdym firmowym wieczorku świątecznym, kiedy piwo leje się strumieniami. To wskazówka, którą mieli pod nosem, kartoteka, której nie mogli wyrzucić, sprawa bez puenty. Koszmar, który nawiedza ich od czasu do czasu i z którego budzą się zlani potem i oszołomieni.

Dla reszty z nas jest to koszmar przeżywany bez przerwy.

Twarz, którą widzimy w lustrze ponad ramieniem. Osoba na drugim końcu linii, kiedy w słuchawce słychać głuchą ciszę. Czyjaś ciągła obecność, nawet gdy jesteśmy sami.

Świadomość, w każdej sekundzie każdego dnia, że zawiedliśmy.

Donny Boylan – detektyw, z którym wówczas pracowałem – opowiedział mi kiedyś, że j e g o robak to wezwanie do rodzinnej awantury. Nie zgarnął męża, gdyż ten okazał się szanowanym biznesmenem, powszechnie znanym i lubianym. Uznał, że wystarczy poprzestać na ostrzeżeniu. Trzy godziny po wyjściu policji żona tamtego nie żyła. Pojedynczy strzał w głowę. Miała na imię Amanda i była w szóstym miesiącu ciąży. Donny zwykł nazywać ją „swoim duchem". Przypadek prześladował go latami.

Mój duch nazywa się Alice Metcalf. Nie umarła, tak jak Amanda, o ile mi wiadomo. Po prostu znikła, wraz z prawdą o tym, co wydarzyło się dziesięć lat temu.

Czasem, kiedy się budzę na kacu, muszę mrużyć oczy, bo dałbym głowę, że Alice siedzi tam, gdzie siadają klienci, którzy proszą mnie o przyłapanie na zdradzie ich żony lub wytropienie wyrodnego ojca. Pracuję sam, jeżeli nie liczyć jacka danielsa. Moje biuro ma rozmiar szafy, pachnie chińskim żarciem i płynem do czyszczenia dywanów. Częściej sypiam tu na kanapie niż we własnym mieszkaniu. Dla moich klientów jestem Vikiem Stanhope'em, zawodowym prywatnym detektywem.

Dopóki nie budzę się z dzikim bólem głowy, językiem wyschniętym na wiór i pustą butelką w zasięgu ręki. Oraz z Alice, wpatrzoną we mnie z politowaniem. „Akurat", mówi.

– To… – oznajmił dziesięć lat wcześniej Donny Boylan, pakując do ust kolejną tabletkę na nadkwasotę. – Czy to nie mogło poczekać dwa tygodnie?

Odliczał dni do emerytury. I wyliczył mi litanię rzeczy, które są mu potrzebne jak psu na budę: robota papierkowa, czerwone światła, żółtodziób, taki jak ja, do wyprowadzenia na ludzi, upał, który zaostrzał jego egzemę. Nie potrzebował też telefonów o siódmej rano, z rezerwatu dla słoni, z informacją o śmierci jednej z opiekunek.

Ofiarą była czterdziestoczteroletnia długoletnia pracownica.

– Masz pojęcie, co się tu rozpęta? – zapytał. – Pamiętasz, jak było trzy lata temu, kiedy tu przyjechali?

Pamiętałem. Tamten okres wyznaczał początek mojej służby. Miejscowi oprotestowali przyjazd „złych" słoni – które wyrzucano z cyrków i ogrodów zoologicznych za niegrzeczne sprawowanie. W gazetach wieszano psy na władzach, które wydały Thomasowi Metcalfowi zgodę na utworzenie rezerwatu. Mimo podwójnego ogrodzenia, które oddzielało mieszkańców od zwierząt.

Albo na odwrót.

Dzień w dzień, przez pierwsze trzy miesiące istnienia rezerwatu, wysyłano po kilku z nas do zaprowadzenia porządku przy bramie, gdzie odbywały się pikiety. Jak się okazało, kompletnie nieuzasadnione. Zwierzęta przystosowały się szybko, a mieszkańcy oswoili z sąsiedztwem, toteż obyło się bez komplikacji. Przynajmniej do tego telefonu o siódmej rano.

Czekaliśmy w niewielkim biurze. Na siedmiu półkach widniały kartoteki opisane imionami słoni: Maura, Wanda, Syrah, Lilly, Olive, Dionne, Hester. Na biurku walały się dokumenty oraz notesy, stały trzy filiżanki z niedopitą kawą oraz przycisk do papieru w kształcie ludzkiego serca. Rachunki za leki, dynie i jabłka. Gwizdnąłem na widok kwoty na rachunku za siano.

– Psiakrew! – mruknąłem. – Kupiłbym za to samochód.

Donny nie był zachwycony. W sumie – jak zawsze.

– Czemu tak długo? – burknął.

Czekaliśmy blisko dwie godziny, podczas gdy personel usiłował zapędzić siedem słoni do stodoły. Zanim to nastąpiło, nie mogliśmy wejść na wybieg.

– Widziałeś kiedyś człowieka stratowanego przez słonia? – zapytałem.

– Możesz się zamknąć? – odpowiedział pytaniem Donny.

Badałem właśnie dziwną serię znaków na ścianie – jak hieroglify czy coś w tym rodzaju – kiedy do biura wpadł nerwowy facecik o rozbieganym spojrzeniu za okularami. Aż go roznosiło.

– Nie do wiary! – wykrztusił. – To jakiś koszmar!

Donny wstał.

– Thomas Metcalf, jak mniemam?

– Tak – odparł tamten z roztargnieniem. – Przepraszam, że tyle was tu trzymamy. Próbowaliśmy zabezpieczyć słonie. Istny obłęd. Są strasznie pobudzone. Na razie mamy sześć, siódmy nie chce podejść. Ale rozstawiliśmy tymczasowy płot pod napięciem, więc możecie wchodzić.

Wyprowadził nas z małego budynku na takie słońce, że świat wyglądał jak przerysowany.

– Czy domyśla się pan, jakim cudem ofiara znalazła się na wybiegu? – zapytał Donny.

Metcalf zamrugał.

– Nevvie? Pracuje tu od początku. Od dwudziestu lat ma do czynienia ze słoniami. Zajmuje się naszą księgowością i pełni dyżury w nocy. – Urwał. – To jest pełniła. Pełniła dyżury w nocy. – Nagle przystanął i ukrył twarz w dłoniach. – Boże jedyny… To wszystko moja wina.

Donny zerknął na mnie.

– Jak to? – zapytał.

– Słonie wyczuwają napięcie. Coś musiało je zdenerwować.

– Opiekunka?

Zanim Metcalf zdołał odpowiedzieć, rozległ się ryk tak ogłuszający, że aż podskoczyłem. Dobiegał z drugiej strony płotu. Liście na drzewach zaszeleściły.

– Czy założenie, że zwierzę wielkości słonia może się do kogoś podkraść niezauważone, nie jest przypadkiem zbyt przesadne? – zapytałem.

Odwrócił się do mnie.

– Czy widział pan kiedyś spłoszonego słonia? – Kiedy pokręciłem głową, uśmiechnął się ponuro. – I tego panu nie życzę.

Szliśmy na czele oddziału śledczych. Po pięciu minutach dotarliśmy do niewielkiego pagórka. Wszedłem na szczyt i ujrzałem siedzącego obok zwłok mężczyznę, barczystego i wielkiego jak tur. Mógłby zabić gołymi rękami. Miał czerwone, podpuchnięte oczy. Był czarny, a ofiara biała. Mierzył grubo ponad metr osiemdziesiąt wzrostu i z łatwością mógł obezwładnić niższą osobę. Wszystkie te rzeczy zauważyłem w pierwszej kolejności, jako kandydat na detektywa. Na kolanach trzymał głowę denatki.

Kobieta miała pogruchotaną czaszkę. Zdarto jej koszulę, ale ktoś z szacunku okrył ją bluzą. Nogę miała zgiętą pod niemożliwym kątem, skórę nakrapianą siniakami.

Gdy śledczy pochylił się nad nią, odszedłem na bok. Nikt nie musiał mi mówić, że kobieta nie żyje.

– To Gideon Cartwright – oznajmił Metcalf. – To on znalazł teściową… – Zawiesił głos.

Nie potrafiłem określić wieku mężczyzny, ale nie mógł być więcej niż dziesięć lat młodszy od ofiary. Co oznaczało, że córka kobiety, jego żona, musi być od niego sporo młodsza.

– Detektyw Boylan. – Donny przykucnął obok. – Był pan tutaj, kiedy to się stało?

– Nie. Miała nocny dyżur, była tu sama. – Głos Cartwrighta się załamał. – To powinienem być ja…

– Pan też tutaj pracuje? – wypytywał Donny.

Śledczy zaroili się wokół jak pszczoły. Fotografowali ciało, wytyczając granice terenu będącego przedmiotem śledztwa. Sęk w tym, że wszystko odbyło się na zewnątrz. Kto mógł określić, jak długo kobieta uciekała przed słoniem, który ją stratował? I wskazać powód, który wywołał taką reakcję zwierzęcia? Niecałe dwadzieścia metrów dalej widniała głęboka dziura; dostrzegłem na jej skraju ślady ludzkich stóp. Niewykluczone, że na drzewach widniały strzępy dowodów. Lecz otaczały nas głównie liście, trawa i piasek, słoniowe łajno, muchy i natura. Bóg raczy wiedzieć, co spośród tego powinno liczyć się w śledztwie, a co nie odbiegało od normy.

Lekarz sądowy dał znak, by umieszczono ciało w worku. Podszedł do nas.

– Niech zgadnę – powiedział Donny. – Przyczyna śmierci: stratowanie?

– Hm, na pewno do tego doszło. Ale nie wiem, czy to bezpośredni powód. Czaszka pękła na pół, a to mogło nastąpić przed stratowaniem bądź w jego wyniku.

Poniewczasie zdałem sobie sprawę, że Gideon słyszy każde słowo.

– Nie, nie, nie! – krzyknął nagle Metcalf. – Tak nie można! To stwarza zagrożenie dla słoni. – Wskazał na taśmę, którą śledczy właśnie odgradzali teren.

Donny zmrużył oczy.

– Na razie nie mają tu prawa wstępu...

– Słucham? Nie mówiłem przecież, że możecie się tutaj rozpanoszyć. To rezerwat chroniony...

– Zginęła kobieta.

– To był wypadek – zaznaczył Metcalf. – Nie pozwolę wam zakłócać zwierzętom spokoju...

– Niestety, nie ma pan wyboru, doktorze Metcalf.

Zacisnął zęby.

– Ile to potrwa?

Widziałem, że Donny traci cierpliwość.

– Nie mam pojęcia. Tymczasem jednak porucznik Stanhope i ja musimy przesłuchać wszystkich, którzy mają do czynienia ze słoniami.

– Jest nas czworo. Gideon, Nevvie, ja i Alice. Moja żona. – Ostatnie słowa były skierowane do Gideona.

– Gdzie jest teraz? – zapytał Donny.

Metcalf utkwił wzrok w Gideonie.

– Myślałem, że jest z tobą...

Na twarzy tamtego odbiła się rozpacz.

– Nie widziałem jej od wczoraj.

– Ja też nie. – Metcalf zbladł jak ściana. – Ale jeżeli Alice zniknęła, to z kim przebywa moja córka?

Dałbym głowę, że moja obecna gospodyni, Abigail Chivers, liczy sobie dwieście lat, plus minus kilka miesięcy. Naprawdę, wystarczy na nią spojrzeć. Nigdy nie widzę jej ubranej w coś innego niż w czarną sukienkę z broszką pod szyją, z białymi włosami w koku i zaciśniętymi ustami, gdy wpada do mojego gabinetu, po czym zaczyna otwierać i zamykać szafki. Stuka laską w biurko, centymetry od mojej głowy.

– Victorze! – skrzeczy. – Czuję dzieło szatana!

– Serio? – Podnoszę głowę z blatu i przejeżdżam językiem po chropowatych zębach. – A ja tylko tanią gorzałę.

– Nie mam zamiaru przymykać oka na przestępstwo…

– Zalegalizowali ją przed stu laty, Abigail – wzdycham.

Przerabialiśmy to już dziesiątki razy. Wspomniałem chyba, że – prócz bycia abstynentką – Abigail cierpi na demencję i równie często jak „Victorem" nazywa mnie „prezydentem Lincolnem"? Oczywiście, bywa z tego również pożytek. Jak wtedy, gdy przypomina mi o czynszu, a ja zaklinam się, że zapłaciłem.

Jak na taką staruchę, jest zadziwiająco żwawa. Dźga laską poduszki na kanapie, zagląda nawet do mikrofalówki.

– Gdzie to schowałeś?

– Co? – Udaję głupiego.

– Łzy szatana. Żytni ocet. Wodę ognistą. Wiem, że gdzieś ją masz.

Posyłam jej swój najbardziej niewinny uśmiech.

– Kto? Ja?

– Victorze – upomina. – Tylko mnie nie okłamuj!

Kładę rękę na sercu.

– Przysięgam na Boga, że w tym pokoju nie ma alkoholu.

Wstaję i zataczając się, idę do malutkiej łazienki, która sąsiaduje z gabinetem. Akurat wystarcza miejsca na umywalkę, odkurzacz i kibel. Zamykam za sobą drzwi, leję, po czym otwieram spłuczkę. Wyciągam napoczętą wczoraj flaszkę, biorę długi, zdrowy łyk.

Obręcz wokół mojej głowy robi się jakby odrobinę luźniejsza.

Odstawiam butelkę do skrytki, spuszczam wodę i otwieram drzwi. Abby jeszcze jest. No ale przecież nie skłamałem, tylko złagodziłem prawdę. Tak nauczono mnie przed laty, gdy miałem zostać detektywem.

– Na czym to stanęliśmy? – pytam.

W tej samej chwili dzwoni telefon.

– Na piciu – mówi oskarżycielsko gospodyni.

– No, tego się po tobie nie spodziewałem, Abby – odpieram gładko. – Nie wiedziałem, że pociągasz… – Odprowadzam ją do drzwi. Telefon nadal dzwoni. – Może dokończymy rozmowę później?

Mimo protestów wypycham Abigail za drzwi, po czym dopadam biurka. Słuchawka wyślizguje mi się z dłoni.

– Czego? – burczę.

– Pan Stanhope?

Pomimo łyku whisky obręcz na skroniach znów się zacieśnia.

– Taaa.

– Virgil Stanhope?

Kiedy minął rok, potem dwa, a następnie pięć, zrozumiałem, że Donny miał rację. Gdy policjant ma robaka, ten nie da mu spokoju. Nie mogłem pozbyć się Alice Metcalf, więc pozbyłem się Virgila. Jak idiota uznałem, że jeśli zacznę od nowa, rozpocznę od czystej karty, wolny od poczucia winy i znaków zapytania. Mój ojciec był weteranem, burmistrzem małego miasta, człowiekiem wyjątkowym. Pożyczyłem sobie jego imię w nadziei, że choć część tych zalet spłynie na mnie. Uznałem, że być może stanę się człowiekiem, który zasługuje na zaufanie, a nie zawala na całej linii.

Aż do dzisiaj nikt nie podał tego w wątpliwość.

– Już nie – mamroczę i rzucam słuchawką.

Nigdy nie słyszałem głosu Alice Metcalf. Gdy ją znalazłem, była nieprzytomna. W szpitalu, kiedy poszedłem ją odwiedzić, też. A potem znikła. Ale w mojej wyobraźni, kiedy tak siedzi naprzeciwko i mnie karci, jej głos brzmi dokładnie jak głos w słuchawce.

Zostaliśmy wysłani do rezerwatu, aby zbadać okoliczności śmierci, która w chwili zgłoszenia nie wzbudziła podejrzeń. Ale tamtego ranka przed dziesięciu laty nie było powodu zakładać, że Alice Metcalf i jej córka zaginęły. Mogły przecież pójść do sklepu, nieświadome tego, co zaszło. Albo do miejscowego parku. Zadzwoniono na komórkę Alice, choć Thomas zeznał, że często nie nosiła jej przy sobie. Natura jej pracy, czyli badania percepcji słoni, oznaczała, że Alice nierzadko zaszywała się w głuszy, ku utrapieniu męża – w towarzystwie trzyletniej córki.

Wtedy liczyłem, że zjawi się zaraz z kubkiem kawy i z małą z pączkiem w garści. Rezerwat z siódmym słoniem, który wciąż harcował na wolności, był ostatnim miejscem, gdzie powinny się teraz znajdować.

Wolałem nie myśleć, co mogło się z nimi stać.

Po czterech godzinach oględzin śledczy uzbierali dziesięć kartonów dowodów: skorupy dyń i kępy zasuszonej trawy oraz liście czarne od tego, co mogło być zaschniętym łajnem, ale mogło być i krwią. Kiedy pracowali, odtransportowaliśmy z Gideonem ciało Nevvie do głównej bramy. Mężczyzna szedł powoli i mówił głosem jak ze studni. Albo naprawdę przeżywał śmierć teściowej, albo miał wybitne zdolności aktorskie.

– Wyrazy współczucia – powiedział Donny. – Domyślam się, że to dla pana straszne.

Gideon pokiwał głową i wytarł oczy. Wyglądał, jakby przechodził przez piekło.

– Od jak dawna pan tu pracuje? – zapytał Donny.

– Od początku. Wcześniej jeździłem z cyrkiem na Południu, tam poznałem żonę. Pierwszą pracę załatwiła mi Nevvie. – Przy imieniu głos mu się załamał.

– Czy zaobserwował pan kiedyś u słoni agresywne zachowania?

– Czy zaobserwowałem? – powtórzył Gideon. – Jasne, w cyrku. Tutaj nie bardzo. W końcu mogą się zamachnąć, gdy dozorca podejdzie niezauważony. Kiedyś jedna z dziewcząt spanikowała na dźwięk komórki z muzyką organową. Słyszał pan to powiedzenie, że słonie nigdy nie zapominają? Tak właśnie jest. Ale nie zawsze w znaczeniu pozytywnym.

– A zatem jest możliwe, że coś zdenerwowało jedną z, hm, dziewcząt? I że stratowała pańską teściową?

Gideon wbił wzrok w ziemię.

– Pewnie tak.

– Nie jest pan przekonany – zauważyłem.

– Nevvie potrafiła obchodzić się ze słoniem – odparł Gideon. – Nie była głupią nowicjuszką. Coś musiało… nawalić.

– A Alice? – zapytałem.

– Co: Alice?

– Czy ona też umie obchodzić się ze słoniem?

– Alice zna się na słoniach lepiej niż wszyscy, których znam.

– Czy widział pan ją wczoraj wieczorem?

Popatrzył na Donny'ego, a potem na mnie.

– Tak między nami? – rzucił. – Przyszła mi pomóc.

– Rezerwat ma kłopoty?

– Nie. Z powodu Thomasa. Zmienił się, gdy na rezerwat zaczęło brakować pieniędzy. Zrobił się nieprzewidywalny, ma huśtawki nastrojów. Bez przerwy siedzi u siebie. A wczoraj naprawdę wystraszył Alice.

„Wystraszył". To słowo zapaliło w nas ostrzegawcze światło.

Czułem, że Gideon coś ukrywa. Nie zdziwiło mnie to. Jeśli chciał zachować posadę, nie powinien rozmawiać z nami o rodzinnych kłopotach szefa.

– Mówiła coś jeszcze? – zapytał Donny.

– Wspomniała, że musi zabrać gdzieś Jennę. Dla bezpieczeństwa.

– Wygląda na to, że panu ufa – zauważył Donny. – Co na to pańska żona?

– Mojej żony nie ma – odparł. – Nevvie jest moją jedyną rodziną... Była.

Gdy podeszliśmy do wielkiej stodoły, przystanąłem. Po wybiegu tuż za nią krążyło pięć słoni; przesuwały się jak chmury gradowe, od ich przyciszonych ryków drżała ziemia. Ogarnęło mnie dziwne uczucie, że zwierzęta rozumieją każde słowo.

I pomyślałem o Thomasie Metcalfie.

Donny stanął na wprost Gideona.

– Czy zna pan kogoś, kto mógł chcieć skrzywdzić Nevvie? Mam na myśli człowieka.

– Słonie to dzikie zwierzęta, nie pieski salonowe. Wszystko mogło się zdarzyć. – Sięgnął do bramy, gdy jedna ze słonic wsunęła trąbę między pręty. Powąchała jego palce, po czym podniosła kamyk. Cisnęła nim we mnie, prosto w głowę.

Donny parsknął śmiechem.

– No popatrz, Virg! Chyba czymś jej podpadłeś.

– Trzeba je nakarmić. – Gideon wślizgnął się do środka. Słonie zaczęły trąbić, widząc, co się święci.

Donny wzruszył ramionami i poszedł dalej. Ciekawe, czy tylko ja zauważyłem, że Gideon wykręcił się od odpowiedzi na pytanie?

– Spadaj, Abby! – krzyczę, lub tak mi się wydaje, bo mam wrażenie, że język nie mieści mi się w ustach. – Już ci mówiłem, że nie piję!

Teoretycznie to prawda. Nie piję przecież. *Jestem* pijany.

Ale gospodyni nie przestaje się dobijać. A może to młot pneumatyczny? Tak czy inaczej, zwlekam się z podłogi, na której chyba odjechałem, i z rozmachem otwieram drzwi.

Ciężko mi się skupić, ale osoba na wprost mnie to na pewno nie Abby. Ma zaledwie metr pięćdziesiąt wzrostu, plecak na plecach, a wokół szyi niebieski szal, w którym wygląda jak Isadora Duncan albo śniegowy bałwanek. Czy coś w tym guście.

– Pan Stanhope? – pyta. – Virgil Stanhope?

Na biurku Thomasa Metcalfa piętrzyły się papiery z maluśkimi znaczkami i numerami. Wyglądało to jak rodzaj szyfru. Ponadto widniał na nich wykres w kształcie ośmiokątnego pająka z połączonymi nogami. Na oko jak na chemii, przez którą omal nie zawaliłem liceum.

Gdy weszliśmy, Metcalf w popłochu zwinął dokumenty. Pocił się jak szczur, mimo że wcale nie było specjalnie gorąco.

– Znikły! – rzucił spanikowany.

– Zrobimy, co w naszej mocy, żeby je odnaleźć...

– Nie, nie. Moje notatki.

Może byłem jeszcze zbyt niedoświadczony, ale wydało mi się trochę dziwne, że faceta, którego bliscy przepadli, bardziej zajmują jakieś świstki.

Donny popatrzył na spiętrzone na biurku papiery.

– Tu ich nie ma?

– No chyba! – warknął Metcalf. – To chyba jasne, że mówię o notatkach, których tu nie ma!

Kartki usiane były sekwencjami cyfr oraz liter. To mógł być wydruk z komputera albo diabelski szyfr. Ten sam charakter pisma widziałem wcześniej na ścianie.

Donny zerknął na mnie i uniósł brwi.

– Większość mężczyzn martwiłaby się o zaginioną rodzinę, zwłaszcza że w nocy stracił tutaj życie człowiek…

Metcalf nadal przetrząsał książki i papiery. Przesuwał je z lewa na prawo, jakby chciał zapamiętać kolejność.

– Dlatego mówiłem jej tysiąc razy, żeby nie wprowadzała Jenny na wybieg…

– Jenny? – powtórzył Donny.

– Mojej córki.

Donny się zawahał.

– Często kłócił się pan z żoną, prawda?

– Od kogo pan to wie? – żachnął się Metcalf.

– Od Gideona. Mówił, że Alice była wczoraj bardzo wzburzona.

– Ona była wzburzona? Przeze mnie? – zapytał z niedowierzaniem Thomas.

Zrobiłem krok naprzód, tak jak się umówiliśmy z Donnym.

– Czy mógłbym skorzystać z łazienki?

Metcalf zaprowadził mnie do klitki w korytarzu. Po drodze zauważyłem oprawny w pękniętą ramkę pożółkły wycinek z artykułem o rezerwacie. I zdjęcie uśmiechniętego Thomasa z ciężarną kobietą, ze słoniem w tle.

Otworzyłem szafkę nad umywalką i zacząłem szperać wśród plastrów, neosporiny, bactinu i advilu. Znalazłem trzy fiolki na receptę, niedawno zrealizowane, na nazwisko Thomasa. Prozac, abilify, zoloft. Antydepresanty.

Jeśli wzmianka o „huśtawkach nastroju" to prawda, zestaw leków nie powinien dziwić.

Dla niepoznaki spuściłem wodę. Kiedy wróciłem, Metcalf tłukł się po biurze jak uwięziony tygrys.

– Nie chcę pana pouczać, detektywie – oświadczył. – Ale to ja jestem poszkodowany. I nikomu nie zawiniłem. Ona zabrała moją córkę i owoc wieloletniej pracy. Czy nie powinien jej pan szukać, zamiast maglować mnie?

Podszedłem bliżej.

– Dlaczego żona miałaby ukraść wyniki pańskich badań?

Ciężko opadł na fotel przy biurku.

– Bo już to robiła. Wielokrotnie. Włamywała się do mojego biura i kradła notatki. – Rozwinął długi rulon papieru. – Niech to zostanie między nami, panowie, ale… Jestem bliski przełomowego odkrycia w dziedzinie pamięci. Wiadomo, że przed zakodowaniem w ciele migdałowatym wspomnienia są elastyczne. Uzyskane przeze mnie wyniki dowodzą jednak, że ilekroć są przywoływane, ponownie przybierają formę zmienną. A to sugeruje, że w razie blokady farmakologicznej, zakłócającej syntezę białek w ciele migdałowatym, utrata pamięci może nastąpić nawet po jej odzyskaniu… Wyobraźcie sobie, że można wymazywać traumatyczne wspomnienia za pomocą środków chemicznych. Behawiorystyczne badania Alice nad żalem są, dla porównania, śmiechu warte.

Donny zerknął na mnie przez ramię. „Czubek”, odczytałem z ruchu jego warg.

– A pańska córka, panie Metcalf? Gdzie była, gdy przyłapał pan żonę na kradzieży?

– Spała. – Głos gospodarza się załamał. Mężczyzna odwrócił głowę i odchrząknął. – Jedno jest pewne: tutaj ich nie ma. Co nasuwa pytanie: co was tu jeszcze trzyma?

– Stanhope… – rzucił serdecznie Donny w moim kierunku. – Powiedz śledczym, żeby się streszczali. Ja tymczasem zadam doktorowi Metcalfowi jeszcze kilka pytań.

Skinąłem głową w przekonaniu, że Donny Boylan ma największy niefart pod słońcem. Przychodzimy na miejsce wypadku, a zastajemy skłóconego z żoną wariata. Kto wie, czy nie była to przyczyna zaginięcia dwóch osób, a być może i morderstwa. Ruszyłem w stronę miejsca, gdzie śledczy wciąż katalogowali bezużyteczne barachło, gdy naraz włosy stanęły mi dęba.

Odwróciłem się, czując na sobie wzrok siódmej słonicy, spoglądającej na mnie zza przenośnego ogrodzenia o dość niepozornym wyglądzie.

Z tak bliskiej odległości była ogromna. Jej uszy przylegały płasko do głowy, trąba spoczywała na ziemi. Z kościstej wypukłości na czole sterczały rzadkie włosy. Miała brązowe, rozumne oczy. Zatrąbiła, a ja odskoczyłem jak oparzony, chociaż dzielił nas płot.

Zatrąbiła ponownie, tym razem głośniej, dała kilka kroków do tyłu. Obejrzała się.

Powtórzyła to jeszcze dwukrotnie.

Zupełnie jakby czekała, aż za nią pójdę.

Nie drgnąłem, więc zawróciła i sięgnęła delikatnie między drutami. Poczułem gorący podmuch z trąby oraz zapach siana i ziemi. Wstrzymałem oddech, a wtedy ona musnęła mój policzek. Delikatnie, jak skrzydłem motyla.

Tym razem, kiedy ruszyła naprzód, podążyłem za nią, trzymając się swojej strony płotu, dopóki ostro nie skręciła i nie zaczęła się ode mnie oddalać. Weszła w dolinę. Na chwilę zanim znikła mi z oczu, obejrzała się ponownie.

W liceum chodziliśmy na skróty przez pastwiska dla krów otoczone elektrycznymi pastuchami. Skakaliśmy, po czym łapaliśmy za drut i szybowaliśmy nad płotem. Jeśli puszczaliśmy, zanim nasze stopy spoczęły na ziemi, nie groziło nam porażenie.

Puściłem się biegiem i przesadziłem ogrodzenie, choć przy okazji zahaczyłem butem ziemię i kopnął mnie prąd.

Upadłem i przetoczywszy się po piasku, wstałem, a następnie pognałem tam, gdzie znikła słonica.

Niecałe czterysta metrów dalej ujrzałem, że stoi nad ciałem kobiety.

– Ożeż w mordę! – wyszeptałem.

Słonica wydała gardłowy odgłos. Gdy postąpiłem naprzód, jej trąba wystrzeliła i trąciła mnie w ramię, powalając na ziemię. Nie miałem wątpliwości, że to ostrzeżenie; gdyby chciała, pofrunąłbym przez pół rezerwatu.

– Hej, mała – powiedziałem cicho, nawiązując ze zwierzęciem kontakt wzrokowy. – Widzę, że chcesz się nią zaopiekować… Ja tak samo. Tylko pozwól mi podejść. Włos jej z głowy nie spadnie, daję słowo.

Kiedy mówiłem, napięcie słonicy osłabło. Uszy przyciśnięte do głowy powędrowały ku przodowi, a zwinięta trąba spoczęła na klatce piersiowej kobiety. Z delikatnością, o jaką bym jej nie podejrzewał, słonica uniosła olbrzymie stopy i odsunęła się od ciała.

W tamtej chwili doznałem olśnienia. Zrozumiałem, dlaczego Metcalfowie założyli rezerwat, a Gideon nie obwiniał żadnego z tych stworzeń o śmierć teściowej. Zrozumiałem, dlaczego Thomas próbował pojąć umysł tych zwierząt. Wyczułem coś, czego nie potrafiłem określić – nie tylko złożoność czy związek, ale r ó w n o ś ć. Jakbyśmy oboje ze słonicą wiedzieli, że jesteśmy po tej samej stronie.

Skinąłem jej głową, a ona – przysięgam na Boga! – odwzajemniła skinienie.

Może wykazałem się naiwnością, a może zachowałem jak ostatni osioł, ale ukląkłem – wystarczająco blisko, że gdyby zwierzę zechciało, mogłoby mnie zgnieść – i zbadałem puls kobiety.

Jej głowa była cała w zaschniętej krwi. Twarz miała obrzmiałą i posiniaczoną. Nie dawała jakiegokolwiek znaku życia, a jednak wiedziałem, że ono wciąż się w niej tli.

– Dziękuję – powiedziałem do słonicy, gdyż było jasne, że ta chroniła ranną.

Podniosłem głowę, ale zwierzę znikło. Rozpłynęło się bezszelestnie w kępie drzew za dolinką.

Wziąłem kobietę na ręce i ruszyłem do śledczych.

Wbrew słowom Thomasa Metcalfa, Alice nie uciekła ani z jego córką, ani z jego bezcennym dorobkiem naukowym. Przez cały czas znajdowała się na miejscu.

Raz, kiedy ostro popiłem, miałem zwidy, że gram w pokera ze Świętym Mikołajem i jednorożcem, który oszukiwał. Nagle do pokoju wpadła rosyjska mafia i dobrała się świętemu do skóry. Uciekłem drabiną ewakuacyjną, żeby i mnie się nie dostało. Jednorożec popędził za mną. Gdy dotarliśmy na dach, kazał mi skoczyć i polecieć. Ocknąłem się, bo zadzwoniła komórka, a stałem już z jedną nogą nad krawędzią, jak jakiś zasrany Piotruś Pan. Boże miłosierdzie nie zna granic, uznałem. I tamtego ranka wylałem do zlewu całą zawartość barku.

Byłem trzeźwy przez trzy dni.

Nowa klientka poprosiła mnie wtedy, abym śledził jej męża, którego podejrzewała o romans z inną kobietą. Znikał na kilka godzin w weekendy, pod pretekstem, że wychodzi do sklepu, ale zawsze wracał z pustymi rękami.

Zaczął kasować wiadomości w telefonie. Stał się kompletnie niepodobny do człowieka, za którego wyszła.

Którejś soboty zawędrowałem za nim do ogrodu zoologicznego. Owszem, był z kobietą – na oko czteroletnią.

Dziewczynka podbiegła do ogrodzenia wybiegu dla słoni.

Natychmiast przypomniał mi się rezerwat, gdzie zwierzęta poruszały się swobodnie po rozległym terenie, zamiast się tłoczyć jak kury na grzędzie. Słoń kołysał się w przód i w tył, jakby w rytm bezgłośnej muzyki.

– Tatusiu – powiedziała dziewczynka. – On tańczy!

– Widziałem kiedyś, jak słoń obiera pomarańczę – rzuciłem jak gdyby nigdy nic, wspominając odwiedziny w rezerwacie po śmierci dozorczyni. Była to jedna ze sztuczek Olive – słonica toczyła tyci owoc pod wielką stopą, dopóki nie pękał, po czym delikatnie zdejmowała skórkę trąbą. Skinąłem głową mężczyźnie, mężowi mojej klientki. Wiedziałem przypadkiem, że nie mają dzieci. – Urocza mała – dodałem.

– Tak – odpowiedział z dumą świeżo upieczonego ojca, który nadrabia stracony czas.

Musiałem wrócić do domu i poinformować klientkę, że mąż jej nie zdradza, ale prowadzi życie, o którym ona nie ma pojęcia.

Czy coś w tym dziwnego, że tamtej nocy przyśniło mi się odnalezienie Alice Metcalf i złożona słoniowi niedotrzymana obietnica, że „włos jej z głowy nie spadnie"?

I tak moją trzeźwość diabli wzięli.

Nie pamiętam szczegółów tamtych około ośmiu godzin po znalezieniu Alice Metcalf. Tyle się działo. Przewieziono ją, wciąż nieprzytomną, karetką do miejscowego szpitala. Poleciłem ratownikom medycznym, którzy z nią jechali, aby powiadomiono nas, jak tylko się wybudzi. Poprosiliśmy policję z okolicznych miejscowości o przeczesanie rezerwatu, ponieważ wciąż nie wiedzieliśmy, co się stało z jej córką. W okolicach dziewiątej wieczorem zajrzeliśmy do szpitala, gdzie powiedziano nam, że Alice Metcalf wciąż znajduje się w śpiączce.

Byłem zdania, że powinniśmy aresztować Thomasa jako podejrzanego. Donny twierdził jednak, że to niemożliwe, gdyż nie mamy pojęcia, czy popełniono jakiekolwiek przestępstwo. Dodał, że musimy poczekać na wersję Alice, która być może rzuci nieco światła na fakt, czy Metcalf miał coś wspólnego z raną na jej głowie, zniknięciem małej bądź śmiercią Nevvie.

Wciąż przebywaliśmy w szpitalu w oczekiwaniu na wiadomości, kiedy zadzwonił spanikowany Gideon.

Dwadzieścia minut później szliśmy za nim do zagrody w rezerwacie, gdzie Thomas Metcalf – w szlafroku i na bosaka – usiłował skuć łańcuchem przednie nogi słonia. Zwierzę szarpało się, pies szczekał i kłapał zębami, zupełnie jakby chciał, by Thomasowi wrócił rozsądek. Metcalf kopnął go w żebra. Pies zaskomlał i odpełzł, szorując brzuchem po ziemi.

– U0126 zaraz zacznie działać…

– Nie mam pojęcia, co on wyprawia! – jęknął Gideon. – My tutaj nie skuwamy zwierząt.

Od pomruku słoni ziemia drżała pod stopami. Czułem to całym ciałem.

– Musicie go stamtąd wyciągnąć – mruknął Gideon. – Zanim coś jej zrobi.

Lub ona jemu, pomyślałem.

Godzinę trwało wywabianie Thomasa z zagrody. Minęło kolejne pół, zanim Gideon zdołał podejść do słonicy, żeby zdjąć jej łańcuch. Skuliśmy Metcalfa – adekwatnie do sytuacji – i zawieźliśmy do szpitala psychiatrycznego, około stu kilometrów na południe od Boone. Podczas jazdy nie mieliśmy zasięgu, więc dopiero kolejną godzinę później dowiedzieliśmy się, że Alice Metcalf odzyskała przytomność.

Mijało właśnie szesnaście godzin, odkąd byliśmy na nogach.

– Jutro – oznajmił Donny. – Przesłuchamy ją z samego rana. Dzisiaj nie będzie już z nas żadnego pożytku.

Był to początek największego błędu w moim życiu.

Między północą a szóstą rano Alice wypisała się ze szpitala i zapadła się pod ziemię.

***

– Pan Stanhope? – pyta. – Virgil Stanhope?

Gdy otwieram drzwi, smarkata rzuca to jak oskarżenie, jak gdyby imię „Virgil" oznaczało jakąś zarazę. Od razu się najeżam. Nie jestem żadnym Virgilem, już od dawna.

– Pomyłka.

– Czy nigdy pana nie ciekawiło, co się stało z Alice Metcalf?

Spoglądam uważniej na jej twarz, trochę zamazaną, bo za dużo wypiłem. Potem mrużę oczy. Pewnie znów fatamorgana.

– Zgiń, przepadnij! – mamroczę.

– Najpierw proszę przyznać, że to pan odwiózł moją nieprzytomną matkę do szpitala przed dziesięciu laty.

Jakby mnie oblała kubłem zimnej wody. To nie Alice i nie fatamorgana.

– Jenna. Jesteś jej córką.

Twarz jej się rozjaśnia jak na katedralnym witrażu. Serce pęka od samego widoku.

– Opowiadała panu o mnie?

Rzecz jasna, Alice Metcalf nie opowiadała mi o niczym. Gdy rankiem po wypadku wróciłem do szpitala, zdążyła się rozpłynąć. Pielęgniarki wspomniały tylko, że wypisała się na własne życzenie i mówiła o jakiejś Jennie.

Donny wziął jej słowa za potwierdzenie wersji Gideona, jakoby Alice Metcalf uciekła z córką, jak miała nadzieję to zrobić. Zważywszy, że jej mężowi odbiło, chyba postąpiła słusznie. Donny miał dwa tygodnie do emerytury i chciał już wszystko pozamykać, ze śmiercią dozorczyni z rezerwatu słoni włącznie. „To był wypadek, Virgilu", zaznaczył, kiedy go przycisnąłem. „Alice Metcalf nie jest podejrzaną. Ba, nawet nie zaginęła, dopóki ktoś tego nie zgłosi".

Zgłoszenie nie nastąpiło. A gdy sam chciałem się podjąć wyjaśnienia sprawy, Donny postukał się w czoło, żebym odpuścił. Odparłem, że to niewłaściwa decyzja, na co on zniżył głos.

– To nie ode mnie zależy – powiedział zagadkowo.

Od dziesięciu lat pewne rzeczy nie dają mi spokoju.

Tymczasem oto stoi przede mną dowód, że Donny Boylan od początku miał rację.

– Psiakrew! – mówię i pocieram skronie. – Nie do wiary...

Puszczam drzwi i Jenna wchodzi do środka. Patrzy z niesmakiem na zmięte opakowania po jedzeniu na podłodze, marszczy nos od zaduchu fajek. Roztrzęsioną ręką wyciągam z kieszeni koszuli papierosa i zapalam.

– To świństwo pana zabije.

– Oby jak najszybciej – mamroczę i zaciągam się głęboko.

Czasami mam wrażenie, że tylko ono trzyma mnie przy życiu.

Jenna kładzie na biurku banknot dwudziestodolarowy.

– Proszę wziąć się w garść – mówi. – Bo chcę pana zatrudnić.

Wybucham śmiechem.

– Zostaw sobie na lody, mała. Jeśli zgubiłaś pieska, rozwieś ogłoszenia. A jeżeli rzucił cię chłopak, wypchaj sobie stanik i daj mu powód do zazdrości. To rada gratis. Znaj moje dobre serce.

Nawet nie mruga.

– Zatrudniam pana, żeby dokończył pan to, co pan zaczął.

– Czyli?

– Musi pan odszukać moją matkę.

Istnieje coś w związku z tą sprawą, o czym nigdy nie powiedziałem nikomu.

Pierwsze dni po zgonie w rezerwacie były, jak nietrudno zgadnąć, koszmarem logistycznym. Ponieważ Thomas

Metcalf trafił do domu bez klamek, a jego żona się rozpłynęła, cały majdan spadł na barki Gideona. Przyszłość rysowała się w czarnych barwach, kasa świeciła pustkami. Nikt już nie miał wątpliwości, że rezerwat długo nie pociągnie. Nie było czym karmić słoni, brakowało siana. Wszystko wskazywało na to, że teren zostanie przejęty przez bank. Najpierw jednak wszystkich jego mieszkańców – blisko szesnaście ton – należało przenieść w inne miejsce.

Niełatwo znaleźć dom dla siódemki kolosów, ale Gideon dorastał w Tennessee i słyszał o rezerwacie dla słoni w Hohenwaldzie. Tamtejsi pracownicy zaś rozumieli sytuację i byli gotowi zrobić dla zwierząt z New Hampshire wszystko, co w ich mocy. Zgodzili się przetrzymać słonie w odosobnieniu do czasu wybudowania dla nich oddzielnej zagrody.

W tamtym tygodniu na moje biurko trafiła nowa sprawa, siedemnastoletniej opiekunki odpowiedzialnej za uszkodzenie mózgu u półrocznego dziecka. Postanowiłem doprowadzić do tego, aby dziewczyna – cheerleaderka o jasnych włosach i oślepiającym bielą uśmiechu – przyznała się do potrząsania dzieckiem. I dlatego w dniu przyjęcia pożegnalnego Donny'ego tkwiłem przy biurku. A wtedy nadeszły wyniki sekcji zwłok Nevvie Ruehl.

Z góry wiedziałem, co w nich napisano – że śmierć kobiety nastąpiła w wyniku stratowania przez słonia – a mimo to pogrążyłem się w lekturze, czytając o wadze serca, mózgu i wątroby ofiary. Na ostatniej stronie zamieszczono spis znalezionych przy zwłokach przedmiotów.

Jedną z nich był pojedynczy kosmyk rudych włosów.

Chwyciłem raport i zbiegłem na dół, gdzie Donny paradował w śmiesznym kapeluszu i zdmuchiwał świeczki na torcie w kształcie osiemnastego dołka golfowego.

– Donny – zagaiłem. – Musimy pogadać.

– Teraz?

Wyciągnąłem go na korytarz.

– Sam zobacz.

Wcisnąłem mu w ręce raport z sekcji i patrzyłem, jak czyta.

– Zawracasz mi dupę na pożegnalnym przyjęciu czymś, co już wiem? Przecież ci mówiłem, Virg. Odpuść sobie.

– Te włosy – zaznaczyłem. – Rude. Nie należały do ofiary. Ona była blondynką. Co oznacza, że mogło dojść do szarpaniny.

– Lub że ktoś użył po raz drugi tego samego worka.

– Jestem pewien, że Alice Metcalf ma rude włosy.

– Podobnie jak sześć milionów innych ludzi w Stanach Zjednoczonych. A nawet jeśli przypadkiem należą do Alice Metcalf, to co z tego? Znały się, przebywały z sobą na co dzień. Kosmyk dowodzi, że w którymś momencie się o siebie otarły. Nic poza tym. – Zmrużył oczy. – Udzielę ci małej rady. Detektyw nie marzy, by mieć na głowie miasto w rozsypce. A dwa dni temu ludzie dostawali głupawki, że przyjdą słonie i stratują ich we śnie. Teraz wszyscy wreszcie oddychają z ulgą, bo słonie wyjeżdżają. A Alice Metcalf pewnie siedzi w Miami i zapisuje dzieciaka do przedszkola pod fałszywym nazwiskiem. Jak zaczniesz rozpowiadać, że to jednak nie był wypadek, lecz morderstwo, wzbudzisz kolejną falę paniki. Gdy słyszysz tętent, Virgilu, to najpewniej koń, a nie zebra. Ludzie życzą sobie policjantów, którzy potrafią ich obronić, nie zaś takich, co szukają dziury w całym. Chcesz zostać detektywem? Przestań zgrywać Supermana i dla odmiany zostań cholerną Mary Poppins.

Poklepał mnie po plecach i ruszył z powrotem w kierunku gwarnej sali.

– Co miałeś na myśli? – krzyknąłem za nim. – Że to nie od ciebie zależy?

Donny przystanął, po czym zerknął ku biesiadującym. A potem złapał mnie za ramię i zaciągnął w przeciwną stronę, gdzie nikt nie mógł nas podsłuchać.

– Nie zastanawiałeś się, czemu nie zostało to rozdmuchane w gazetach? To zasrane New Hampshire. Tu nic się nie dzieje. Wszystko, co z daleka zalatuje morderstwem, ciągnie ludzi jak muchy do łajna. Chyba że… – dodał przyciszonym głosem – …palec na ustach położą ludzie większego kalibru niż my.

Jeszcze wówczas wierzyłem w porządek i sprawiedliwość.

– Chcesz powiedzieć, że szef nie ma nic przeciwko temu?

– Niedługo wybory, Virg. Gubernator nie będzie mógł szczycić się najniższym współczynnikiem przestępczości w kraju, jeśli ludzie pomyślą, że po Boone grasuje morderca – westchnął Donny. – À propos, to ten sam facet, który zwiększył budżet na bezpieczeństwo publiczne, żebyś w ogóle mógł zostać zatrudniony. I mógł bronić społeczności, nie licząc się z każdym groszem. – Spojrzał mi w oczy. – Robienie dobrych uczynków nagle nie jest takie czarne i białe, co?

Odprowadziłem go wzrokiem, ale za nim nie poszedłem. Wróciłem do siebie i odłączyłem ostatnią stronę raportu od pozostałych. Następnie złożyłem ją i wsunąłem do kieszeni marynarki.

Podobno słonie przystosowały się do życia w Tennessee. Teren rezerwatu sprzedano – połowę stanowi New Hampshire, połowę deweloperowi. Po spłacie wszystkich długów resztę funduszy przeznaczono na pokrycie kosztów pobytu Thomasa Metcalfa w placówce. Jego żona nie upomniała się o swoją dolę.

Pół roku później awansowałem na detektywa. Rankiem w dniu uroczystości włożyłem swój jedyny porządny garnitur, a z szuflady szafki nocnej wyjąłem złożoną kartkę z raportu. Schowałem ją do wewnętrznej kieszeni.

Wolałem sobie przypomnieć, że żaden ze mnie bohater.

– Znowu zaginęła? – pytam.

– Jak to: znowu? – odpowiada pytaniem Jenna.

Siada na krześle przy moim biurku i krzyżuje nogi.

Przynajmniej to do mnie dociera. Gaszę papierosa w kubku ze starą kawą.

– Nie uciekła z tobą?

– No raczej – kwituje Jenna. – Nie widziałam jej od dziesięciu lat.

– Czekaj… – Potrząsam głową. – Jak to?

– Był pan jedną z ostatnich osób, które widziały moją matkę żywą – wyjaśnia Jenna. – Zostawił ją pan w szpitalu, a kiedy zniknęła, nie zrobił pan nawet tego, co powinien zrobić policjant o śladowej inteligencji. Nie wszczął pan poszukiwań.

– Nie miałem powodu. Wypisała się ze szpitala. Nie było w tym nic dziwnego…

– Miała uraz głowy.

– Widocznie niegroźny, skoro szpital na to poszedł. Skorzystała z praw pacjenta. A ponieważ szpital nie widział przeciwwskazań, uznaliśmy, że poczuła się lepiej, zabrała cię i uciekła.

– To dlaczego nie oskarżyliście jej o porwanie?

Wzruszam ramionami.

– Twój ojciec nie zgłosił zaginięcia formalnie.

– Pewnie był zawinięty w kaftan bezpieczeństwa.

– Jeśli nie byłaś z matką, to kto się tobą zajmował?

– Babcia.

A więc to u babki Alice zostawiła dziecko!

– A dlaczego ona nie zgłosiła zaginięcia?

Dziewczynka robi się czerwona.

– Nie pamiętam. Byłam za mała. Ale babcia twierdzi, że poszła na policję tydzień po zniknięciu mamy. Chyba nic nie wskórała.

Czy to prawda? Nie przypominam sobie, żeby ktoś oficjalnie zgłaszał zaginięcie Alice Metcalf, ale może się minęliśmy. Może poszła do Donny'ego. Nie zdziwiłbym się, gdyby ją spławił albo celowo zataił przede mną zgłoszenie. Żebym nie przeciągał sprawy.

– Sęk w tym – ciągnie Jenna – że powinien jej pan szukać. Ale pan tego nie zrobił. Dlatego jest mi pan coś winien.

– Na jakiej podstawie sądzisz, że może zostać odnaleziona?

– Ona nie umarła. – Jenna patrzy mi prosto w oczy. – Wiedziałabym o tym. Czułabym to.

Gdybym dostawał dolara, ilekroć słyszę te bezpodstawne słowa, sączyłbym macallana zamiast jacka danielsa. Ale mówię tylko:

– Czy to możliwe, że nie wróciła, bo nie chciała? Mnóstwo ludzi zaczyna nowe życie.

– Jak pan? – pyta Jenna, świdrując mnie wzrokiem. – Victorze?

– No dobra – przyznaję. – Gdy życie jest do niczego, czasami łatwiej zacząć od zera.

– Moja mama nie postanowiła tak po prostu stać się kimś innym – upiera się Jenna. – Lubiła siebie, jaką była. I nie zostawiłaby mnie.

Nie znałem Alice Metcalf. Wiedziałem jednak, że można żyć na dwa sposoby – tak jak Jenna, kurczowo uczepiona tego, co ma, lub tak jak ja, gdy porzuca się wszystkich i wszystko, co ma jakiekolwiek znaczenie. Zanim to coś zostawi ciebie. Tak czy inaczej, czeka człowieka rozczarowanie.

Być może Alice zrozumiała, że jej małżeństwo to ściema, i nie chciała mieszać dzieciakowi w głowie? A może, tak jak ja, dała nogę, zanim sytuacja stała się nie do zniesienia?

Przeczesuję palcami włosy.

– Słuchaj no, nikt nie chce wierzyć, że być może matka ewakuowała się z jego powodu. Ale dobrze ci radzę, daj sobie spokój. Odłóż to do przegródki, gdzie składujesz inne życiowe niesprawiedliwości, jak to, dlaczego Kardashianowie są sławni, a ładni ludzie szybciej obsługiwani w lokalach. I jakim cudem klasowa ciamajda ląduje w szkolnej drużynie hokeja trenowanej przez jej tatusia.

Jenna kiwa głową, ale nie daje za wygraną.

– A gdybym powiedziała panu, że mam dowód, iż mama nie odeszła z własnej woli?

Możesz oddać odznakę detektywa, ale nie pozbędziesz się instynktu. Włosy na rękach stają mi dęba.

– Co masz na myśli?

Mała sięga do plecaka i wyciąga portfel. Zabłocony, spękany i spłowiały. Wręcza mi go.

– Wynajęłam jasnowidza i proszę, co znalazłyśmy!

– Jaja sobie robisz? – prycham, czując, że łupanie w czaszce powraca ze zdwojoną siłą. – Jasnowidza?

– No, zanim pan powie, że to oszustka... Ona znalazła coś, czego nie mógł znaleźć cały zespół pańskich specjalistów. – Jenna patrzy, jak otwieram portfel i przeglądam jego zawartość. – Był na drzewie, na terenie rezerwatu – dodaje. – W pobliżu miejsca, gdzie matka leżała nieprzytomna...

– Skąd wiesz, gdzie leżała? – przerywam ostro.

– Serenity mi powiedziała. Jasnowidzka.

– Aha, to dobrze. Bo już myślałem, że masz mniej wiarygodne źródło...

– Tak czy siak – ciągnie mała, puszczając moje słowa mimo uszu – ptaki uwiły w nim gniazdo. – Odbiera mi portfel i ze spękanej plastikowej ramki wysuwa jedyną ocalałą fotografię. Zdjęcie jest pomarszczone i spłowiałe, lecz nawet ja dostrzegam bezzębny uśmiech niemowlęcia. – To ja – informuje mnie Jenna. – Czy ktoś, kto chce uciec od dziecka na zawsze... Czy nie zachowałby przynajmniej jego zdjęcia?

– Dawno przestałem wnikać w ludzkie pobudki. A co do portfela... On niczego nie dowodzi. Mogła go upuścić podczas ucieczki.

– Czyli sam dostał skrzydeł i pofrunął na drzewo? – Jenna potrząsa głową. – Kto go tam schował? I dlaczego?

Gideon Cartwright, myślę od razu.

Nie mam powodów, aby go podejrzewać; pojęcia nie mam, skąd to skojarzenie. O ile mi wiadomo wyjechał ze słoniami do Tennessee, gdzie żył długo i szczęśliwie.

Z drugiej strony to właśnie jemu Alice zwierzyła się z problemów małżeńskich. I to jego teściowa zginęła.

Dopada mnie kolejna myśl.

Co, jeśli śmierć Nevvie Ruehl nie była przypadkowa, wbrew zapewnieniom Donny'ego? A jeśli to Alice zabiła Nevvie, dla niepoznaki schowała na drzewie swój portfel i uciekła, zanim ktoś mógł wskazać ją jako podejrzaną?

Patrzę nad biurkiem na Jennę.

Uważaj, czego sobie życzysz, mała, myślę.

Gdyby pozostała mi resztka sumienia, być może zakłułoby mnie ono na myśl, że oto zgadzam się odnaleźć jej matkę po to, by ją przymknąć za morderstwo. Muszę to dobrze rozegrać, niech dziewczyna myśli, że nie ma tu żadnych podtekstów. Zresztą może wyświadczam jej przysługę? Niepewność bywa zabójcza dla duszy. Im wcześniej mała pozna prawdę, tym szybciej się otrząśnie.

Wyciągam rękę.

– Panno Metcalf – mówię. – Jestem do pani dyspozycji.

Alice

Przeprowadziłam gruntowne badania nad istotą pamięci i oto najlepsza analogia na wytłumaczenie jej mechanizmu.

Przyjmijmy, że mózg to kwatera główna ciała. Wszystko, czego doświadczamy danego dnia, jest kartoteką składaną na biurku do wykorzystania w przyszłości. Dyżurnym, który zjawia się nocą, kiedy śpisz, aby wyczyścić zator w skrzynce odbiorczej, jest część mózgu zwana hipokampem.

Hipokamp zgarnia wszystkie kartoteki i odkłada je tam, gdzie ich miejsce. Kłótnia z mężem? Świetnie, dołóż ją do paru innych awantur z zeszłego roku. Wspomnienie pokazu fajerwerków? Połącz je z przyjęciem z okazji Święta Niepodległości, na którym byłaś jakiś czas temu. Stara się umieścić każde wspomnienie wraz z grupą podobnych, gdyż dzięki temu wszystkie będą łatwiejsze do odzyskania.

Czasami jednak nie możesz sobie o czymś przypomnieć. Powiedzmy, że idziesz na mecz bejsbolowy i ktoś mówi ci potem, że dwa rzędy za tobą płakała kobieta w żółtej sukience – lecz ty nie zachowałeś w myślach jej wspomnienia. Istnieją dwa możliwe wytłumaczenia. Incydent nie został skatalogowany, bo byłeś bez reszty skupiony na grze i płacząca umknęła twojej uwadze. Albo hipokamp nawalił i zakodował wspomnienie tam, gdzie nie powinno się znaleźć – smutna kobieta została powiązana z twoją przedszkolanką, która też nosiła żółtą sukienkę. Tym sposobem nigdy się do niej nie dogrzebiesz.

Bywa, że śnimy o kimś z przeszłości, kogo prawie nie pamiętamy i czyjego imienia nie możemy sobie przypomnieć, choćby ktoś inny przystawiał nam pistolet do głowy. Oznacza to, że wkroczyliśmy na tę ścieżkę przypadkowo i odkryliśmy ukryty skarb.

Rzeczy, które robimy rutynowo – stale konsolidowane przez hipokamp – tworzą jasne sieci powiązań. Dowiedziono, że londyńscy taksówkarze posiadają bardzo rozwinięte hipokampy z powodu ogromu informacji przestrzennych, które przetwarzają. Nie wiemy jednak, czy przychodzą na świat tak wyposażeni, czy może hipokamp rozrasta się w wyniku intensywnej praktyki, podobnie jak ćwiczony mięsień.

Istnieją także ludzie niezdolni do zapominania. Możliwe, że ci z zespołem stresu pourazowego mają mniejsze hipokampy niż normalnie. Niektórzy badacze są zdania, że kortyzol – hormon stresu – może upośledzać hipokamp i wywoływać problemy z pamięcią.

Z kolei słonie mają hipokamp powiększony. Czasem mawia się żartobliwie, że słoń nigdy nie zapomina; jestem o tym święcie przekonana. W Kenii, w Amboseli, badacze odtwarzali odległe nawoływania w ramach eksperymentu, który wykazał, że samice słonia rozpoznają ponad sto różnych osobników. Gdy wołanie pochodziło ze znajomego stada, słonie poddane eksperymentowi odpowiadały tym samym. Gdy z obcego, zbijały się w gromadkę, wycofując.

Tylko jedna reakcja odbiegała od normy. Podczas trwania eksperymentu jedna ze starszych samic, którą nagrano, zdechła. Odtworzono jej wołanie trzy, a następnie dwadzieścia trzy miesiące po śmierci. W obu przypadkach rodzina zareagowała ożywieniem i zbliżyła się do głośnika – co wskazuje nie tylko na wspomnienie i zdolność kojarzenia, ale i na abstrakcyjne myślenie. Bliscy zmarłej samicy nie tylko pamiętali jej głos, ale przez chwilę, podchodząc do głośnika, łudzili się, że ją tam zastaną.

W miarę upływu czasu możliwości pamięci słonic rosną. Ostatecznie są one dla swojej rodziny bazą informacji – chodzącym archiwum, które podejmuje decyzje za stado. Czy tutaj jest niebezpiecznie? Gdzie będziemy jeść? Gdzie pić? Jak znajdziemy wodopój? Zdarza się, że znają trasy niewykorzystywane od początku istnienia całego stada – ba, przez nie same – które mimo to zostały przekazane i zakodowane we wspomnieniu.

Moja ulubiona opowieść o słoniowej pamięci pochodzi z Pilanesbergu, gdzie zbierałam materiały do pracy doktorskiej. W latach dziewięćdziesiątych, w celu kontrolowania populacji południowoafrykańskich słoni, przeprowadzono masowy ubój selektywny, podczas którego strzelano do osobników dorosłych, a następnie przenoszono młode tam, gdzie brakowało słoni. Niestety, w wyniku doznanego szoku nie zachowywały się one tak, jak oczekiwano. W Pilanesbergu grupa przeniesionych młodych słoni nie umiała funkcjonować jako stado. Potrzebowały przewodniczek, które by nimi pokierowały. I tak amerykański treser o nazwisku Randall Moore sprowadził do Pilanesbergu dwie dorosłe samice, które przed wielu laty wysłano do Stanów

Zjednoczonych, po tym jak zostały osierocone w czasie rzezi w Parku Narodowym Krugera.

Młode osobniki natychmiast przylgnęły do Notch i Felicii; takie bowiem imiona nadaliśmy przybranym matkom. Powstały dwa stada, minęło dwanaście lat. Kiedyś, w wyniku tragicznego wypadku, Felicia została ugryziona przez hipopotama. W trakcie całego procesu gojenia weterynarz musiał wielokrotnie opatrywać ranę, nie mógł jednak każdorazowo podawać Felicii znieczulenia. Jest to dopuszczalne zaledwie trzy razy w miesiącu; w przeciwnym wypadku M99 kumuluje się w organizmie słonia. Zdrowie Felicii było zagrożone, a gdyby nie przeżyła, jej stado ponownie znalazłoby się w niebezpieczeństwie.

I wtedy pomyśleliśmy o słoniowej pamięci.

Randall, który pracował z obiema samicami przed przyjazdem do rezerwatu, nie widział ich od ponad dziesięciu lat, ale chętnie zgodził się na przyjazd. Odnaleźliśmy obydwa stada, które połączyły się w wyniku urazu starszej samicy.

– Moje dziewczynki! – zachwycił się Randall, kiedy jeep wyhamował na wprost zwierząt. – Owala – zawołał. – Durga!

Dla nas słonice nosiły imiona Felicia i Notch. Ale obie majestatyczne damy odwróciły się na dźwięk głosu Randalla, który zrobił coś, na co wobec płochliwego stada z Pilanesberga nie odważył się nikt inny – wysiadł z samochodu i ruszył w stronę słoni.

Uwaga. Od dwunastu lat obcowałam ze słoniami w ich naturalnym środowisku. Są stada, do których można podejść, przywykły bowiem do badaczy oraz ich samochodów i nam ufają, a jednak nie jest to coś, co uczyniłabym bez starannego namysłu. Jednakże to konkretne stado wcale nie było oswojone z ludźmi, tylko wręcz nieprzewidywalne. Młodsze osobniki cofnęły się w popłochu, widząc w Randallu jednego z dwunożnych potworów, które zabiły ich matki. Ale dwie przewodniczki podeszły bliżej. Durga – Notch – zbliżyła się do Randalla. Wyciągnęła trąbę i delikatnie owinęła ją wokół jego ramienia. Następnie obejrzała się na swych nerwowych przybranych podopiecznych, które wciąż prychały i burzyły się na przełęczy. Ponownie zwróciła się do Randalla, zatrąbiła, po czym uciekła do dzieci.

Randall nie próbował jej zatrzymywać. Przeniósł wzrok na drugą samicę.

– Owala – powiedział cicho. – Klęknij.

Słonica, którą nazywaliśmy Felicią, uklękła i pozwoliła Randallowi usiąść na swoim grzbiecie. Mimo że od dwunastu lat nie miała bezpośredniej styczności z ludźmi, nie tylko zapamiętała tego konkretnego człowieka jako swojego tresera, ale wciąż reagowała na wyuczone komendy. Bez konieczności podania środka znieczulającego posłusznie wykonała polecenia: „Zostań", „Odwróć się", „Noga", które umożliwiły weterynarzowi usunięcie ropy z zakażonego miejsca, oczyszczenie rany i podanie antybiotyku.

Na długo po tym, jak doszła do zdrowia, długo po wyjeździe Randalla, Felicia ponownie stanęła na czele swej przyszywanej rodziny w Pilanesbergu. Dla każdego badacza, dla wszystkich, pozostała dzikim słoniem.

Ale gdzieś, jakimś cudem, zachowała wspomnienie tego, kim była kiedyś.

Jenna

Zachowałam jeszcze jedno wspomnienie matki, powiązane z rozmową uwiecznioną w jej notesie. To pojedyncza, ręcznie zapisana strona, urywki dialogu, o którym z jakichś przyczyn nie chciała zapomnieć. Być może dlatego ja również pamiętam go tak dokładnie. Przepływa mi przed oczami jak wyświetlany film.

Mama leży na ziemi, z głową na kolanach ojca. Rozmawiają, a ja urywam główki stokrotkom. Niby nie słucham, ale mój mózg owszem, rejestruje wszystko, więc jeszcze dziś słyszę gwar komarów i słowa, przerzucane przez rodziców tam i z powrotem. Głosy wznoszą się i opadają, szybują jak ogon latawca.

ON: Musisz przyznać, Alice, że niektóre zwierzęta wiedzą, że trafiły na swoją drugą połówkę.

ONA: Bzdura. Kompletna bzdura. Udowodnij mi, że monogamia istnieje w świecie przyrody, bez wpływu środowiskowego.

ON: Łabędzie.

ONA: Idziesz na łatwiznę. Poza tym to nieprawda! Jedna czwarta czarnych łabędzi zdradza swoich partnerów.

ON: Wilki.

ONA: Wiadomo, że szukają sobie drugiej pary, gdy ich partner zostaje wyrzucony ze stada lub jest niezdolny do prokreacji. To okoliczności, a nie prawdziwa miłość.

ON: Co też mi strzeliło do głowy, żeby się związać z naukowcem! Słyszysz: „serduszko walentynkowe", a myślisz „aorta".

ONA: Dociekliwość to grzech?

Ona siada i przygniata go do ziemi. Leży nad nim, jej włosy omiatają mu twarz. Wyglądają, jakby się mocowali, ale oboje są uśmiechnięci.

ONA: A czy wiesz, że sęp przyłapany na zdradzie partnera zostanie zaatakowany przez pozostałe?

ON: Grozisz?

ONA: Tak tylko mówię.

ON: Gibony.

ONA: Och, daj spokój. Wszyscy wiedzą, że gibony są niewierne.

On wytacza się spod niej i teraz jest na górze.

ON: Norniki preriowe.

ONA: Tylko z powodu oksytocyny i wazopresyny wydzielanych do mózgu. To nie miłość, lecz zależność chemiczna.

Na jej twarzy z wolna pojawia się uśmiech.

ONA: Wiesz, jak się zastanowić... Istnieje gatunek całkowicie monogamiczny. Samiec ryby wędkarza, dziesięć razy mniejszy od swojej wybranki, podąża za jej zapachem, wgryza się w nią i tak wisi, dopóki jego skóra nie stopi się z jej skórą i nie zostaje wchłonięty. Łączą się na całe życie. Dość krótkie w przypadku faceta w tym związku.
ON: Stopiłbym się z tobą.

Całuje ją.

ON: Przez usta.

Kiedy się śmieją, brzmi to jak szelest konfetti.

ONA: Dobrze. Grunt, żebyś się zamknął. Raz na zawsze.

Przez chwilę się nie odzywają.

Przytrzymuję dłoń nad piaskiem. Widziałam, jak Maura unosi tylną nogę centymetry nad ziemią, poruszając nią tam i z powrotem, jak gdyby toczyła niewidzialny kamień. Mama twierdzi, że kiedy Maura to robi, słyszy inne słonie. Że rozmawiają, nawet kiedy ich nie słyszymy. Zastanawiam się, czy właśnie to robią teraz rodzice. Rozmawiają bez słów.

Gdy znów rozlega się głos ojca, brzmi jak struna naprężona tak, że nie wiadomo, czy to muzyka, czy łkanie.

ON: A wiesz, jak pingwin wybiera partnerkę? Znajduje idealny kamyk i darowuje go samicy, którą sobie upatrzył.

Podaje matce kamyk. Mama zamyka go w dłoni.

Większość notatek mamy z okresu spędzonego w Botswanie aż kipi od danych: imiona i trasy migracyjne stad przemierzających Tuli Block, daty okresów godowych i porodów, skrupulatne co do godziny zapisy zachowań zwierząt, które nie wiedzą, że są obserwowane, lub nic ich to nie obchodzi. Czytam każdy wpis, lecz zamiast słoni widzę dłoń, która go sporządzała. Czy nie drętwiały jej palce? Czy nie miała zgrubienia w miejscu, gdzie ołówek zbyt mocno naciskał na skórę? Składam części układanki zwanej matką, tak jak ona przetasowywała swoje wnioski, próbując złożyć najmniejsze szczegóły w większą całość. Zastanawiam się, czy było to dla niej równie frustrujące – widzieć przebłyski, ale nigdy nie dotrzeć do sedna zagadki. Wypełnianie luk to rola naukowca. Ja patrzę na układankę i widzę wyłącznie brakujący kawałek.

Zaczynam podejrzewać, że Virgil czuje to samo. I muszę przyznać, że nie wiem dokładnie, jak to o nas świadczy.

Kiedy mówi, że podejmie się pracy, nie do końca mu ufam. Trudno uwierzyć facetowi tak skacowanemu, że wkładanie przez niego marynarki grozi zawałem. Grunt, by zapamiętał, o czym rozmawialiśmy. Co oznacza, że muszę go stąd wyprowadzić, aby wytrzeźwiał.

– Może pójdziemy na kawę? – proponuję. – Po drodze mijałam lokal.

Bierze kluczyki do samochodu. Po moim trupie!

– Jest pan pijany – oznajmiam. – Ja poprowadzę.

Wzrusza ramionami, ale nie protestuje, dopóki nie wychodzimy z budynku i widzi, jak odpinam rower.

– Co to ma, kurwa, być?

– Widzę, że jest z panem gorzej, niż myślałam – mówię i siadam na siodełko.

– Kiedy wspomniałaś, że poprowadzisz – mamrocze Virgil – myślałem, że masz samochód.

– Mam trzynaście lat – mówię, wskazując na kierownicę.

– Zwariowałaś? Żyjemy w latach siedemdziesiątych?

– Może pan biec obok, jeśli pan woli – kwituję. – Ale z takim bólem głowy nie radzę ryzykować.

W ten sposób zajeżdżamy pod lokal – Virgil Stanhope na siodełku mojego górala, a ja na pedałach.

Znajdujemy wolny stolik.

– Czemu nie było ogłoszeń? – pytam.

– Hm?

– Ogłoszeń. Ze zdjęciem mamy. Czemu nikt nie posadził nikogo przy telefonie?

– Już ci powiedziałem – odburkuje Virgil. – Nigdy nie uznano jej za zaginioną.

Patrzę na niego bez słowa.

– No dobra, poprawka. Jeśli twoja babcia zgłosiła zaginięcie, musiało nam ono umknąć.

– Chce pan powiedzieć, że dorastałam bez matki z powodu ludzkiego błędu?

– Mówię, że zrobiłem, co do mnie należało. Nawalił ktoś inny. – Spogląda na mnie spod oka. – Wezwano mnie do rezerwatu z powodu trupa. Stwierdziliśmy wypadek. Sprawa zamknięta. Gdy jesteś policjantem, starasz się nie robić bałaganu. Sprzątasz jedynie to, co się rozlało.

– Innymi słowy, przyznaje pan, że przez lenistwo nie zainteresował się zaginięciem świadka.

Łypie na mnie wrogo.

– Nie. Po prostu zakładam, że twoja matka odeszła z własnej i nieprzymuszonej woli, inaczej bym o tym słyszał. Myślałem, że jest z tobą. – Virgil mruży oczy. – Gdzie byłaś, kiedy policjanci znaleźli ją nieprzytomną?

– Nie wiem. Czasami w ciągu dnia zostawiała mnie z Nevvie, ale nigdy nocą. Pamiętam tylko, że w końcu znalazłam się u babci.

– No to może powinnaś z nią porozmawiać.

Natychmiast potrząsam głową.

– Wykluczone. Zabiłaby mnie, gdyby wiedziała, że to robię.

– Nie chce wiedzieć, co się stało z jej córką?

– To skomplikowane – mówię. – Chyba nie chce tego wywlekać, bo do dziś nie pogodziła się z jej zniknięciem. Pochodzi z pokolenia, które robi dobrą minę do złej gry i żyje jak gdyby nigdy nic. Ilekroć płakałam za mamą, babcia próbowała odwrócić moją uwagę: jedzeniem, zabawką lub Gertie, moją suczką. A potem, któregoś dnia, gdy zapytałam wprost, odpowiedziała: „Odeszła". To słowo cięło jak nóż, więc szybko oduczyłam się wypytywania.

– Dlaczego zwlekałaś tak długo? Dziesięć lat to nie przedawnienie, tylko cała epoka.

Przechodzi kelnerka, więc kiwam ręką, żeby zwrócić jej uwagę. Virgil musi napić się kawy, inaczej nie będzie z niego pożytku. Jakby mnie nie widziała.

– Tak to jest być dzieckiem – stwierdzam. – Nikt nie bierze cię poważnie. Jakby się było ze szkła. Nawet gdybym wiedziała, do kogo się zwrócić w wieku lat dziewięciu czy ośmiu... Nawet gdybym jakimś cudem dotarła na policję...

I gdyby pan wciąż tam pracował, i oficer dyżurny przekazał panu, że przyszła dziewczynka z prośbą o wszczęcie śledztwa... Co by pan zrobił? Spojrzałby na mnie z politowaniem i grzecznie pokiwał głową, wcale nie słuchając. Czy może pośmiałby się z kolegami z małej, która przyszła zabawić się w detektywa?

Z kuchni wybiega inna kelnerka; zza wahadłowych drzwi dochodzi skwierczenie tłuszczu i brzęk naczyń. Ta przynajmniej podchodzi do nas od razu.

– Co dla państwa? – pyta.

– Kawa – mówię. – Cały dzbanek. – Dziewczyna zerka na Virgila, prycha i odchodzi. – Jest takie stare powiedzenie – dodaję, zwracając się do Virgila. – Jeżeli nikt cię nie słyszy, to może wcale się nie odezwałeś?

Kelnerka przynosi nam dwie filiżanki. Virgil podaje mi cukier, chociaż wcale o to nie prosiłam. Napotykam jego wzrok. Spoglądam poprzez opary alkoholu i nie jestem pewna, czy to, co widzę, napełnia mnie otuchą czy zgrozą.

– Teraz słucham. – Dobiega mnie jego głos.

Lista moich wspomnień o matce jest krępująco krótka.

Chwila, gdy karmiła mnie watą cukrową. *Uswidi. Iswidi.*

Rozmowa o parach na całe życie.

Przebłysk śmiechu, gdy Maura sięga trąbą nad płotem i rozpuszcza jej włosy z kucyka. Matka ma rude włosy. Nie truskawkowy blond, nie marchewkowe, lecz w kolorze, jaki ma ktoś, w kim płonie wewnętrzny ogień.

(No dobrze, może pamiętam ten moment, bo widziałam zdjęcie, na którym ktoś go uwiecznił. Ale zapach jej włosów – jak cukier cynamonowy – to wspomnienie prawdziwe, bez związku z obrazem. Czasem, gdy doskwiera mi tęsknota, jem francuskie grzanki, żeby przymknąć oczy i nasycić się ich aromatem).

Głos matki w chwilach zdenerwowania falował jak powietrze nad asfaltem w sercu upalnego lata. Tuliła mnie ze słowami, że wszystko będzie dobrze, choć to ona płakała.

Czasem budziłam się w środku nocy, czując na sobie jej wzrok.

Nie nosiła pierścionków. Ale miała naszyjnik, którego nie zdejmowała nigdy.

Śpiewała pod prysznicem.

Zabierała mnie łazikiem do słoni, mimo że, zdaniem ojca, było to zbyt niebezpieczne. Jechałam na jej kolanach, a ona pochylała się i szeptała mi do ucha: „To będzie nasz sekret".

Miałyśmy identyczne różowe trampki.

Umiała składać banknot w kształt słonia.

Zamiast czytać mi wieczorami książki, opowiadała historie: o tym jak słoń uratował hipopotamka z błota, o tym, jak dziewczynka, która zaprzyjaźniła się z osieroconym słoniem, wyjechała z domu rodzinnego na studia i wróciła po latach, a dorosły już słoń owinął ją na powitanie trąbą i przytulił.

Pamiętam, jak szkicowała, rysując wielkie litery G, słoniowe uszy, które potem zaznaczała kreskami lub łezką, żeby się nie pogubić. Wyliczała zachowania: „Syrah wyjmuje plastikowy worek z pyska Lilly. Słonie często noszą pożywienie w pysku, co wskazuje na świadomość obecności ciała obcego i wynikającą z niej chęć jego wyeliminowania…".

Nawet empatię traktowała z naukową dociekliwością. Chciała, by uważano ją za poważnego uczonego; nie miała na celu antropomorfizacji słoni, lecz prezentowała kliniczne podejście do ich zachowania i wyodrębnienie faktów z nim związanych.

Ja przyglądam się faktom zapamiętanym i domyślam się jej zachowań. Naukowiec postąpiłby odwrotnie.

I nie mogę uwolnić się od myśli: czy gdyby mnie teraz ujrzała, spotkałby ją zawód?

Virgil obraca w dłoniach portfel matki, tak kruchy, że skóra zaczyna się rozłazić w palcach. Ten widok sprawia, że czuję ukłucie w piersi. Jakbym traciła ją na nowo.

– To niekoniecznie oznacza, że ktoś ją wrobił – mówi. – Mogła zgubić portfel po tym, jak straciła przytomność.

Splatam ręce na stole.

– Wiem, co chodzi panu po głowie. Że sama ukryła portfel na drzewie, aby móc zniknąć. Ale chyba trochę ciężko łazić po drzewach, kiedy człowiek jest nieprzytomny…

– To czemu nie zostawiła go tam, gdzie mógł zostać znaleziony?

– A potem co? Przydzwoniła sobie kamieniem w głowę? Jeśli faktycznie chciała zniknąć, dlaczego po prostu nie uciekła?

Virgil się waha.

– Na przykład z powodu zaistniałych okoliczności.

– Jakich?

– No wiesz… Twoja matka nie była jedyną osobą, która wtedy ucierpiała.

Nagle rozumiem, o co mu chodzi. Że mama chciała uchodzić za ofiarę, podczas gdy w rzeczywistości była sprawcą. Zasycha mi w ustach. Przez ostatnie dziesięć lat przypisywałam jej różne tożsamości, ale zabrakło wśród nich miejsca dla „morderczyni".

– Jeśli naprawdę uważał pan, że zabiła, dlaczego nie rozesłał pan za nią listu gończego?

Bezgłośnie otwiera i zamyka usta. Oho!, myślę.

– Stwierdzono wypadek – mówi w końcu. – Ale znaleźliśmy na miejscu kosmyk rudych włosów.

– To o niczym nie świadczy. Mama nie była jedynym rudzielcem w Boone w stanie New Hampshire.

– Znaleźliśmy go przy ciele denatki.

– Po pierwsze – fuj, a po drugie – i co z tego? Oglądam *Prawo i porządek*. Miały z sobą styczność, nic poza tym. Pewnie z dziesięć razy dziennie.

– Albo doszło między nimi do szamotaniny.

– Jak zginęła Nevvie Ruehl? – pytam. – Czy koroner stwierdził zabójstwo?

Virgil zaprzecza.

– Zmarła w wyniku wypadku. Została stratowana.

– Słabo pamiętam mamę, ale raczej nie dałaby rady nikogo stratować – podsumowuję. – Pozwoli pan, że przedstawię mu inny scenariusz. A jeśli to Nevvie ją zaatakowała? A słoń stanął w jej obronie?

– Czy to możliwe?

Nie jestem pewna. Ale pamiętam, że czytałam w dziennikach matki o słoniach, które chowały urazę latami. A później odgrywały się na kimś, kto skrzywdził je bądź któregoś z ich bliskich.

– Poza tym... – dodaje Virgil. – Sama przed chwilą powiedziałaś, że matka zostawiała cię pod opieką Nevvie Ruehl. Wątpię, czy robiłaby to, gdyby uważała ją za niebezpieczną.

– I gdyby chciała ją zabić – precyzuję. – Mama jej nie zabiła, to bez sensu. Kłębiło się tam kilkunastu policjantów, wedle wszelkiego prawdopodobieństwa jeden z nich był rudy. Nie wie pan, czy te włosy na pewno należały do mojej matki.

Virgil potwierdza.

– Ale wiem, jak się o tym przekonać.

Pamiętam jeszcze jedną rzecz – kłócących się rodziców.

– Jak możesz? – pyta oskarżycielsko ojciec. – Jakby chodziło wyłącznie o twoją osobę!

Siedzę na podłodze i szlocham, ale jakby nikt mnie nie słyszał. Nie ruszam się, gdyż poszło o to, że nie mogłam usiedzieć w miejscu. Zamiast zostać na kocyku i bawić się zabawkami przyniesionymi przez matkę do zagrody słoni, pobiegłam za żółtym motylem, który znęcił mnie podniebnym szybowaniem. Matka siedziała do mnie plecami, zapisując swoje spostrzeżenia. I wtedy właśnie przejeżdżał ojciec i zobaczył, jak zbiegam za motylem. Tam gdzie stały słonie.

– To rezerwat, nie dżungla – odpowiada matka. – Nie weszła między matkę a młode. Są przyzwyczajone do ludzi.

– Ale nie do berbeci! – odwrzaskuje ojciec.

Nagle otaczają mnie ciepłe ramiona. Pachnie pudrem i cytrusami, a jej kolana to najbardziej miękkie miejsce, jakie znam.

– Jesteście źli... – szepczę.

– Przestraszeni – poprawia. – Ale złość brzmi tak samo.

A potem zaczyna nucić, prosto do mojego ucha, i nie słyszę już nic więcej.

Virgil ma plan, ale to za daleko, żeby jechać na rowerze, a wolę nie wsiadać z nim jeszcze do samochodu. Umawiamy się w jego biurze jutro rano. Słońce wisi nisko, w chmurze, jak na hamaku.

– Skąd mam wiedzieć, że jutro też nie będzie pan skuty? – pytam.

– Przynieś alkomat – odburkuje zgryźliwie. – Do zobaczenia o jedenastej.

– Jedenasta to nie rano.

– Dla mnie owszem – ucina i rusza w stronę biura.

Kiedy wracam do domu, babcia myje obrane marchewki. Gertie, zwinięta w kłębek obok lodówki, dwukrotnie stuka ogonem w podłogę, lecz to jedyne powitanie. Kiedy byłam mała, prawie mnie przewracała, gdy wychodziłam z łazienki. Tak cieszyła się na mój widok.

Zastanawiam się, czy wielkie tęsknoty mijają z wiekiem. Może dorastanie polega na tym, żeby skupiać się na tym, co mamy?

Słyszę nad głową coś jakby kroki. W dzieciństwie byłam przekonana, że dom babci jest nawiedzony, bo zewsząd docierały takie odgłosy. Babcia zapewniała, że to tylko zardzewiałe rury albo „pracujące" ściany. Zachodziłam w głowę, jakim cudem coś z cegły i zaprawy może „pracować", zupełnie jak człowiek.

– I co? – pyta babcia. – Jak tam się sprawował?

Na chwilę zastygam przerażona, czy przypadkiem nie kazała mnie śledzić. Co za ironia – babcia tropiąca mnie, a ja mamę.

– Uhm – odmrukuję. – Jest trochę przeziębiony.

– Mam nadzieję, że się nie zaraziłaś.

Raczej nie. Chyba że pijaństwo się udziela.

– Wiem, że jesteś zapatrzona w Chada Allena... Może i jest świetnym nauczycielem, ale nieodpowiedzialnym rodzicem. Kto zostawia dziecko samo na dwa dni? – zrzędzi babcia.

Kto zostawia dziecko samo na dziesięć lat?

Jestem tak pochłonięta myślami o mamie, że nie kojarzę w pierwszej chwili, że przecież miałam pilnować Cartera, małego kosmity pana Allena. Teraz babcia myśli, że on jest chory. A przecież jutro chciałam posłużyć się tą samą wymówką, idąc do Virgila.

– No przecież nie był sam. Miał mnie.

Idę za babcią do jadalni, biorąc po drodze dwie czyste szklanki i kartonik soku pomarańczowego z lodówki. Zmuszam się do przełknięcia dwóch kęsów paluszków rybnych, po czym upycham resztę pod ziemniakami. Jakoś nie mam apetytu.

– Co się dzieje? – pyta babcia.

– Nic.

– Godzinę stałam przy garach, mogłabyś chociaż zjeść – zauważa.

– Dlaczego jej nie szukali? – wybucham, po czym zasłaniam usta serwetką, jakbym mogła cofnąć to pytanie.

Żadna z nas nie udaje, że nie wie, w czym rzecz. Babcia zastyga.

– To, że nie pamiętasz, Jenno, wcale nie oznacza, że tak się nie stało.

– Nic się nie stało – odpowiadam. – I nie działo się nic przez dziesięć lat. Nie obchodzi cię los własnej córki?

Babcia wstaje i zgarnia do śmieci zawartość talerza. Prawie nietkniętą.

Nagle czuję się tak jak wówczas, kiedy w dzieciństwie pobiegłam za żółtym motylem. I uświadamiam sobie, że popełniłam kolosalny błąd taktyczny.

Przez wszystkie lata myślałam, że babcia nie mówi o mamie, bo to dla niej za trudne. Teraz nabieram podejrzeń, czy przypadkiem nie unikała tematu przez wzgląd na mnie.

Z góry wiem, co powie. I nie chcę tego słuchać. Biegnę na górę z Gertie, depczącą mi po piętach, po czym trzaskam drzwiami i chowam twarz w psiej sierści.

Mijają dwie minuty i drzwi się otwierają. Nie podnoszę głowy, lecz czuję jej obecność.

– No, powiedz to na głos – szepczę. – Ona nie żyje, tak?

Babcia przysiada na materacu.

– To nie takie proste.

– Owszem. – Niespodziewanie wybucham płaczem, choć wcale nie miałam takiego zamiaru. – Żyje lub nie.

Drażnię się z babcią, choć wiem, że ma rację. Logika podpowiada mi, że jeśli mama faktycznie nie opuściła mnie z własnej woli, wróciłaby, prędzej czy później. Czego, rzecz jasna, nie zrobiła.

Żeby na to wpaść, nie trzeba być Einsteinem.

Ale... Czy gdyby nie żyła, nie wiedziałabym o tym? Ciągle się o tym słyszy. Czy nie czułabym, że utraciłam część mnie?

Przecież nie czujesz, szepcze wewnętrzny głosik.

– Kiedy twoja mama była mała, cokolwiek jej mówiłam, zawsze robiła na odwrót – zaczyna babcia. – Prosiłam, żeby włożyła sukienkę na zakończenie roku, ona wkładała szorty. Pokazywała mi dwie fryzury z prośbą o wybór ładniejszej, po czym decydowała się na tę drugą. Proponowałam jej biologię na Harvardzie, ona wybrała słonie w Afryce. – Przenosi na mnie wzrok. – Była przy tym najmądrzejszą osobą, jaką znałam. Wystrychnęłaby na dudka każdego policjanta, gdyby zechciała. Dlatego gdyby naprawdę uciekła, nie zwabiłabym jej z powrotem do domu. Gdybym rozwiesiła wszędzie jej zdjęcia i założyła infolinię, zwiałaby gdzie pieprz rośnie.

Ciekawe, czy to prawda? Czy mama faktycznie toczy jakąś grę, czy może babcia żyje złudzeniami?

– Mówiłaś, że zgłosiłaś zaginięcie na policji. I co?

Zdejmuje z krzesła szal mamy i przesuwa go w dłoniach.

– Mówiłam, że p o s z ł a m zgłosić zaginięcie – precyzuje. – Nawet trzykrotnie. Ale nie weszłam do środka.

Nie wierzę własnym uszom.

– Jak to! Nigdy mi o tym nie wspomniałaś!

– Teraz jesteś starsza. Masz prawo znać prawdę – wzdycha. – Szukałam odpowiedzi. Tak mi się przynajmniej zdawało. I wiedziałam, że ciebie czeka to samo, kiedy dorośniesz. Ale nie czułam się na siłach, żeby iść na policję. Bałam się tego, co może odkryć. – Patrzy na mnie. – Nie wiem, co byłoby gorsze. Świadomość, że Alice nie żyje i nie może wrócić do domu, czy to, że żyje i nie chce. Żadna wiadomość nie byłaby dobra. Zostałyśmy tylko we dwie, więc uznałam, że im szybciej się z tym pogodzimy, tym łatwiej będzie nam wieść normalne życie.

Myślę o aluzji Virgila, trzeciej ewentualności, której babcia nie wzięła pod uwagę – że być może matka nie uciekła od nas, lecz od oskarżenia o morderstwo. Dowiedzieć się tego o swoim dziecku to pewnie też żadna przyjemność.

Nie uważam babci za starą, ale kiedy wstaje, wygląda na swój wiek. Porusza się powoli, jakby wszystko ją bolało. Przystaje w progu.

– Wiem, co sprawdzasz na komputerze. I że wciąż próbujesz dociec, co się stało. – Głos ma wątły, jak zarys światła otaczający jej ciało. – Może jesteś odważniejsza niż ja.

Jest pewien wpis w dziennikach mamy, który ma charakter przełomowy. Chwila, w której – gdyby nie przytomność umysłu – mogła stać się inną osobą.

Może nawet kimś *tutaj*.

Miała trzydzieści jeden lat, pracowała w Botswanie nad habilitacją. Wspomina mimochodem o złej wiadomości z domu i pilnym wyjeździe. Po powrocie rzuciła się w wir pracy, dokumentując wpływ traumatycznych wspomnień na słonie. Aż któregoś dnia natknęła się na młodego samca z trąbą w sidłach.

Zdaje się, że nie był to przypadek rzadki. Z tego, co wyczytałam w dziennikach, część wieśniaków żywiła się głównie upolowaną zwierzyną, a niektórzy również nią handlowali. Ale pułapki na impale oznaczały, że w sidła wpadały też inne zwierzęta: hieny, zebry. A raz trzynastoletni słoń o imieniu Kenosi.

Kenosi nie należał już do stada swojej matki, Lorato, która wciąż stała na czele społeczności. Odłączył się i wraz z innymi samcami utworzył bandę nastoletnich kawalerów. W okresie godowym mocował się z kolegami, zupełnie jak durni chłopcy w mojej szkole, kiedy popisują się przed dziewczętami, żeby zwrócić na siebie uwagę. Lecz podobnie jak w przypadku nastolatków homo sapiens, to jedynie burza hormonów; każdy chce się pokazać z jak najlepszej strony. To samo dotyczyło gromady słoni – starsze osobniki poniewierały młodszymi. Dojrzałość płciową osiągały dopiero około trzydziestki.

Tyle że Kenosiemu nie dane było tego doczekać, gdyż sidła praktycznie odcięły mu trąbę. A słoń bez trąby przetrwać nie może.

Matka zobaczyła, co się stało, i od razu zrozumiała, że Kenosi skona powoli i w męczarniach. Wróciła zatem do obozu, żeby zadzwonić do Departamentu Dzikiej Przyrody, agencji rządowej uprawnionej do odstrzału słoni. Ale trafiła na Rogera Wilkinsa, urzędnika do spraw zwierzyny, który był tam nowy.

– Mam za dużo na głowie – oznajmił. – Niech przyroda to załatwi.

Na tym właściwie polega rola naukowca, na poszanowaniu przyrody, nie zaś na sterowaniu nią. Wprawdzie były to dzikie zwierzęta, ale zarazem *jej* słonie. Moja matka nie miała zamiaru patrzeć z założonymi rękami na cierpienie podopiecznego.

Tu następuje przerwa w dzienniku. W miejsce ołówka pojawia się czarny długopis, a cała jedna strona świeci pustką.

Oto co się stało, moim zdaniem.

Wchodzę do sekretariatu w obozie, gdzie mój szef chłodzi się wiatraczkiem, który niemrawo rozgarnia gęste powietrze.

– Alice, mówi. – Miło cię znów widzieć. Jeśli potrzebujesz jeszcze trochę wolnego...

Wpadam mu w słowo. Nie po to tu przyszłam. Opowiadam mu o Kenosim i o tym bałwanie Wilkinsie.

– System ma luki – przyznaje. A ponieważ słabo mnie zna, myśli, że dam się spławić.

– Jeśli nie zadzwonisz – grożę – ja to zrobię. Ale ja zadzwonię do „New York Timesa", do BBC i do „National Geographic". Zadzwonię do Światowej Fundacji Dzikiej Przyrody, do Joyce Poole, Cynthii Moss i Dame Daphne Sheldrick. Narobię hałasu, z Botswaną w roli głównej. Ostrzegam cię, że na ten obóz spadną takie gromy, że dotacje wyschną przed zachodem słońca. Dzwoń – mówię. – Bo pożałujesz.

A przynajmniej tak to sobie wyobrażam.

Dalej następuje jednak szczegółowa relacja, jak to Wilkins przyjechał z plecakiem turystycznym i fochem. Jak obrażony siedział obok mamy w jeepie ze swoją strzelbą, podczas gdy ona szukała Kenosiego i jego towarzyszy. Wiem z lektury jej dzienników, że land rovery nie podjeżdżały do nieprzewidywalnych samców bliżej niż na dwanaście metrów. Ale zanim matka zdążyła to wytłumaczyć, Wilkins uniósł i odbezpieczył broń.

– Nie! – krzyknęła matka i podbiła lufę. Podjechała

bliżej, aby najpierw rozproszyć pozostałe samce. Następnie zaparkowała z boku, spojrzała na Wilkinsa i powiedziała:
– Teraz. Strzelaj.

Strzelił. Przez żuchwę.

Czaszka słonia to ażurowa kość, osłaniająca mózg położony w zagłębieniu poza całą tą infrastrukturą. Nie sposób zabić słonia, trafiając go w żuchwę bądź w czoło, bo choć kula utkwi głęboko, nie dotrze do mózgu. Jeżeli chcesz humanitarnie zabić, musisz trafić tuż za uchem.

Matka napisała, że Kenosi trąbił z bólu, w jeszcze gorszych męczarniach niż do tej pory. Ona sama klęła na czym świat stoi, w różnych językach. Miała ochotę wyrwać broń Wilkinsowi i wziąć go na muszkę. A potem stała się rzecz niezwykła.

Lorato, przewodniczka stada, matka Kenosiego, zbiegała pędem ze wzgórza ku miejscu, gdzie wykrwawiał się jej syn. Jedyną przeszkodą na jej drodze był jeep.

Matka wiedziała, że lepiej nie wchodzić pomiędzy samicę a jej dziecko, nawet jeżeli ono ma już trzynaście lat. Wrzuciła wsteczny bieg, usuwając się zwierzęciu spod nóg.

Jednak zanim słonica dotarła na miejsce, Wilkins wycelował ponownie. Tym razem trafił

Lorato stanęła jak wryta. Matka opisała to następująco:

Stała nad synem i głaskała go od trąby do ogona, ze szczególnym uwzględnieniem miejsca okaleczonego przez sidła. Stała nad nim, jakby go chroniła. Z jej gruczołów skroniowych płynęła wydzielina. Nawet kiedy stado samców odeszło, a jej własne zbliżyło się, aby dotknąć Kenosiego, Lorato ani drgnęła. Zaszło słońce, księżyc zawisł na niebie, a ona stała nadal, jakby nie mogła lub nie chciała go opuścić.

Jak się pożegnać?

Tamtej nocy spadł deszcz meteorów. Nawet niebo płakało.

Dwie strony dalej matka opanowała się na tyle, aby opisać sytuację z obiektywnej perspektywy naukowca.

Dzisiaj wydarzyły się dwie rzeczy, których się nie spodziewałam.

Pierwsza, dobra: z powodu zachowania Wilkinsa badacze mają od dzisiaj prawo, w razie konieczności, sami dobić słonia.

Druga, rozdzierająca: matka dorosłego osobnika była gotowa bronić go za wszelką cenę.

Matka jest matką i nigdy nią być nie przestaje.

Oto co nabazgrała u dołu strony.

Nie napisała natomiast, że właśnie tamtego dnia postanowiła zawęzić swe badania nad traumą u słoni do studium żałoby.

W przeciwieństwie do matki nie uważam, aby los Kenosiego był tragiczny. Ba, kiedy to czytam, niemal czuję w sobie iskry tamtych meteorów.

Bądź co bądź, ostatnią rzeczą, którą zobaczył Kenosi, zanim zamknął oczy na zawsze, była matka, która do niego wracała...

Następnego ranka zastanawiam się, czy już czas powiedzieć babci o Virgilu.

– Jak uważasz? – pytam Gertie.

Na pewno byłoby mi łatwiej podjechać tam samochodem, zamiast tłuc się przez całe miasto na rowerze. Na razie moje poszukiwania zaowocowały jedynie łydkami baletnicy.

Gertie tłucze ogonem o drewnianą podłogę.

– Raz znaczy tak, dwa nie – mówię.

Suka patrzy na mnie z ukosa. Słyszę wołanie babci – po raz drugi – po czym zbiegam na dół i widzę, jak wytrząsa do miski płatki śniadaniowe.

– Zaspałam. Nie zdążę ci zrobić nic ciepłego. Chociaż sama nie wiem, dlaczego miałabym wyręczać trzynastolatkę – prycha. – Widywałam złote rybki bardziej zaradne niż ty. – Wręcza mi karton mleka i odłącza komórkę od ładowarki. – Przed wyjściem wynieś śmieci do segregacji. I na miłość boską, uczesz się! Wyglądasz jak strach na wróble.

To nie ta sama kobieta, która wczoraj przyszła do mnie na szczerą rozmowę. Która przyznała, że też nie potrafi uwolnić się od myśli o mojej matce.

Grzebie w torebce.

– Gdzie się podziały moje kluczyki? Mam pierwsze trzy objawy alzheimera, słowo daję...

– Babciu... To, co wczoraj powiedziałaś... – odchrząkam. – Że mam odwagę szukać mamy...

Potrząsa głową, prawie niezauważalnie.

– Kolacja o szóstej – oznajmia głosem, którym daje do zrozumienia, że to już koniec rozmowy.

Jeszcze zanim zdążyłam ją zacząć.

Ku mojemu zdziwieniu Virgil zachowuje się na policji jak wegetarianin na grillu. Nie chce wejść głównym wejściem, więc wślizgujemy się od tyłu, w ślad za jakimś funkcjonariuszem, który otwiera drzwi kartą. Nie chce gadać z oficerem dyżurnym i z dyspozytorkami. Nie ma oprowadzania: „Tu była moja szafka, tam trzymaliśmy pączki". Dotąd odnosiłam wrażenie, że odszedł z własnej woli, ale teraz nabieram podejrzeń, że może coś przeskrobał i został zwolniony. Jedno wiem na pewno: coś przede mną ukrywa.

– Widziałaś tamtego? – pyta. Spoglądamy zza węgła na mężczyznę siedzącego za biurkiem w pomieszczeniu, gdzie przechowywane są dowody. – To Ralph.

– Hm, wygląda, jakby miał tysiąc lat…

– Zawsze tak wyglądał – oświadcza Virgil. – Mawialiśmy, że skamieniał jak rzeczy, których pilnuje.

Bierze głęboki oddech i rusza korytarzem. Ralph siedzi za drzwiami z przeszkloną górą.

– Cześć, Ralph! Kopę lat.

Ralph porusza się jak pod wodą. Obraca się stopniowo: najpierw talia, potem barki, wreszcie głowa. Z bliska jest pomarszczony jak słonie na zdjęciach w dziennikach matki. Oczy ma koloru bladej galaretki jabłkowej, o podobnej konsystencji.

– Nooo – mówi głosem jak ze studni. – A podobno przepadłeś w archiwum…

– Mark Twain tak twierdzi? Doniesienia o mojej śmierci są grubo przesadzone.

– Pewnie jeśli spytam, gdzie się podziewałeś, i tak mi nie powiesz – odpowiada Ralph.

– Zgadłeś. I byłbym ogromnie wdzięczny, gdybyś nie wspomniał nikomu o mojej wizycie. Jak ktoś się czepia, dostaję wysypki. – Virgil wyciąga z kieszeni lekko zgnieciony batonik i kładzie na blacie oddzielającym nas od Ralpha.

– Jeszcze nie śmierdzi? – pytam półgębkiem.

– To świństwo ma w sobie tyle konserwantów, że pociągnie jeszcze z pięćdziesiąt lat – odpowiada szeptem Virgil. – Poza tym Ralph i tak nie odczyta daty przydatności.

Fakt, Ralph jest rozanielony. Wykrzywia twarz w uśmiechu, od którego rozchodzą się kręgi jak na wodzie.

– Umiesz mnie podejść, Virgilu – mówi i zerka w moją stronę. – A twoja pomocnica to kto?

– Moja tenisowa partnerka. – Virgil nachyla się bardziej. – Słuchaj, Ralphie. Chciałbym rzucić okiem na akta mojej dawnej sprawy.

– Nie jesteś upoważniony...

– A co to dla ciebie za problem? Daj spokój, stary. Nie proszę cię o wgląd w śledztwo bieżące. Zrobię ci trochę miejsca na półce, nic poza tym.

Ralph wzrusza ramionami.

– W sumie co mi szkodzi...?

Virgil otwiera drzwi i wchodzi.

– Nie wstawaj. Sam znajdę.

Idę za nim długim, wąskim przejściem. Po obu stronach widnieją metalowe stelaże z kartonami zajmującymi każdą wolną przestrzeń. Virgil bezgłośnie porusza ustami, odczytując daty i numery spraw.

– Następny rząd – mamrocze. – Ten dochodzi tylko do roku 2006.

Po chwili przystaje i włazi na półkę. Wysuwa jeden karton i zrzuca go wprost w moje ręce.

Jest lżejszy, niż przypuszczałam. Stawiam go na podłodze, a Virgil podaje mi kolejne trzy.

– To wszystko? – pytam. – Zdawało mi się, że wspominałeś o stercie dowodów z rezerwatu...

– Owszem. Ale sprawę rozwiązano. Zachowaliśmy jedynie przedmioty powiązane z ludźmi. Ziemia, podeptane rośliny i kamienie okazały się bez znaczenia, więc zostały wyrzucone.

– Skoro ktoś już to wszystko przejrzał, czemu do tego wracamy?

– Ponieważ możesz patrzeć na coś dwanaście razy i nic nie zauważysz. A za trzynastym doznajesz olśnienia. – Virgil zdejmuje pokrywę kartonu na samej górze.

Wewnątrz znajdują się papierowe torby do przechowywania, zaklejone taśmą. Na taśmie widnieją litery NO.

– No? – czytam na głos. – Co jest w środku?

Virgil kręci głową.

– NO to skrót od Nigela O'Neilla, policjanta, który wówczas szukał dowodów. Zasada jest taka, że umieszcza on na taśmie datę i swoją sygnaturę, aby uporządkować dowody celem późniejszego wykorzystania ich w sądzie. – Wskazuje na pozostałe oznaczenia: numer ewidencyjny oraz wykaz przedmiotów: SZNUROWADŁO, RACHUNEK. I kolejne: ODZIEŻ OFIARY – KOSZULA, SZORTY.

– Niech pan otworzy – komenderuję.

– Po co?

– Bywa, że coś uruchamia wspomnienia. Muszę to sprawdzić.

– Ofiara nie była twoją matką – przypomina Virgil.

O ile mi wiadomo. To się jeszcze zobaczy.

Virgil daje za wygraną. Wkłada gumowe rękawiczki z pudełka na półce i wyjmuje oliwkowe szorty oraz podartą, sztywną koszulkę polo z logo rezerwatu na lewej piersi.

– No i? – pyta wyczekująco.

– Czy to krew? – pytam.

– Nie, zaschnięty syrop klonowy. Chcesz być detektywem, proszę bardzo – kwituje.

Mimo to czuję się trochę nieswojo.

– Wszyscy nosili to samo.

Virgil dalej szpera w kartonie.

– Proszę – mówi, wyciągając torebkę tak płaską, jakby nie zawierała kompletnie niczego. Widnieje na niej napis: #859, KOSMYK WŁOSÓW Z WORKA ZE ZWŁOKAMI. Virgil chowa ją do kieszeni. Następnie bierze dwa kartony i rusza w stronę wyjścia, oglądając się przez ramię. – Przydaj się na coś.

Idę za nim, z pozostałymi kartonami w objęciach. Dałabym głowę, że celowo zostawił mi cięższe. Jakbym targała kamienie. Ralph podnosi głowę; chyba się zdrzemnął.

– Miło, że wpadłeś, Virgilu.

Virgil unosi palec.

– Nie było mnie tutaj.

– Się wie.

Wymykamy się tą samą drogą i niesiemy kartony do furgonetki Virgila. Wpycha je na tylne siedzenie, zaśmiecone opakowaniami po przekąskach, starymi pudełkami po płytach kompaktowych, papierowymi ręcznikami, bluzami i pustymi butelkami. Siadam na miejscu pasażera.

– I co teraz?

– Teraz musimy oczarować laboratorium, żeby nam zrobiło analizę mitochondrialnego DNA.

Nie wiem, o co chodzi, ale brzmi poważnie. Jestem pod wrażeniem. Zerkam na Virgila, który – muszę przyznać – wytrzeźwiał i wygląda jak człowiek. Wykąpał się, ogolił. Pachnie świerkiem, a nie stęchłym dżinem.

– Czemu nie chciał pan tu zostać?

Odwzajemnia spojrzenie.

– Bo mamy to, po co przyszliśmy.

– Mówię o pracy. Nie chciał pan być detektywem?

– Najwyraźniej nie tak jak ty – odmrukuje Virgil.

– Chyba mam prawo wiedzieć, za co płacę.

Prycha.

– Za transakcję.

Cofa zbyt szybko. Jeden z kartonów się przewraca, ujawniając zawartość, więc odpinam pas i odwracam się, żeby posprzątać.

– Trudno odróżnić dowody od tego chlewu – mówię. Na jednej z torebek odkleiła się taśma i to, co w niej było, wypadło na stos pudełek po filetach z McDonalda. – Ohyda! Kto zjada piętnaście filetów?

– No przecież nie naraz! – broni się Virgil.

Nie słucham go, zajęta tym, co próbuję pozbierać. Odwracam się. W ręce ściskam maleńki różowy trampek marki Converse.

Noszę wysokie różowe converse'y, odkąd sięgam pamięcią. To moja jedyna słabość. Jedyna rzecz, o jaką proszę babcię.

Mam je na każdym zdjęciu z dzieciństwa: z misiami, na kocyku w wielkich okularach przeciwsłonecznych, kiedy myję zęby nad umywalką, goła, ale w trampkach. Matka miała takie same – stare, znoszone, jeszcze z czasów studenckich. Nie nosiłyśmy identycznych sukienek ani fryzur, nie nakładałyśmy makijażu. Ale pod tym jedynym względem nie różniłyśmy się nic a nic.

Wciąż noszę moje trampki, prawie codziennie. Są jak talizman, może przesąd. Gdybym ich wtedy nie zdjęła… No właśnie. Sami wiecie.

Czuję suchość w gardle.

– To moje.

Virgil odrywa wzrok od szosy.

– Jesteś pewna?

Kiwam głową.

– Czy kiedykolwiek biegałaś na bosaka, gdy bywałaś z matką w rezerwacie?

Zaprzeczam. Taka zasada. Bez butów nie było wstępu.

– To nie pole golfowe – uzupełniam. – Gęsta trawa, krzaki, gałęzie. Człowiek mógł się potknąć o dziury wykopane przez słonie. – Obracam bucik w dłoniach. – Byłam tam wtedy. Ale nic nie pamiętam.

Czyżbym wstała z łóżka i weszła do zagrody? Czy mama poszła mnie szukać?

I dlatego jej nie ma?

W głowie dźwięczy mi to, co napisała. „Złe chwile zapadają w pamięć. O bolesnych zapominamy".

Virgil ma nieodgadnioną minę.

– Twój ojciec powiedział nam, że spałaś.

– No ale przecież nie poszłam spać w butach! Ktoś musiał mi je włożyć i zawiązać sznurowadła.

– Ktoś – powtarza Virgil machinalnie.

Zeszłej nocy śniłam o ojcu. Skradał się przez wysoką trawę obok stawu w zagrodzie i wołał.

– Jenna! Wychodź! Wychodź natychmiast, gdziekolwiek jesteś!

Nic nam nie groziło, gdyż dwa afrykańskie słonie znajdowały się w szopie i miały badane stopy. Wiedziałam, że „domek" to szeroka ściana szopy. I że ojciec zawsze wygrywa, bo jest szybszy. Ale tym razem nie zamierzałam mu na to pozwolić.

– Fasolko – powiedział. Nazywał mnie tak pieszczotliwie. – Widzę cię.

Wiedziałam, że kłamie, ponieważ zaczął się oddalać od mojej kryjówki.

Rozpłaszczyłam się na brzegu stawu, tak jak słonie, kiedy obserwowałyśmy je z matką podczas zabawy. Polewały się wówczas wodą bądź turlały jak zapaśnicy w błocie, żeby ochłodzić rozgrzaną skórę.

Czekałam, aż ojciec minie wielkie drzewo, gdzie Nevvie z Gideonem rozkładali pożywienie dla zwierząt – bloki siana, dynie i arbuzy w całości. Dość, żeby wykarmić niewielką rodzinę albo jednego dużego słonia. Kiedy znalazł się w cieniu, oderwałam się od brzegu i pobiegłam.

To nie było łatwe. Odzież miałam umazaną błotem i sklejone włosy. Trampki straciły kolor. Ale wiedziałam, że wygram, i ta świadomość uwolniła z moich ust chichot, jak hel z balonu.

Ojciec tylko tego potrzebował. Usłyszał mnie, zawrócił i pognał w moją stronę w nadziei, że odetnie mi drogę, zanim odcisnę ubłocone rączki na wzmocnionej metalem ścianie stodoły.

I pewnie by mnie dogonił, gdyby zza drzew nie wypadła Maura, trąbiąc tak głośno, że struchlałam. Zamachnęła się trąbą i zdzieliła ojca przez twarz. Upadł, z ręką przyciśniętą do prawego oka, które spuchło momentalnie. Słonica tańczyła nerwowo między nami, więc musiał odtoczyć się na bok, żeby go nie rozdeptała.

– Mauro… – wykrztusił. – Już dobrze. Grzeczna dziewczynka.

Słonica znów zatrąbiła, aż zadzwoniło mi w uszach.

– Jenno – powiedział cicho ojciec. – Ani kroku. – I dorzucił pod nosem: – Kto wypuścił słonia ze stodoły?

Rozpłakałam się. Nie wiedziałam, czy boję się o siebie, czy o ojca. Ilekroć obserwowałyśmy z matką Maurę, nigdy nie zachowywała się agresywnie.

Nagle skrzypnęły zawiasy i w ogromnej framudze stanęła matka. Popatrzyła na Maurę, a potem na nas.

– Co jej zrobiłeś? – zapytała.

– Chyba żartujesz? Bawiliśmy się w chowanego.

– Ty i słoń? – Matka nieśpiesznie wsunęła się pomiędzy Maurę i ojca, żeby mógł wstać.

– Nie, na miłość boską! Ja i Jenna. Dopóki znikąd nie pojawiła się Maura i nie zdzieliła mnie trąbą. – Potarł twarz.

– Pewnie uznała, że chcesz zrobić Jennie krzywdę. – Matka zmarszczyła brwi. – Co cię napadło, żeby bawić się w chowanego w zagrodzie Maury?

– Myślałem, że poszła do stodoły na pedikiur.

– Nie ona, tylko Hester.

– Z informacji pozostawionej przez Gideona na tablicy wynikało inaczej.

– Maura nie chciała wejść.

– A skąd niby miałem to wiedzieć?

Matka nie przestawała gruchać uspokajająco do słonicy, która odsunęła się wreszcie, wciąż łypiąc podejrzliwie na tatę.

– Ten słoń nienawidzi wszystkich oprócz ciebie – wymamrotał.

– Nieprawda. Jak widać, lubi też Jennę.

Maura mruknęła coś w odpowiedzi i przystąpiła do skubania liści, a matka wzięła mnie na ręce. Pachniała kantalupą, którą zapewne obłaskawiała Hester w zamian za możliwość przeprowadzenia zabiegów pielęgnacyjnych stóp.

– Jak na kogoś, kto robi mi awantury o zabieranie Jenny do zagrody, wybrałeś sobie ciekawe miejsce do zabawy…

– Tu nie miało być sło… Och, na litość boską! Mniejsza z tym. Twoje na wierzchu. – Ojciec podniósł rękę do policzka. Wzdrygnął się z bólu.

– Pokaż – powiedziała matka.

– Za pół godziny mam spotkanie z inwestorem. Będę mu tłumaczył, że rezerwat na zamieszkanym terenie nie stwarza zagrożenia. Oko podbite przez słonia na pewno go przekona.

Matka posadziła mnie na biodrze i ostrożnie obmacała jego twarz. Takie chwile, kiedy byliśmy jak tort przed zjedzeniem, uwielbiałam najbardziej. Niemal przyćmiewały pozostałe.

– Mogło być gorzej – zauważyła, opierając się o tatę.

Widziałam – poczułam – jak ojciec mięknie. Matka zawsze zwracała na to moją uwagę w terenie: przesunięcie ciała, ruch barków. Znak, że rozwiewa się niewidoczna bariera strachu.

– Och, czyżby? – mruknął. – Niby jak?

Uśmiechnęła się.

– Mogłeś oberwać ode mnie – powiedziała.

***

Od dziesięciu minut siedzę na kozetce i obserwuję tokowanie Fundamentalnie Rozpitego, Wyjątkowo Domytego Samca i Rozbuchanej, Rozdętej Kocicy.

Oto moje dotychczasowe spostrzeżenia:

Samiec wykazuje niepokój, jakby chciał dać drapaka. Siedzi i nieustannie postukuje nogą, po czym zrywa się i miota. Doprowadził się dzisiaj do ładu, specjalnie na spotkanie z Kocicą, która właśnie weszła do gabinetu.

Kocica ma na sobie biały fartuch i jest przesadnie umalowana. Roztacza woń niczym wkładki zapachowe w czasopismach. Tak intensywną, że masz ochotę cisnąć gazetą przez pokój, choćbyś miała nie dowiedzieć się „10 rzeczy, których faceci pragną w łóżku" i „co doprowadza do szału Jennifer Lawrence?". Jest blondynką z ciemnymi odrostami. Ktoś powinien jej uświadomić, że ołówkowy fason spódnicy nie służy jej pośladkom.

Samiec robi pierwszy krok. Dołeczki to jego tajna broń.

– Kurczę, Lulu. Dawno cię nie widziałem.

Kocica gasi jego zapędy.

– A czyja to wina, Victorze?

– No wiem, wiem. Możesz dać mi klapsa.

Subtelne, acz wyczuwalne rozładowanie napięcia.

– Obiecujesz?

Uśmiech wręcz oślepia.

– No, no, uważaj. Nie zaczynaj czegoś, czego nie możesz doprowadzić do końca – droczy się Samiec.

– Nie przypominam sobie, by kiedykolwiek był to dla nas problem. A ty?

Przewracam oczami. Albo to najlepsza reklama antykoncepcji od czasu ośmioraczków, albo tak faktycznie wyglądają gierki damsko-męskie. W związku z czym umówię się na randkę dopiero po menopauzie...

Kocica ma bardziej wyostrzone zmysły niż Samiec i bezbłędnie wychwytuje mój rechot. Dotyka ramienia Samca i strzela ku mnie spojrzeniem.

– Nie wiedziałam, że masz dzieci.

– Dzieci? – Virgil patrzy na mnie jak na rozdeptaną muchę. – Ach, to nie moja. Ale właściwie z jej powodu przyszedłem...

Pudło. Umalowane usta Kocicy zaciskają się w wąską kreskę.

– Przejdźmy zatem do rzeczy.

Wargi Virgila powoli rozciągają się w uśmiechu. Prawie widzę, jak Kocica zaczyna się ślinić.

– Tallulah – mówi on. – O niczym innym nie marzę. Ale muszę mieć na uwadze klientkę...

Dzwoni komórka. Kocica patrzy na wyświetlacz.

– Jezusie i wszyscy święci! – wzdycha. – Dajcie mi pięć minut – mówi.

Wybiega z gabinetu, a Virgil przesiada się do mnie na kozetkę. Przeciera twarz jedną ręką.

– Widzisz, jak się dla ciebie poświęcam?

Nie kryję zdziwienia.

– To ona się panu nie podoba?

– Tallulah? W życiu! Była asystentką mojego dentysty, potem została laborantką. Pamiętam, jak skrobała mi osad z zębów. Wolałbym umówić się ze strzykwą.

– One wyrzucają z siebie narządy – zauważam.

Virgil potrzebuje chwili namysłu.

– Byłem z Tallulah na kolacji. Powtarzam, że wolałbym umówić się ze strzykwą.

– To dlaczego zachowuje się pan tak, jakby chciał ją przelecieć?

Wytrzeszcza oczy.

– Jak ty się wyrażasz?

– Zabawić się – precyzuję z uśmiechem. – Pofiglować.

– Dzisiejsza młodzież... – mamrocze Virgil.

– To wina mojego wychowania. Cierpiałam na brak opieki rodzicielskiej.

– I niby to ja jestem odrażający, bo czasem sobie chlapnę

– A – chlapie pan bez przerwy, B – pana zachowanie jest odrażające. Jak można tak mydlić oczy kobiecie?

– Robię to dla sprawy, na miłość boską! – stawia się Virgil. – Chcesz się dowiedzieć, do kogo należały włosy przy zwłokach Nevvie Ruehl? W takim razie mamy dwie opcje. Możemy zbajerować kogoś z policji, żeby zlecić badanie w laboratorium stanowym, co nie wchodzi w rachubę, gdyż sprawa została zamknięta. A poza tym są tak zawaleni robotą, że oczekiwanie potrwałoby ponad rok. Albo spróbujemy szczęścia w prywatnym laboratorium. – Podnosi na mnie wzrok. – Za darmo.

– O rany! Faktycznie się pan poświęca. – Rzucam mu niewinne spojrzenie. – Może mnie pan skasować za prezerwatywy. I tak mam wyrzuty sumienia. Tylko tego brakuje, żeby wrobiła pana w ojcostwo!

Virgil patrzy spode łba.

– Nie prześpię się z Tallulah. Nawet się z nią nie umówię. Wystarczy, że ona tak pomyśli. Dzięki temu zrobi wymaz i zbada go w trybie przyśpieszonym, w ramach przysługi.

Jestem pełna podziwu dla jego planu. Z takim sprytem ma jeszcze szansę wyjść na ludzi.

– Jak wróci, niech pan zapyta, czy bolało, kiedy spadała z nieba – pouczam.

Virgil uśmiecha się pod nosem.

– Dzięki. Gdybym potrzebował pomocy, dam znać.

Drzwi się otwierają. Virgil zeskakuje z kozetki, a ja chowam twarz w dłoniach i zaczynam łkać. Znaczy na niby.

– O Boże! – mówi Kocica. – Co się stało?

Virgil wygląda na równie zdumionego. „Co jest?", pyta bezgłośnie.

Szlocham jeszcze głośniej.

– Ja tylko chcę znaleźć m-mamę. – Patrzę na laborantkę przez łzy. – N-nie mam do k-kogo się zwrócić…

Virgil wchodzi w rolę. Opasuje ręką moje barki.

– Jej mama zaginęła przed laty. Sprawa zamknięta. Mamy niewielkie pole manewru.

Twarz kobiety łagodnieje, przez co jakoś mniej przypomina Bobę Fetta.

– Biedactwo – mówi Tallulah. Zwraca ku Virgilowi wzrok pełen uwielbienia. – A ty jej pomagasz? Jesteś niesamowity, Vic.

– Trzeba zrobić wymaz. Mamy kosmyk, który mógł należeć do jej matki, przydałby się test na pokrewieństwo.

Mielibyśmy jakiś punkt zaczepienia. – Virgil patrzy błagalnie. – Proszę, Lulu? Pomożesz staremu... przyjacielowi?

– Nie jesteś taki stary – ćwierka Tallulah. – Nikomu innemu nie pozwoliłabym mówić na siebie Lulu. Przynieśliście kosmyk?

Virgil wręcza jej kopertę.

– Świetnie. Zaczniemy od małej. – Odwróciwszy się, Talluah wyjmuje z szafki coś w papierowym opakowaniu. Jestem przekonana, że to igła, i wpadam w panikę, ponieważ nie znoszę igieł. Zaczynam dygotać. Virgil podchwytuje mój wzrok. „Przeginasz", szepcze bezgłośnie. Ale zaraz domyśla się, że naprawdę strach mnie obleciał, bo szczękam zębami. Nie mogę oderwać oczu od palców Tallulah rozrywających sterylną saszetkę.

Virgil bierze mnie za rękę. Trzyma mocno.

Nie pamiętam, kiedy ostatnio ściskałam czyjąś dłoń. Może babci, kiedy sto lat temu przeprowadzała mnie przez ulicę? Ale ona kierowała się obowiązkiem, nie odruchem serca. Teraz jest inaczej.

Przestaję się trząść.

– Spokojnie – pociesza mnie Tallulah. – To tylko duży wacik. – Wkłada maskę i gumowe rękawiczki, po czym rozkazuje mi otworzyć usta. – Potrę tylko twój policzek od wewnątrz. Nie będzie bolało.

Po jakichś dziesięciu sekundach wyjmuje wacik i wkłada go do małej fiolki, którą opisuje. Następnie powtarza całą procedurę.

– Jak długo to potrwa? – pyta Virgil.

– Kilka dni. Jeśli poruszę niebo i ziemię.

– Nie wiem, jak ci dziękować...

– A ja tak. – Wsuwa mu palce pod ramię. – W porze obiadowej jestem wolna.

– Virgil, nie – wtrącam. – Wspominał pan coś o wizycie u lekarza?

Tallulah nachyla się i szepcze, choć, niestety, słyszę każde słowo.

– Wciąż mam fartuch higienistki, jeżeli chcesz się pobawić w lekarza…

– Jeśli pan się spóźni – kontynuuję – nie dostanie pan swojej recepty na viagrę.

Zeskakuję z kozetki, łapię Virgila za ramię i ciągnę w stronę wyjścia.

Na korytarzu omal nie przewracamy się ze śmiechu. Na zewnątrz budynku opieramy się o ceglaną ścianę laboratorium Genzymatron i łapiemy oddech.

– Nie wiem, czy mam cię zabić, czy ci dziękować – krztusi się Virgil.

Zerkam nań z ukosa i mówię zmysłowo zachrypniętym głosem:

– No cóż… W porze obiadowej jestem wolna.

I znów pękamy ze śmiechu.

Potem jednocześnie przypominamy sobie, po co tu przyszliśmy, i tracimy ochotę na żarty.

– I co teraz?

– Czekamy.

– Cały tydzień? Przecież nie będzie pan siedział z założonymi rękami.

Virgil patrzy na mnie.

– Wspomniałaś, że matka prowadziła dzienniki.

– Tak. No i?

– Być może kryją jakąś wskazówkę.

– Czytałam je milion razy – zapewniam. – Opisywała w nich swoje badania.

– Może wspominała o współpracownikach. Albo ewentualnych zatargach z nimi.

Zsuwam się plecami po ścianie, przysiadam na asfaltowym chodniku.

– Nadal podejrzewa ją pan o morderstwo?

Virgil przykuca obok.

– Podejrzliwość jest nieodłącznym aspektem mojej pracy.

– Chyba była – zauważam. – Teraz pańskim zadaniem jest odnalezienie zaginionej osoby.

– A potem co? – pyta.

Patrzę z niedowierzaniem.

– Zrobiłby pan to? Znalazłby ją dla mnie, a potem znów odebrał?

– Słuchaj no – mówi Virgil i wzdycha. – Jeszcze nie jest za późno. Możesz mnie zwolnić, a daję słowo, że zapomnę o twojej matce i zbrodniach, które popełniła lub nie.

– Już nie jest pan policjantem – zaznaczam. Przypominam sobie jego podchody na komisariacie. Jak się skradał, zamiast wejść głównym wejściem i przywitać się z kolegami. – Właściwie dlaczego?

Potrząsa głową. Nagle wyrasta między nami mur.

– Nie twój zasmarkany interes.

Znienacka wszystko się zmienia. Aż się wierzyć nie chce, że jeszcze przed chwilą zrywaliśmy boki. Virgil siedzi obok mnie, ale dzieli nas przepaść.

Hm. Mogłam się tego spodziewać. On ma mnie gdzieś, interesuje go wyłącznie rozwiązanie sprawy. Nagle skrępowana, zawracam bez słowa do samochodu. Zatrudniłam Virgila do zbadania tajemnic matki, ale to nie znaczy, że mam prawo wtrącać się w jego sekrety.

– Posłuchaj, Jenno...

– Wszystko jasne – przerywam. – Mam pilnować własnego nosa.

– Pójdziemy do kina? – pyta po chwili wahania.

– Nie.

– To może na film?

Nie wierzę własnym uszom.

– Jestem dla ciebie za młoda, zboczeńcu.

– Wcale cię nie podrywam. Mówię tylko, jak bajerowałem Tallulah, gdy czyściła mi zęby. – Urywa. – Na swoje usprawiedliwienie dodam, że byłem wtedy napruty.

– Ładne mi usprawiedliwienie.

– Innego nie mam.

Virgil szczerzy zęby i nagle wraca. Ot tak, jakby nigdy nie doszło między nami do zgrzytu.

– Jasne – kwituję. – To najgorszy rodzaj podrywu, o jakim słyszałam.

– Dam głowę, że się na tym znasz.

Patrzę na niego z uśmiechem.

– Dziękuję – odpowiadam.

Muszę przyznać, że moja pamięć bywa zawodna. Rzeczy, które śniłam w koszmarach, mogły się zdarzyć naprawdę. Te zaś, co do których byłam święcie przekonana, mogły z czasem ulec zmianie.

Weźmy sen o zabawie w chowanego, która z całą pewnością miała miejsce.

Albo wspomnienie rozmowy rodziców o zwierzętach, które łączą się w pary na całe życie. Tak, pamiętam każde słowo, choć zatarły się głosy.

To na pewno mama. I bezwzględnie tata.

Lecz gdy czasem dostrzegam jego twarz, należy do kogoś zupełnie innego.

Alice

Stare kobiety w Botswanie powiadają dzieciom: „Jeżeli chcesz iść szybko, idź sam. Jeśli zaś idziesz daleko, znajdź sobie towarzysza". Wieśniacy, których poznałam, stosują się do tej zasady. Ale może zdziwi was wieść, że słonie podobnie.

W obrębie stada często ocierają się o siebie nawzajem, głaszczą trąbami lub wkładają je do paszczy przyjaciela, którego spotkała przykrość. Ale w Amboseli badacze Bates, Lee, Njiraini, Poole i spółka postanowili dowieść w sposób naukowy, że słonie są zdolne do empatii. Usystematyzowali chwile, kiedy zwierzęta zdawały się dostrzegać cierpienie współbraci lub grożące im niebezpieczeństwo i podejmowały działania, mające na celu zmianę tego stanu rzeczy: poprzez współpracę z innymi słoniami, opiekę nad młodymi, które nie są w stanie zadbać o siebie, pomoc temu, który upadł, utknął w błocie lub w sidłach albo został zraniony oszczepem.

Nie miałam okazji przeprowadzić badań na skalę tych w Amboseli, przytoczę jednak własną anegdotę na dowód słoniowej empatii. Otóż w rezerwacie żył samiec, którego nazywaliśmy Kikutem, w dzieciństwie stracił bowiem kawałek trąby w wyniku bliskiego spotkania z sidłami. Nie mógł zrywać gałęzi ani nawijać trąbą trawy jak spaghetti, więc urywał ją paznokciami i wkładał do ust. Przez większość życia, nawet kiedy podrósł, był karmiony przez stado. Widywałam też na własne oczy, jak słonie obmyślają strategię przetransportowania słoniątka na stromy brzeg – serię skoordynowanych działań, które polegały na częściowym spłaszczeniu stromizny przez niektóre osobniki, podczas gdy inne wyprowadzały maleństwo z wody, a jeszcze inne pomagały mu się wdrapać. Można przyjąć, że zachowywanie przy życiu Kikuta lub owego słoniątka niosło pewną korzyść ewolucyjną.

Rzecz staje się jeszcze ciekawsza, gdy owa empatia wychodzi poza ramy gatunku. Podczas pobytu w Pilanesbergu zaobserwowałam spotkanie słonicy z małym nosorożcem, który utknął w błocie przy wodopoju. Nosorożce były niespokojne, co z kolei zdenerwowało słonicę, która zaczęła pomrukiwać i trąbić. Jakimś cudem przekonała jednak nosorożce, że ma wprawę w takich sytuacjach, w związku z czym mają się usunąć i pozwolić jej działać. W ekologicznym porządku rzeczy ratowanie nosorożca nie przynosi słoniowi żadnego pożytku, mimo to słonica zadała sobie trud i podsadziła małego trąbą, pomimo ataków jego matki. Ryzykowała życie dla obcego gatunkowo potomstwa.

Podobnie było w Botswanie, gdzie zobaczyłam, jak przewodniczka stada natyka się na lwicę leżącą obok ścieżki dla słoni, pośrodku której bawiły się jej młode. Zwykle na widok lwa słoń atakuje, gdyż postrzega to zwierzę jako zagrożenie, lecz tym razem przewodniczka odczekała cierpliwie, aż lwica oddali się wraz ze swoim potomstwem. Fakt, lwiątka nie były groźne, choć miało się to zmienić w przyszłości. Lecz chwilowo były tylko czyimiś dziećmi.

Empatia ma jednak swoje granice. Wprawdzie słoniątka znajdują się pod opieką wszystkich samic w stadzie, ale śmierć biologicznej matki na ogół pociąga za sobą śmierć jej dziecka. Karmiony mlekiem osierocony maluch nie ruszy się od jej ciała. Koniec końców stado musi podjąć decyzję: pozostać ze zrozpaczonym malcem, ryzykując pozbawienie pożywienia własnych młodych bądź niedotarcie do wodopoju, albo odejść, pieczętując tym samym jego los. Powiem tylko, że jest to rozdzierający widok. Widywałam coś na kształt ceremonii pożegnalnej, gdy członkowie stada dotykali słoniątka i donośnie dawali upust rozpaczy. Potem odchodzili, a malec umierał z głodu.

Ale byłam świadkiem i innej sytuacji – zobaczyłam osamotnione słoniątko pozostawione u wodopoju. Nie wiem, co dokładnie zaszło – czy matka nie żyła, czy też malec oddalił się od stada i zawieruszył – w każdym razie inne stado nadeszło w chwili, gdy z przeciwnej strony podkradła się hiena. Tłuściutkie, pozbawione opieki słoniątko to dla niej smakowity kąsek. Jednakże przewodniczka obcego stada miała dziecko, może nieco starsze. Spostrzegła, co się święci, i odpędziła hienę. Słoniątko podbiegło, żeby przewodniczka je nakarmiła, ale ona odepchnęła malucha i poszła dalej.

Nie było w tym nic niezwykłego. Bo niby dlaczego, z punktu widzenia ewolucji, miałaby uszczuplać zapasy pokarmu dla rodzonego potomstwa na rzecz przybłędy?

Wprawdzie mamy do czynienia z przypadkami adopcji w obrębie stada, jednak większość przybranych matek odmawia karmienia osieroconych małych; mają zbyt mało mleka, nie chcą narażać własnych dzieci. Co więcej, tamten malec był całkiem obcy i z samicą nie łączyła go żadna więź.

Tyle że wydał z siebie rozpaczliwy okrzyk.

Samica znajdowała się już kilkadziesiąt metrów dalej. Zamarła, po czym odwróciła się i natarła na niego z impetem. Widok był przerażający, jednak mały ani drgnął.

W efekcie samica zagarnęła go trąbą, wcisnęła między swe potężne nogi. I poszli. Przez pięć kolejnych lat, ilekroć widywałam to stado, mały wciąż należał do rodziny.

Skłaniałabym się ku tezie, że słonie rezerwują szczególną empatię dla matek i dzieci, bez względu na gatunek. Ten związek zdaje się kryć istotne znaczenie i nasuwa słodko-gorzki wniosek: słoń rozumie, że utrata dziecka jest dla matki nieszczęściem największym.

Serenity

Moja matka, która przestrzegała mnie przed afiszowaniem się z darem, doczekała czasów, gdy zasłynęłam jako jasnowidz. Przywiozłam ją na plan do LA, żeby poznała swoją ulubioną gwiazdę seriali, z pierwowzoru *Mrocznych cieni*, która przyjechała na występ w moim programie. Kupiłam mamie mały bungalow opodal mojego domu w Malibu, gdzie miała miejsce na ogródek warzywny i drzewka pomarańczowe. Zabierałam ją na premiery filmowe, uroczystości wręczenia nagród oraz zakupy na Rodeo Drive. Biżuteria, samochody, wakacje… Mogłam jej dać, czego dusza zapragnie, a nie przewidziałam raka, który ją w końcu strawił.

Patrzyłam, jak znika, aż w końcu umarła. Ważyła wówczas trzydzieści cztery kilo i była niemal przezroczysta. Tym razem wszystko przebiegło inaczej niż kiedyś, gdy przed laty straciłam ojca. Umiałam grać jak nikt, nabierać publiczność, że jestem szczęśliwa i bogata, podczas gdy w istocie utraciłam zasadniczą część siebie.

Odejście matki uczyniło mnie lepszym jasnowidzem. Przekonałam się na własnej skórze, jak to jest czepiać się nici, które podsuwam ludziom w celu załatania luki po zmarłym. W garderobie patrzyłam w lustro, modląc się, żeby matka do mnie przyszła. Błagałam Desmonda i Lucindę, by pokazali mi cokolwiek. Przecież jestem jasnowidzem, do licha! Zasługuję na znak, muszę wiedzieć, czy przeszła na drugą stronę i osiągnęła spokój.

Przez trzy lata dostawałam wiadomości od setek duchów, które usiłowały nawiązać kontakt z bliskimi na ziemi. Lecz ani słowa od matki.

A potem, któregoś dnia, wsiadłam do swojego mercedesa, żeby pojechać do domu. Torebkę rzuciłam na siedzenie obok. Wylądowała na kolanach matki.

W pierwszej chwili pomyślałam: „Mam wylew".

Wystawiłam język. Czytałam gdzieś, że przy wylewie człowiek nie potrafi wysunąć języka. Czy może przesuwa się on na jedną stronę? Nie pamiętałam.

Obmacałam usta. Czy nie wiotczeją?

– Czy mogę wypowiedzieć proste zdanie? – zapytałam na głos. Tak, kretynko, pomyślałam natychmiast. Właśnie wypowiedziałaś.

Przysięgam na wszystkie świętości – byłam uznanym, praktykującym jasnowidzem, ale na widok matki ogarnęło mnie przekonanie, że umieram.

A ona tylko na mnie patrzyła z uśmiechem.

Udar słoneczny, pomyślałam, wciąż nie odrywając od niej oczu. Lecz tamtego dnia słońce nie świeciło zbyt mocno.

Potem zamrugałam. I mama znikła.

Później przychodziły mi do głowy różne rzeczy. Że gdybym jechała autostradą, spowodowałabym karambol. Że oddałabym wszystko, mogąc raz jeszcze usłyszeć jej głos.

Że nie wyglądała tak jak w chwili śmierci, słaba, krucha, podobna do ptaka. Była matką, którą zapamiętałam z dzieciństwa, która brała mnie na ręce, kiedy byłam chora, i łajała, gdy dawałam się jej we znaki.

Więcej jej nie ujrzałam, choć robiłam co w mojej mocy. Lecz tamtego dnia czegoś się nauczyłam. Wierzę, że żyjemy wiele razy i wielokrotnie przechodzimy reinkarnację, duch zaś stanowi amalgamat wszystkich życiorysów duszy. Ale gdy zjawia się u medium, objawia się jako konkretna forma, jedna konkretna osobowość. Dawniej sądziłam, że duchy przybierają postać rozpoznawalną dla osoby, która na nie czeka, ale po wizycie matki zrozumiałam, że powracają tak, jak chcą zostać zapamiętane.

Może słuchacie tego i nie wierzycie. Macie prawo. Sceptycy trzymają wiedźmy z bagien na dystans; tak mi się przynajmniej wydawało, zanim sama nie stałam się jedną z nich. Jeżeli nie nawiązaliście kontaktu z nadprzyrodzonym, powinniście podawać w wątpliwość wszystko, co słyszycie.

Oto co powiedziałabym sceptykowi, gdyby przyszedł do mnie w dniu odwiedzin matki: nie była przezroczysta, rozmyta ani mlecznobiała. Sprawiała wrażenie równie namacalnej, co parkingowy, który kilka minut później pobrał ode mnie opłatę. Było tak, jakbym wyretuszowała wspomnienie o matce tu i teraz, na zasadzie zabiegu wizualnego. Jak w teledysku, gdzie nieżyjący Nat King Cole śpiewa ze swoją córką. Nie ulegało wątpliwości, że matka była tak samo prawdziwa jak kierownica pod moimi rozdygotanymi dłońmi.

Ale zwątpienie pleni się jak chwast. Z chwilą gdy zapuści korzenie, nie sposób go wyrwać. Minęły lata, odkąd duch przyszedł do mnie z prośbą o pomoc. I gdyby sceptyk rzucił teraz: „Myślisz, że kogoś nabierzesz?", odpowiedziałabym zapewne: „Nie ciebie. I na pewno nie siebie".

Dziewczyna w serwisie ma podejście na miarę Marii Antoniny. Chrząka, obracając w rękach mojego przestarzałego MacBooka, i stuka w klawiaturę. Unika mojego wzroku.

– Co się stało? – pyta.

Hm, od czego by tu zacząć? Jestem zawodowym jasnowidzem, który ściemnia. Od dwóch miesięcy zalegam z czynszem. Do trzeciej nad ranem oglądałam *Taniec – marzenie mojej mamy* i wcisnęłam się w spodnie tylko dzięki gaciom wyszczuplającym.

Aha, no i padł mi komputer.

– Kiedy próbuję coś wydrukować – tłumaczę – nic się nie dzieje.

– Jak to: nic się nie dzieje?

Rzucam panience ciężkie spojrzenie.

– A co ludzie zwykle mają przez to na myśli?

– Ekran robi się czarny? Nic nie wychodzi z drukarki? Pojawia się komunikat o błędzie? Czy zapisywała pani jakiś dokument?

Mam teorię na temat pokolenia Y, tych narcystycznych dwudziestolatków. Oni nie chcą czekać na swoją kolej. Nie chcą piąć się po szczeblach drabiny. Oni chcą wszystko na już i są święcie przekonani, że na to zasługują.

Moim zdaniem tacy młodzi ludzie są żołnierzami, którzy zginęli w Wietnamie i właśnie się odrodzili. Zwróćcie uwagę, że chronologia pasuje jak ulał. Ci gówniarze nadal są wkurzeni, że zginęli na wojnie, w którą nie wierzyli. I chamstwem dają do zrozumienia: „A pocałujże mnie w moją dwudziestopięcioletnią dupę".

– Szeregowy, baczność – mamroczę pod nosem. – Odmaszerować.

Dziewczyna nawet nie podnosi wzroku.

– Precz z wojną, pokój dla świata – dorzucam.

Patrzy na mnie jak na wariatkę.

– Ma pani zespół Tourette'a?

– Jestem jasnowidzem. Wiem, kim byłaś w poprzednim życiu.

– O Jezu Chryste…

– Nie, nie nim – informuję.

Jeśli zginęła w Wietnamie, najprawdopodobniej była mężczyzną. Duchy są bezpłciowe. (Na marginesie – niektórzy z najlepszych znanych mi jasnowidzów to geje, pewnie ze względu na równowagę męskich i żeńskich pierwiastków. Ale zbaczam z tematu). Miałam kiedyś bardzo sławną klientkę, piosenkarkę soulową, która w poprzednim życiu zginęła w obozie koncentracyjnym; jej chłopak był esesmanem, który ją wówczas zastrzelił. Jej zadanie w obecnym życiu polegało na tym, aby go przeżyć. Niestety. Tłukł ją, ilekroć się upił. Idę o zakład, że znów się spotkają w kolejnym życiu…

Do tego tak naprawdę sprowadza się ludzki żywot. Same powtórki, szanse, aby wszystko naprawić. Albo przeżyć na nowo.

Kilkoma uderzeniami w klawiaturę dziewczyna otwiera nowe menu.

– Ma pani niedokończone wydruki – stwierdza, a ja truchleję, że wyszydzi mnie za drukowanie artykułów z „Entertainment Weekly" albo streszczenia *Prawdziwych gospodyń domowych z New Jersey*. – Możliwe, że to to. – Naciska coś i na monitorze zapada ciemność. – Hm – mruczy zdziwiona.

Nawet ja wiem, że zdziwienie u informatyka to zły znak.

Nagle ożywa drukarka na stoliku obok i w zawrotnym tempie zaczyna wypluwać kartki, pokryte od góry do dołu literą X. Papiery sypią się na podłogę, a ja pędzę je pozbierać. Rzucam okiem, ale nic z nich nie rozumiem. Liczę: dziesięć kartek, dwadzieścia, pięćdziesiąt…

Podchodzi przełożony dziewczyny, która na próżno usiłuje przerwać drukowanie.

– Co się dzieje?

Jedna z kartek wpada prosto w moje ręce. Jest równie bezsensowna jak pozostałe, nie licząc kwadracika pośrodku, gdzie litery X ustępują miejsca sercom.

Informatyczka wygląda na bliską płaczu.

– Nie wiem, jak to naprawić!

W ciągu serduszek widnieje jedyny czytelny wyraz na stronie. JENNA.

A niech mnie diabli!

– A ja tak – mówię.

Nie ma nic bardziej frustrującego, niż dostać znak i nie wiedzieć, co z nim począć. Znam to uczucie; kiedy wracam do domu, otwieram się na wszechświat i dostaję guzik z pętelką. Dawniej Desmond albo Lucinda bądź obydwa moje duchy przewodnie pomogłyby mi zinterpretować związek imienia dziewczyny ze światem nadprzyrodzonym. Doświadczenia paranormalne to po prostu energia objawiająca się na określoną modłę: błysk zgaszonej latarki, wizja w czasie burzy, głuchy telefon. Przepływ mocy, która ma mi przesłać wiadomość. Bóg raczy wiedzieć od kogo.

Nie mam ochoty dzwonić do Jenny, która pewnie jeszcze mi nie wybaczyła, że zostawiłam ją przed komendą. Ale trudno zaprzeczyć, że przy tej małej po raz pierwszy od siedmiu lat czuję się jak prawdziwy jasnowidz. A jeśli Desmond i Lucinda przysłali mi te kartki na próbę, by sprawdzić, jak zareaguję, zanim ponownie staną u mojego boku?

Tak czy inaczej wolę nie podpaść temu, kto podrzucił mi znak. Od tego może zależeć moja przyszłość.

Na szczęście mam namiar na Jennę, zeszyt, do którego każę się wpisywać nowym klientom. Wmawiam im, że to na wypadek niespodziewanej wizyty z zaświatów, ale tak naprawdę wysyłam im później zaproszenia do polubienia mojej strony na Facebooku.

Zapisała numer komórki, więc dzwonię.

– Jeśli to ma być sonda na temat obsługi klienta, gdzie jeden to totalna ściema, a pięć to Ritz/Carlton seansu spirytystycznego, wlepiłabym pani dwójkę, ale tylko za znalezienie portfela. Bez tego to minus cztery. Kto zostawia trzynastolatkę samą przed komendą?

– Hm, jeśli mam być szczera... – mówię. – Lepsze miejsce jakoś nie przychodzi mi do głowy. A ty nie jesteś zwyczajną trzynastolatką, prawda?

– Proszę sobie darować pochlebstwa – ucina Jenna. – Czego pani chce?

– Ktoś w zaświatach chyba uznał, że nie skończyłam ci pomagać.

Milczy przez chwilę, trawiąc moje słowa.

– A mianowicie kto?

– Sama chciałabym to wiedzieć – przyznaję.

– Okłamała mnie pani – stwierdza nagle Jenna. – Mama nie żyje, tak?

– Nie okłamałam. Nie wiem, czy chodzi o twoją matkę. Nie wiem, czy to w ogóle kobieta. Po prostu poczułam, że muszę do ciebie zadzwonić.

– Jak?

Mogłabym jej opowiedzieć o drukarce, ale nie chcę, żeby spanikowała.

– Kiedy duch ma coś do powiedzenia, to jest jak czkawka. Nie możesz nie czkać, choćbyś próbowała. Można pozbyć się czkawki, ale nie sposób jej zapobiec. Rozumiesz? – Nie mówię jej, że kiedyś dostawałam wiadomości tak często, że miałam tego serdecznie dosyć. Powyżej dziurek od nosa. Nie wiedziałam, czemu ludzie robią z tego takie wielkie halo. Stanowiło to po prostu część mnie, podobnie jak różowe włosy i zęby mądrości. Ale człowiek uczy się doceniać rzeczy po fakcie. Dziś zabiłabym za taką czkawkę.

– No dobra – ustępuje Jenna. – To co robimy?

– Nie wiem. Przyszło mi do głowy, że moglibyśmy wrócić tam, gdzie znalazłyśmy portfel.

– Po kolejne dowody?

Nagle słyszę w tle jakiś głos. Męski głos.

– Dowody? – powtarza. – Co to za jedna?

– Serenity – mówi do mnie Jenna. – Muszę ci kogoś przedstawić.

Może straciłam smykałkę, ale widzę na pierwszy rzut oka, że Virgil Stanhope przyda się Jennie tak jak moskitiera na łodzi podwodnej. Jest spięty i skołowany niczym była gwiazda futbolu, która od dwudziestu lat nie wylewa za kołnierz.

– Serenity – mówi Jenna. – Poznaj Virgila. Był oficerem dyżurnym w dniu zaginięcia mamy.

On patrzy na moją wyciągniętą dłoń i potrząsa nią z łaski.

– Jenno – mamrocze. – Daj spokój. To strata czasu…

– Trzeba wykorzystać każdą szansę – upiera się Jenna.

Zastępuję Virgilowi drogę.

– Panie Stanhope, od początku mojej kariery wzywano mnie na kilkadziesiąt miejsc zbrodni. Musiałam wkładać ochraniacze na buty, żeby nie brodzić we krwi. Bywałam w domach, skąd porywano dzieci, i prowadziłam policję do lasów, gdzie je odnajdywano.

Unosi brew.

– A zeznawała pani kiedyś w sądzie?

Oblewam się purpurą.

– Nie.

– Tak myślałem.

Jenna przywołuje go do porządku.

– Jeśli nie umiecie współpracować, ogłaszam aut – oświadcza i zwraca się do mnie. – To co robimy?

Co robimy? A skąd mam wiedzieć? Połażę po tym pustkowiu, to może mnie olśni. Po raz pierwszy od siedmiu lat.

Nagle obok przechodzi facet z komórką.

– Widzieliście go? – pytam szeptem.

Jenna i Virgil wymieniają spojrzenia, a następnie patrzą na mnie.

– Tak.

– Aha.

Patrzę, jak facet wsiada do hondy i odjeżdża, wciąż gadając przez telefon. Jestem nieco rozczarowana, że to człowiek z krwi i kości. Dawniej w zatłoczonym hotelowym westybulu widziałam z pięćdziesiąt osób, z czego połowa była duchami. Nie pobrzękiwały łańcuchami ani nie trzymały swych odciętych głów pod pachami, tylko rozmawiały przez komórki, próbowały wezwać taksówkę albo brały miętówkę z talerza w recepcji. Ot, prozaiczne czynności.

Virgil przewraca oczami. Jenna daje mu sójkę w bok.

– Są tu duchy? – pyta.

Rozglądam się, jakbym wciąż je widziała.

– Możliwe. Przywierają do ludzi, miejsc, rzeczy. I mogą się przemieszczać. Dokąd chcą.

– Rozpełzają się jak robaki – wtrąca Virgil. – Nie dziwi cię, że jako policjant nigdy nie zauważyłem ducha nad trupem?

– Bynajmniej – kwituję. – Po co miałyby ci się pokazywać, skoro tak usilnie nie chcesz ich widzieć? To jakbyś wszedł do baru dla gejów w nadziei, że nikogo nie poderwiesz.

– Słucham? Nie jestem gejem.

– Ja nie twierdzę... Zresztą nieważne.

Urwał się z choinki. Ale Jenna słucha jak zaczarowana.

– Powiedzmy, że duch do mnie przywarł. Czy ogląda mnie pod prysznicem?

– Wątpię. One też były kiedyś ludźmi. Potrafią uszanować prywatność.

– W takim razie co to za frajda być duchem? – mamrocze Virgil.

Na mocy niemego porozumienia przechodzimy ponad łańcuchem w bramie.

– Nie powiedziałam, że to frajda. Większość duchów, które spotkałam, nie była zbyt zachwycona. Miały poczucie, że nie dopięły wszystkiego na ostatni guzik. Lub były tak zajęte łataniem dziur w życiu doczesnym, że musiały się zebrać do kupy przed pójściem dalej.

– Twierdzisz, że podglądacz, którego aresztowałem w kiblu na stacji benzynowej, po śmierci wyhodował sobie sumienie? To zbyt piękne.

Oglądam się przez ramię.

– Czasem następuje konflikt między duszą a ciałem. Jego źródłem jest wola. Twój podglądacz zapewne nie przyszedł na świat, by szpiegować ludzi w łazience, ale jego ego, narcyzm czy inne ścierwo wzięło nad nim górę za życia. I choć dusza być może podpowiadała mu, żeby nie podglądał, ciało wiedziało lepiej. – Rozgarniam wysoką trawę i strzepuję rzep, który zaplątał się we frędzle mojego poncho. – Narkomani mają podobnie. Albo alkoholicy.

Virgil skręca gwałtownie.

– Idę tędy.

– Właściwie – mówię, wskazując w przeciwną stronę – mam przeczucie, że musimy pójść tą drogą.

Nie mam żadnego przeczucia, lecz Virgil działa mi na nerwy, więc zamierzam zrobić mu na przekór. Osądził mnie i powiesił, więc nie zdziwiłabym się, gdyby dokładnie wiedział, kim jestem, i pamiętał syna senatora McCoya. Ha, gdyby nie niezbita pewność, że muszę teraz być z Jenną, odwróciłabym się na pięcie i pomaszerowała do samochodu.

– Serenity? – zagaja Jenna, która lojalnie została ze mną. – To, co mówiłaś o duszy i ciele... Czy to dotyczy każdego, kto dopuścił się złych uczynków?

Zerkam na nią.

– Coś mi mówi, że to nie jest filozoficzne pytanie.

– Virgil uważa, że mama uciekła, bo zabiła tamtą pracownicę rezerwatu.

– Myślałam, że to był wypadek.

– Tak twierdziła policja. Ale zdaje się, że były pewne znaki zapytania. Mama znikła, więc pozostały do dziś. – Jenna potrząsa głową. – Stwierdzono, że przyczyną zgonu był uraz czaszki w wyniku stratowania, ale co jeśli tego nie zrobił słoń, ale człowiek? Może słoń stratował zwłoki dopiero po fakcie? I tak nikt by się nie połapał.

Ja tam nie wiem. Może Virgil zna odpowiedź na to pytanie, jeżeli jeszcze nie zgubił się w gąszczu. Ale nie zdziwiłoby mnie, gdyby taka miłośniczka słoni jak Alice mogła liczyć na alibi z ich strony. „Tęczowy most", o którym mówią miłośnicy zwierząt? On istnieje. Czasem słyszałam od tych, którzy przeszli na drugą stronę, że nie czekał na nich człowiek, tylko pies albo koń. A raz nawet oswojona tarantula.

Zakładając, że śmierć pracownicy rezerwatu nie była wypadkiem i że Alice żyje, tylko się ukrywa... Tłumaczyłoby to, dlaczego nie dostałam wyraźnego komunikatu, że jest duchem, który usiłuje nawiązać kontakt z córką. Z drugiej strony, nie byłby to jedyny powód.

– Nadal chcesz odnaleźć matkę? Nawet jeśli miałabyś się dowiedzieć, że popełniła morderstwo?

– Aha. Bo wtedy przynajmniej wiedziałabym, że żyje. – Jenna opada na trawę, która sięga niemal czubka jej głowy. – Obiecałaś, że powiedziałabyś mi, gdybyś wiedziała, że nie żyje. A jeszcze tego od ciebie nie usłyszałam.

– Jak dotąd nic na to nie wskazuje – zapewniam. Pomijam milczeniem ewentualność, że jestem do niczego.

Jenna skubie kępki trawy. Obsypuje nią gołe kolana.

– Nie boli cię to? – pyta. – Że ludzie pokroju Virgila uważają cię za wariatkę?

– Przywykłam. Poza tym żadne z nas nie dowie się, kto ma rację. Dopóki nie umrzemy.

Rozważa moje słowa.

– Mój nauczyciel matematyki, pan Allen, twierdzi, że kiedy jesteś punktem, widzisz wyłącznie punkt. Kiedy jesteś linią, widzisz tylko linię i punkt, a gdy jesteś trójwymiarowy, widzisz trzy wymiary, linie i punkty. To, że nie widzimy czwartego wymiaru, nie oznacza, że on nie istnieje. Znaczy tylko, że jeszcze do niego nie dotarliśmy.

– Mądra z ciebie dziewczynka, wiesz?

Jenna pochyla głowę.

– Duchy, z którymi miałaś do czynienia… Jak długo zostają?

– Różnie. Domykają pewne sprawy i odchodzą.

Wiem, o co pyta i dlaczego. To jedyny mit na temat życia pozagrobowego, którego nie znoszę rozwiewać.

Ludziom się wydaje, że po śmierci dołączą do bliskich na wieczność. Słuchajcie, to tak nie działa. Życie wieczne nie jest kontynuacją doczesnego. Ty i twój ukochany mąż nie wrócicie do dawnych nawyków, wspólnego rozwiązywania krzyżówek i kłótni, kto nie dopił mleka. Może i w niektórych przypadkach zachodzi takie prawdopodobieństwo, na ogół jednak twój mąż osiąga wyższy stopień wtajemniczenia. Albo to ty jesteś bardziej rozwinięta duchowo i wyprzedzasz go, uwikłanego w ziemskie sprawy.

Wszyscy moi klienci domagali się zapewnienia: „Będę na ciebie czekać".

I w dziewięciu przypadkach na dziesięć słyszeli: „Nigdy mnie nie zobaczysz".

Mała ma nieszczęśliwą minę.

– Jenno – kłamię. – Wiedziałabym, gdyby twoja mama nie żyła.

Dotąd myślałam, że pójdę do piekła za nabijanie ludzi w butelkę, ale dziś zapewniłam sobie miejsce w pierwszym rzędzie na monodramie Lucyfera. Okłamałam w żywe oczy dziecko, które we mnie wierzy, mimo że ja nie wierzę w siebie ani trochę.

– No, ładnie. Wy tu sobie siedzicie, a ja szukam igły w stogu siana. Poprawka – mówi Virgil. – Nie igły. Igła bywa przydatna.

Staje nad nami, podparty pod boki. Na jego twarzy maluje się uraza.

Może nie jestem tu tylko dla Jenny? Może również dla niego?

Podnoszę się, odpierając tsunami niechęci, która aż bije od Virgila.

– Spróbuj się otworzyć na możliwości. A nuż znajdziesz coś niespodziewanego?

– Dziękuję, Gandhi. Ale przedkładam fakty nad czary-mary.

– Te czary-mary zapewniły mi trzy nagrody Emmy – pozwalam sobie zauważyć. – Nie sądzisz, że wszyscy jesteśmy trochę jasnowidzami? Nigdy ci się nie zdarzyło, żebyś pomyślał o niewidzianym od wieków przyjacielu, a on wtedy zadzwonił? Tak niespodziewanie?

– Nie – ucina kategorycznie.

– Fakt. Ty nie masz przyjaciół. Ale mogłeś jechać z włączoną nawigacją i pomyśleć: „Skręcę w lewo". Po czym nawigacja kazała ci zrobić dokładnie to samo.

Wybucha śmiechem.

– A więc bycie jasnowidzem to kwestia prawdopodobieństwa? Pięćdziesiąt procent szans na powodzenie?

– Nigdy nie słyszałeś wewnętrznego głosu? Intuicji? Impulsu?

Virgil szczerzy zęby.

– Chcesz wiedzieć, co podpowiada mi teraz moja intuicja?

Rozkładam ręce.

– Rezygnuję – mówię do Jenny. – Nie wiem, na jakiej podstawie uznałaś, że będę…

– Poznaję to miejsce. – Virgil rusza naprzód. Jenna i ja podążamy za nim. – Kiedyś stało tu wielkie drzewo, ale piorun w nie trafił, widzicie? A tam jest staw – pokazuje.

Próbuje określić nasze położenie, obracając się kilka razy, po czym idzie jakieś sto metrów na północ. Tam zaczyna chodzić w kółko, stąpając ostrożnie, dopóki ziemia nie zapada mu się pod stopą. Nachyla się triumfalnie i zaczyna odgarniać połamane gałęzie i gąbczasty mech, po czym odsłania głęboką dziurę.

– Tutaj znaleźliśmy ciało.

– Stratowane – zaznacza Jenna.

Cofam się o krok, żeby się nie mieszać. Moją uwagę przykuwa błysk czegoś na wpół zagrzebanego w mchu poruszonym przez Virgila. Pochylam się i podnoszę łańcuszek z wisiorkiem, wypolerowanym kamykiem.

Kolejny znak. Słyszę cię, myślę do osoby za murem ciszy. Kładę naszyjnik w zagłębieniu dłoni.

– Zobaczcie. Może należał do ofiary?

Jenna blednie jak ściana.

– To mojej mamy. Nie zdejmowała go. Nigdy, przenigdy.

Kiedy spotykam niedowiarka – a możecie być pewni, że lgną do mnie jak muchy do łajna – opowiadam mu o Thomasie Edisonie. Nie ma takiej osoby, która zaprzeczyłaby, iż był on kwintesencją naukowca, że jego ścisły umysł pchnął go do wymyślenia fonografu, żarówki, kamery filmowej i rzutnika. Wiemy o jego wolnomyślicielstwie, o negowaniu istnienia Istoty Najwyższej. Wiemy, że opatentował ponad tysiąc wynalazków. Wiemy też, że przed śmiercią pracował nad urządzeniem służącym do porozumiewania się ze zmarłymi.

Szczyt rewolucji przemysłowej był zarazem szczytem ruchu spirytualistycznego. To, że Edison należał do ścisłej czołówki zwolenników postępu, wcale nie oznacza, że nie pociągała go metafizyka. Uznał, że skoro medium może robić to podczas seansu, skalibrowana precyzyjnie maszyna również nawiąże kontakt z tymi po drugiej stronie.

O planowanym wynalazku mówił niewiele. Może się bał, żeby ktoś mu nie sprzątnął pomysłu sprzed nosa, może nie miał jeszcze żadnych konkretów. Zdradził czasopismu „Scientific American", że maszyna będzie miała „postać odbiornika" – aby przy najlżejszym wysiłku z drugiej strony została trącona jakaś struna, żeby zadzwonił dzwonek. I tym samym dał dowód.

Czy mogę powiedzieć wam, że Edison wierzył w życie pozagrobowe? No cóż, mawiał ponoć, że życie nie podlega zniszczeniu, ale nigdy nie zapewnił mnie o tym osobiście.

Czy mogę powiedzieć wam, że nie kwestionował spirytualizmu? Niezupełnie.

Możliwe jednak, że chciał zastosować metodę naukową w dziedzinie, która wymyka się jednoznacznej ocenie. Możliwe też, że szukał namacalnych dowodów na to, czym ja zajmuję się zawodowo.

Wiem też, że Edison wierzył, jakoby chwila między jawą a snem była jak woalka, moment najmocniejszego złączenia z wyższym ja. Stawiał po obu stronach fotela blachy do ciasta i ucinał sobie drzemkę z łożyskami kulkowymi w dłoniach – dopóki metal nie stukał o metal. Wówczas zapisywał, co widział, myślał i wyobrażał sobie w owej chwili. W utrzymywaniu tego stanu „pomiędzy" osiągnął biegłość.

Być może szukał upustu dla kreatywności. A może szukał upustu dla... duchów?

Po jego śmierci nie znaleziono żadnych prototypów ani dokumentów na potwierdzenie, że rozpoczął prace nad wspomnianą maszyną. Moim zdaniem dowodzi to, że spadkobiercy Edisona albo wstydzili się jego spirytualistycznych ciągot, albo nie chcieli, aby wielki naukowiec kojarzył się ludziom z czymś tak błahym.

Myślę jednak, że to Edison śmieje się ostatni. Przed jego domem w Fort Myers na Florydzie, na parkingu, stoi jego pomnik naturalnej wielkości.

Postać trzyma w dłoni łożysko kulkowe.

Wyczuwam męską obecność.

Chociaż, jeśli mam być szczera, to raczej zapowiedź bólu głowy.

– Jasne, że wyczuwasz faceta – stwierdza Virgil, zwijając w kulkę papier po hot dogu. W życiu nie widziałam, żeby ktoś tak jadł. Świnia w chlewie, jak Boga kocham! – Któż inny podarowałby dziewczynie naszyjnik?

– Zawsze jesteś taki grubo ciosany?

Bezceremonialnie częstuje się moją frytką.

– Dla ciebie robię wyjątek.

– Jeszcze ci mało? „A nie mówiłam" nie wystarczy?

Patrzy spode łba.

– Bo co? Trafiło się ślepej kurze ziarno.

– Zawsze to lepsze niż nic. – Pryszczaty chłopak w metalowej przyczepie z hot dogami przysłuchuje się naszej wymianie zdań. – Czego? – warczę na niego. – Kłótni nie słyszałeś?

– Pewnie nigdy nie widział różowych włosów – mamrocze Virgil.

– Ja przynajmniej mam włosy.

Punkt dla mnie. Przejeżdża ręką po czaszce, ogolonej prawie na zero.

– To było poniżej pasa – stwierdza.

– Jasne.

Chwytam zaintrygowane spojrzenie sprzedawcy. Chciałabym wierzyć, że kieruje nim zwykła ciekawość, lecz mam obawy, że rozpoznaje we mnie dawną sławę.

– Bułki ci się przypalą – burczę.

Znika z okienka.

Siedzimy w parku i pałaszujemy hot dogi, które kupiłam po tym, jak Virgil stwierdził, że nie ma przy sobie ani centa.

– Mój tata... – mówi Jenna z ustami pełnymi wegetariańskiej wersji. Włożyła naszyjnik; wisiorek połyskuje na jej podkoszulku. – Podarował go mamie. Byłam przy tym. Pamiętam.

– Ekstra. Pamiętasz, że matka dostała kamyk, a zapomniałaś, co się stało w noc jej zniknięcia – kwituje Virgil.

– Spróbuj go potrzymać, Jenno – radzę. – Przy wezwaniach do porwań przedmiot należący do ofiary zwykle naprowadzał mnie na trop.

– Jak sukę gończą – wtrąca Virgil.

– Że co proszę?

Patrzy niewinnie.

– To rodzaj żeński od psa, tak? Psom też podtyka się coś pod nos.

Nie zwracając na niego uwagi, patrzę, jak Jenna chowa kamyk w dłoni i zaciska powieki.

– Nic – mówi po chwili.

– Cierpliwości – uspokajam. – To przyjdzie w najmniej spodziewanej chwili. Widzę, że masz predyspozycje. Na pewno przypomnisz sobie coś ważnego, kiedy będziesz myła wieczorem zęby.

Oczywiście, to niekoniecznie prawda. Ja czekam od lat i nic.

– Nie tylko jej przydałoby się odświeżyć pamięć – mówi w zamyśleniu Virgil. – Może dowiedzielibyśmy się czegoś od faceta, który podarował Alice wisiorek.

Jenna gwałtownie podnosi głowę.

– Od mojego taty? Zwykle nie pamięta mojego imienia…

Klepię ją po ramieniu.

– Nie ma się czego wstydzić. Mój tata był transwestytą.

– Co w tym złego? – pyta Jenna.

– Nic. Ale tak się składa, że bardzo kiepskim transwestytą.

– A mój siedzi w psychiatryku – oświadcza Jenna.

Patrzę na Virgila ponad jej głową.

– Hm…

– O ile wiem – oznajmia detektyw – po zaginięciu twojej mamy nikt nie był u niego na rozmowie. Może warto spróbować?

Jako podrabiany jasnowidz jestem uważnym obserwatorem i wiem, kiedy ktoś nie jest szczery. Virgil Stanhope zaś łże jak z nut. Nie mam pojęcia, co knuje ani co ma nadzieję wyciągnąć z Thomasa Metcalfa, ale nie puszczę z nim Jenny samej.

Choć poprzysięgłam sobie, że moja noga więcej nie postanie w psychiatryku.

Po incydencie z senatorem wpadłam w dołek. Dużo wódki, leki na receptę. Moja ówczesna menedżerka zaproponowała „urlop", rozumiany jako krótki pobyt na oddziale psychiatrycznym. Ośrodek był niebywale dyskretny, miejsce, gdzie sławy jeżdżą „odpocząć". Innymi słowy – na odwyk. Spędziłam tam trzydzieści dni i opuściłam go z obietnicą, że nigdy więcej nie upadnę tak nisko.

Moją współlokatorką była ładniutka córka znanego hip-hopowca. Gita goliła się na łyso i miała słupek kolczyków wzdłuż kręgosłupa, połączonych cienkim platynowym łańcuszkiem; zawsze mnie dziwiło, jak daje radę spać na plecach. Miała krąg niewidzialnych przyjaciół, z którymi toczyła nieustanne rozmowy. Gdy jedna z tych wyimaginowanych osób podobno rzuciła się na nią z nożem, Gita wybiegła na ulicę, gdzie została potrącona przez taksówkę. Stwierdzono u niej schizofrenię paranoidalną. Kiedy z nią mieszkałam, wierzyła, że sterują nią kosmici za pomocą komórek. Ilekroć dostawała wiadomość tekstową, wpadała w szał.

Którejś nocy zaczęła kołysać się na łóżku i mówić: „Strzeli mnie piorun, strzeli mnie piorun".

Noc była pogodna, ale Gita dalej swoje. Trwało to godzinę. A kiedy rozpętała się burza, dziewczyna zaczęła krzyczeć i drapać się po twarzy. Przybiegła pielęgniarka i próbowała ją uspokoić.

– Kochanie – perswadowała. – Burza i pioruny są na zewnątrz. Tu nic ci nie grozi.

Gita spojrzała na nią całkowicie przytomnym wzrokiem.

– Co ty wiesz? – wyszeptała.

Huknął grzmot i nagle szyba w oknie rozprysła się w drobny mak. Wpadł neonowy łuk światła, zwęglił chodnik i wypalił dziurę wielkości pięści w materacu tuż obok Gity, która zaczęła kołysać się jeszcze mocniej.

– Mówiłam, że piorun mnie strzeli – wykrztusiła. – Mówiłam, że piorun mnie strzeli.

Przytaczam to jako przestrogę. Ludzie, których uważamy za wariatów, bywają bardziej poczytalni od nas.

– Ojciec nic nam nie pomoże – upierała się Jenna. – Szkoda zachodu.

Znów wdał się w sprawę mój zmysł obserwacji. Wzrok skierowany w lewo, nerwowe obgryzanie paznokcia. Jenna też coś ukrywa. Dlaczego?

– Jenno – mówię. – Skoczyłabyś do samochodu po moje okulary przeciwsłoneczne?

Zrywa się z ulgą, byle uciec od tej rozmowy.

– No dobra. – Czekam, aż Virgil na mnie spojrzy. – Nie wiem, co kombinujesz, ale ci nie ufam.

– Świetnie. Budzisz we mnie te same odczucia.

– Co przed nią ukrywasz?

Waha się, czy mi powiedzieć.

– Kiedy znaleziono martwą pracownicę, Thomas Metcalf był zdenerwowany. Wręcz nie potrafił usiedzieć w miejscu. Nie mogliśmy znaleźć jego córki ani żony, może dlatego. A może miał pierwsze objawy załamania nerwowego. Albo nieczyste sumienie.

Odchylam się do tyłu i krzyżuję ręce na piersi.

– Podejrzewasz Thomasa. Podejrzewasz Alice. Wygląda na to, że obwiniasz wszystkich oprócz siebie. Zamiast przyznać się, że niewłaściwie oceniłeś sytuację.

Virgil patrzy na mnie.

– Zachodzi pewne prawdopodobieństwo, że Thomas Metcalf dręczył żonę...

– Miałaby dobry powód do ucieczki – stwierdzam z namysłem. – Chcesz spróbować coś z niego wydusić?

Gdy wzrusza ramionami, wiem, że trafiłam w sedno.

– Zastanawiałeś się, jaki to będzie miało wpływ na Jennę? Już myśli, że została porzucona przez matkę. Chcesz rozwiać resztę jej złudzeń i pokazać, że ojciec też jest nic niewart?

Virgil zmienia pozycję.

– Mogła o tym pomyśleć, zanim mnie zatrudniła.

– Ale z ciebie drań.

– Za to mi płacą.

– Pewnie zbiłeś krocie. – Mrużę oczy. – Oboje wiemy, że nie wzbogacimy się na tej sprawie. Co masz zamiar zyskać?

– Prawdę.

– Dla Jenny? – pytam. – Czy dla siebie? Bo lenistwo przeszkodziło ci ją odkryć dziesięć lat temu?

Zaciska zęby. Przez chwilę myślę, że przeholowałam, że wstanie i pójdzie. Ale zjawia się Jenna.

– Nie znalazłam okularów – raportuje.

Wciąż ściska kamyk, który wisi na jej szyi.

Wiem, że zdaniem niektórych neurologów dzieci autystyczne miewają zaburzenia funkcjonowania synaps, co powoduje nadpobudliwość. Dlatego właśnie się kołyszą, żeby się skupić i nie dopuścić do siebie wszystkich bodźców jednocześnie. Uważam, że z jasnowidzeniem jest podobnie. Wedle wszelkiego prawdopodobieństwa ani jedno, ani drugie nie jest chorobą psychiczną. Zapytałam kiedyś Gitę o jej wyimaginowanych przyjaciół. „Wyimaginowanych?”, powtórzyła, zupełnie jakbym to ja była wariatką, bo ich nie dostrzegam. I jeszcze coś... Wiem, co miała na myśli, bo sama tego doświadczyłam. Jeśli zauważysz kogoś, kto rozmawia z niewidzialną osobą, być może patrzysz na schizofrenika paranoidalnego. A być może na jasnowidza. To, że rozmówca nie objawił się twoim oczom, nie oznacza, że go nie ma.

Istnieje jeszcze jeden powód, dla którego nie kwapię się z wizytą w szpitalu dla nerwowo chorych. Obawiam się konfrontacji z ludźmi niezdolnymi do kontroli daru, który tak żarliwie pragnęłam odzyskać.

– Wiesz, jak tam dojechać? – pyta Virgil.

– To naprawdę kiepski pomysł – mówi Jenna. – Tata źle reaguje na ludzi, których nie zna.

– Przecież mówiłaś, że nie poznaje nawet ciebie. Podamy się za starych znajomych, o których zapomniał.

Widzę, że Jenna jest rozdarta, czy chronić ojca, czy wykorzystać jego słabość.

– Virgil ma rację – wtrącam.

Oboje patrzą na mnie w osłupieniu.

– Zgadzasz się z nim? – pyta Jenna.

Potwierdzam.

– A nuż coś pamięta? Może naprowadzi nas na właściwy trop.

– Zrobimy, jak uważasz – dorzuca od niechcenia Virgil.

– Fakt, mówi wyłącznie o mamie – stwierdza po długiej chwili Jenna. – Jak się poznali. Jak wyglądała. Kiedy zrozumiał, że poprosi ją o rękę. – Przygryza dolną wargę.

– Nie chciałam tam pójść, bo nie chcę się tym dzielić. Ani z wami, ani z nikim. To jedyna więź, jaką z nim mam. Tylko on tęskni za nią tak samo jak ja.

Gdy wszechświat wzywa, wstajesz i idziesz. Nie bez powodu lgnę do Jenny. Pytanie tylko, czy nie wessie mnie otchłań bez dna.

Uśmiecham się krzepiąco.

– Kochana – mówię. – Ja uwielbiam romanse.

Alice

Przewodniczka stada umarła.

To była Mmaabo, która wczoraj ociężale przesunęła się na koniec stada, po czym osunęła na przednie kolana i padła. Od trzydziestu sześciu godzin byłam na nogach, prowadziłam obserwacje. Patrzyłam, jak stado Mmaabo – w tym jej córka Onalenna, najbliższa towarzyszka – podpiera matkę trąbami i stawia na nogi, ale Mmaabo przewróciła się i już nie wstała. Jak jej trąba po raz ostatni wysuwa się w stronę Onalenny i spływa na ziemię niczym wstążka. Jak Onalenna i pozostali wydają odgłosy rozpaczy, podważają przewodniczkę trąbami i ciałami, jak ciągną i napierają.

Po sześciu godzinach stado opuściło zwłoki. Ale niemal natychmiast zjawił się kolejny słoń. Myślałam, że to jakiś maruder ze stada Mmaabo, lecz dostrzegłam trójkąt na lewym uchu i nakrapiane stopy Sethunyi, przewodniczki innej, mniejszej gromady. Obie słonice nie były spokrewnione, ale podchodząc, Sethunya ucichła; jej ruchy stały się bardziej wyważone. Pochyliła głowę, opuściła uszy. Dotknęła trąbą ciała Mmaabo. Uniosła lewą tylną nogę i przytrzymała ją nad martwą słonicą. Następnie zrobiła krok, stając nad ciałem okrakiem. I zaczęła się kołysać, w przód i w tył. Trwało to dokładnie sześć minut, mierzyłam. Wyglądało jak taniec, tyle że bez muzyki. Niema pieśń pogrzebowa.

Co miało oznaczać? Dlaczego słoń niezwiązany z Mmaabo sprawiał wrażenie tak głęboko poruszonego jej śmiercią?

Minęły dwa miesiące od śmierci Kenosiego, młodego słonia, który wpadł w sidła. Dwa miesiące, odkąd oficjalnie zawęziłam przedmiot badań pod kątem habilitacji. Podczas gdy koledzy z rezerwatu nadal śledzili trasy migracyjne słoni z Tuli Block oraz ich wpływ na ekosystem, wpływ suszy na współczynnik reprodukcji i dojrzałość płciową samców, moja dziedzina miała charakter czysto kognitywny. Nie można było jej zmierzyć za pomocą urządzeń do pomiarów, nie kryła się w DNA. Choćbym przytaczała niezliczone przykłady słoni, które dotykały czaszki współbrata bądź wracały tam, gdzie zginął członek ich stada – ilekroć określałam to mianem „smutku", przekraczałam granicę, której naukowcowi nie wypada przekraczać. Przypisywałam zwierzętom uczucia.

Gdyby ktoś poprosił mnie o uzasadnienie mojej pracy, powiedziałabym tak: im bardziej złożone zachowanie, tym dokładniejsza i bardziej skomplikowana stoi za nim nauka. Matematyka, chemia to drobiazgi; tam wszystko jest przeliczalne. Zrozumienie zachowania (słonia czy człowieka, nieważne) systemu znacznie bardziej złożonego wymaga gruntowniejszej analizy.

Ale nikt mnie nie prosił. Jestem prawie pewna, że Grant, mój przełożony, uznał to za fazę przejściową, po której siłą rzeczy powrócę na łono „nauki".

Oglądałam już śmierć słoni, ale to było pierwszy raz po zmianie specjalizacji. Chciałam zanotować każdy szczegół. Chciałam się upewnić, że nie przeoczyłam niczego „oczywistego"; każda najdrobniejsza czynność dopełniała całości obrazu. Tkwiłam zatem na miejscu kosztem snu. Odnotowałam wszystkie odwiedziny, rozpoznając słonie po kłach, włosach na ogonie i znakach na ciele, a czasem nawet po żyłach na uszach, równie unikatowych jak nasze odciski palców. Prowadziłam statystyki, jak długo pobratymcy dotykali Mmaabo i gdzie. Zapisywałam, o której zostawiali ciało i czy powracali. I czy pojawiały się inne zwierzęta (impale i jedna żyrafa), nieświadome śmierci przewodniczki słoniowego stada. Głównie jednak trwałam, ponieważ chciałam sprawdzić, czy wróci Onalenna.

Zajęło jej to blisko dziesięć godzin; nastał zmierzch i stado znajdowało się już w pewnym oddaleniu. Gdy jednak zapadła noc, Onalenna stała nad ciałem matki, niewzruszona jak gilotyna. Co pewien czas wydawała odgłos, na który następował odzew z północnego wschodu. Jakby meldowała się u sióstr, przypominała im, że jeszcze tu jest.

Przez ostatnią godzinę ani drgnęłyśmy, więc pewnie dlatego tak zaskoczył mnie land rover, który przeciął reflektorami ciemność. Zaskoczył również Onalennę, która cofnęła się w popłochu. Jej uszy załopotały.

– Jesteś – powiedziała Anya, zatrzymując samochód. Też była badaczką, studiowała zmiany tras migracyjnych wywołane działalnością kłusowników. – Próbowałam cię złapać przez krótkofalówkę.

– Wyciszyłam dźwięk. Nie chciałam jej przeszkadzać – odrzekłam, wskazując na spłoszonego słonia.

– Grant cię szuka.

– Teraz?

Mój szef nie był zachwycony, kiedy powiedziałam mu o zmianie specjalizacji. Prawie się do mnie nie odzywał. Czyżby to znaczyło, że ochłonął?

Anya spojrzała na martwą Mmaabo.

– Kiedy to się stało?

– Prawie dobę temu.

– Powiadomiłaś rangerów?

Potrząsnęłam głową. Oczywiście, trzeba to zrobić; przyjadą i odetną kły, żeby zniechęcić kłusujących. Postanowiłam jednak dać stadu kilka godzin spokoju.

– Co przekazać Grantowi? – spytała Anya.

– Że niedługo wrócę.

Samochód zniknął w gąszczu, stając się punkcikiem blasku w mroku. Jak świetlik.

Onalenna wydmuchnęła powietrze i wsunęła trąbę w pysk matki.

Zanim zdążyłam to zapisać, na wprost martwej słonicy pojawiła się hiena. Rozdziawiła paszczę; w świetle reflektora, który postawiłam tam wcześniej, błysnęły ostre zęby. Onalenna wydała gardłowy odgłos. Zamachnęła się trąbą, choć na pierwszy rzut oka stała zbyt daleko, aby dosięgnąć intruza. Ale afrykańskie słonie mają trąbę jakieś trzydzieści centymetrów dłuższą, niż się wydaje, która rozciąga się jak miech akordeonu i może cię trzepnąć w najmniej spodziewanym momencie. Hiena odturlała się z piskiem.

Onalenna zwróciła ku mnie ciężką głowę. Z gruczołów skroniowych płynęła wydzielina.

– Pozwól jej odejść – powiedziałam głośno, sama nie wiem do kogo.

Przebudziłam się gwałtownie, czując na twarzy promienie słońca, o pierwszym brzasku. Moją pierwszą myślą było, że Grant mnie zabije. Drugą, że Onalenna znikła. Jej miejsce zajęły dwie lwice, rozszarpujące właśnie zad Mmaabo. W górze kołował sęp w oczekiwaniu na swoją kolej.

Nie chciałam wracać do obozu. Chciałam siedzieć przy ciele Mmaabo, by sprawdzić, czy inne słonie przyjdą uczcić jej pamięć.

Chciałam odnaleźć Onalennę i sprawdzić, co robi. Jak zachowuje się stado i kogo wyznaczyło na nową przewodniczkę.

Chciałam wiedzieć, czy wyłączyła smutek jak prąd, czy może nadal tęskni za matką. I jak długo potrwa to uczucie.

Grant postanowił mnie ukarać, to jasne.

Spośród wszystkich kolegów musiał wybrać akurat mnie do opieki nad jakimś kretynem z Nowej Anglii, który miał się zjawić z tygodniową wizytą.

– Grant – powiedziałam. – Śmierć przewodniczki to rzadkość. Przecież wiesz, jakie to ważne dla moich badań.

Podniósł wzrok znad biurka.

– Tydzień cię nie zbawi.

Postanowiłam spróbować z innej beczki.

– Przecież mam dziś jechać z Owenem – przypomniałam.

Owen był weterynarzem. Mieliśmy założyć czujnik przewodniczce stada, pod kątem nowego badania prowadzonego przez zespół z uniwersytetu KwaZuluNatal. Innymi słowy: „Mam pełne ręce roboty".

– Świetnie! – oznajmił. – Gość na pewno chętnie popatrzy.

Tak znalazłam się przy bramie rezerwatu, czekając na przyjazd Thomasa Metcalfa z Boone w stanie New Hampshire.

Gościom zawsze towarzyszyło zamieszanie. Czasem były to grube ryby, sponsorzy czujnika do monitoringu, którzy zechcieli przyjechać z dziećmi i żonami na politycznie poprawną wersję safari, gdzie w miejsce zabijania usypiało się słonia w celu założenia mu czujnika, a następnie opijało własną wielkoduszność z kierownictwem. Czasami zdarzał się treser z zoo albo z cyrku; w takich przypadkach byli to na ogół kompletni idioci. Ostatni pajac, którego musiałam wozić przez dwa dni, okazał się dozorcą w filadelfijskim ogrodzie zoologicznym. Na widok wydzieliny z gruczołu skroniowego sześcioletniego samca oznajmił, że mały „ma ruję". Próbowałam go uświadomić („Serio? Sześcioletni samiec nie osiąga dojrzałości płciowej!"), ale wiedział swoje.

Przyznam, że kiedy Thomas Metcalf wyłonił się z afrykańskiej taksówki (podróż nią jest przeżyciem jedynym w swoim rodzaju, zwłaszcza za pierwszym razem), wyglądał inaczej, niż się spodziewałam. Był mniej więcej w moim wieku, nosił małe okrągłe okulary, które zaparowały mu od upału, więc na oślep sięgnął po walizkę. Zmierzył mnie wzrokiem, od zwichrzonego kucyka aż po różowe trampki.

– George? – spytał.

– A jak ci się zdaje?

George był jednym z moich współpracowników, chłopakiem, którego nikt nie podejrzewał o doktorat. Inaczej mówiąc, pośmiewiskiem ogółu. Dopóki ja nie zmieniłam specjalizacji.

– Hm. Wybacz. Spodziewałem się kogoś innego.

– Bardzo mi przykro – burknęłam. – Mam na imię Alice. Witaj w Northern Tuli Block.

Zaprowadziłam go do samochodu i ruszyliśmy nieoznakowanymi polnymi ścieżkami, które wiły się przez rezerwat. Po drodze palnęłam standardową mówkę wprowadzającą.

– Pierwsze słonie odnotowano tu w siedemsetnym roku naszej ery. Pod koniec dziewiętnastego wieku, kiedy miejscowi wodzowie dostali broń, populacja skurczyła się dramatycznie. Gdy zjawili się Wielcy Biali Myśliwi, słoni prawie nie było. Ich liczebność wzrosła dopiero po stworzeniu rezerwatu. Nasi pracownicy dyżurują siedem dni w tygodniu – dodałam. – Mimo indywidualnej pracy badawczej prowadzimy stałą obserwację stad, znamy poszczególne osobniki i śledzimy ich aktywność. A raz na miesiąc sporządzamy spis, bilans zgonów, narodzin i zapłodnień. Zbieramy dane o samcach w fazie dojrzałości płciowej, bilans opadów…

– Ile macie tu słoni?

– Około tysiąca czterystu – odparłam. – Nie wspominając o lampartach, lwach, gepardach…

– Nie mieści mi się to w głowie. Ja mam sześć słoni i uważam, że ciężko je rozróżnić, nie przebywając z nimi dzień w dzień.

Dorastałam w Nowej Anglii i wiedziałam, że szanse spotkania tam słonia na wolności są równe zeru, co oznaczało, że koleś prowadzi cyrk lub zoo (nie pochwalałam ani jednego, ani drugiego). Gdy treserzy mówią ci, że uczą słonie sztuczek, które są ich zachowaniem naturalnym, kłamią jak z nut. Na wolności słonie nie stają na tylnych nogach, nie chodzą, trzymając się za ogony ani w kółeczko. Na wolności słonie przebywają w odległości kilku metrów od siebie. Nieustannie się głaszczą, ocierają i oglądają jeden na drugiego. Relacja między człowiekiem a słoniem na uwięzi jest oparta na wyzysku.

Nie polubiłam Metcalfa na wstępie, a teraz znienawidziłam go dla zasady.

– Czym się tu zajmujesz? – zapytał.

– Jestem miejscową konsultantką Mary Kay.

– Pytałem o twoje badania.

Zerknęłam na niego kątem oka. Nie musiałam się spinać. Po pierwsze, dopiero go poznałam, a po drugie, miał nieporównywalnie mniejszą wiedzę. Moja specjalizacja wzbudzała jednak taką rezerwę, że szczerze wolałam nie poruszać jej tematu.

Głośny tupot wybawił mnie od odpowiedzi. Zaparłam się o kierownicę i wyhamowałam w ostatniej chwili.

– Trzymaj się – poradziłam.

– Niesamowite! – stęknął Thomas, a ja zrobiłam, co w mojej mocy, żeby nie wywrócić oczami. Tutaj człowiek oswaja się z takim widokiem. Dla turysty wszystko jest nowe, dla wszystkiego warto zwolnić, wszystko jest przygodą. Tak, żyrafa. Tak, niesamowita. Chyba że oglądasz ją po raz setny. – Czy to antylopy?

– Impale. Ale nazywamy je mcdonaldami.

Thomas wskazał na zad zwierzęcia, które zatrzymało się, aby skubnąć trawę.

– Z powodu tych znaczków?

Impale mają na tylnych nogach dwie czarne pionowe kreski i jeszcze jedną na krótkim ogonie, które faktycznie wyglądają jak logo pewnej sieci. Stanowią jednak główny pokarm drapieżników, stąd ksywka.

– Bo zjedzono ich ponad miliard.

Oto różnica między Afryką romantyczną a rzeczywistością. Turyści, którzy przyjeżdżają złaknieni krwi i mają szczęście ujrzeć lwicę w akcji, często milkną i spuszczają nosy na kwintę. Zobaczyłam, że Thomas blednie.

– Głowa do góry, Toto – powiedziałam. – To nie New Hampshire.

Kiedy czekaliśmy w obozie na Owena, weterynarza, wyłuszczyłam Thomasowi regulamin safari.

– Nie wysiadaj z samochodu. Nie stawaj w samochodzie. Zwierzęta postrzegają nas jako jedną całość, w pojedynkę możesz mieć kłopoty.

– Przepraszam za spóźnienie. Przewoziliśmy nosorożca, ale nie poszło tak gładko, jak się spodziewałem.

Owen Dunkirk przybiegł ze strzelbą i torbą. Był to kawał chłopa, który wolał strzelać z samochodu niż helikoptera. Kiedyś się dogadywaliśmy, dopóki nie zmieniłam obszaru zainteresowań. Owen reprezentował starą szkołę, wierzył w dowody i statystyki. Traktował moją specjalizację jak fanaberię na miarę wudu. Gdyby mógł, pewnie cofnąłby mi stypendium.

– Thomas – powiedziałam. – Poznaj Owena, naszego weterynarza. Owenie, to Thomas Metcalf. Przyjechał na kilka dni.

– Jesteś pewna, że dasz radę, Alice? – zapytał Owen. – Może zapomniałaś, jak zakłada się czujnik? Ostatnio pochłaniają cię nekrologi i słoniowe pieśni żałobne.

Zignorowałam tę szpilę i dziwne spojrzenie Thomasa.

– Zrobie to z zamkniętymi oczami – zapewniłam Owena. – A ty jesteś pewien, że trafisz? Ostatnio spudłowałeś. Nie dałeś rady celowi wielkości słonia.

Anya pojechała z nami. Przy zakładaniu czujnika potrzebowaliśmy dwóch badaczy i trzech samochodów, aby zapanować nad stadem. Za kierownicami pozostałych dwóch land roverów usiadło dwóch rangerów, z których jeden wytropił już stado Tebogo.

Zakładanie czujnika to sztuka sama w sobie. Nie lubię robić tego w czasie suszy ani latem, gdy temperatura jest zbyt wysoka. Słonie przegrzewają się tak szybko, że podczas usypiania trzeba kontrolować ich temperaturę. Aby bezpiecznie wycelować, weterynarz musi stać dwadzieścia metrów od słonia. Upadek przewodniczki wywołuje panikę, więc potrzeba zaangażowania ludzi doświadczonych, a nie żółtodziobów pokroju Thomasa Metcalfa, którzy mogą strzelić jakąś głupotę.

Gdy dotarliśmy do samochodu Bashiego, rozejrzałam się z zadowoleniem. Okolica nadawała się idealnie. Płaska i rozległa, dzięki czemu uciekająca słonica nie zrobi sobie krzywdy.

– Owen – powiedziałam. – Gotowy?

Pokiwał głową i załadował do magazynku M99.

– Anya, zabezpieczaj tyły, a ja pójdę od przodu. Bashi? Elvis? Chcemy pokierować stado na południe – dodałam. – Dobra, na trzy.

– Czekaj. – Thomas położył mi rękę na ramieniu. – A ja?

– Zostań w samochodzie i nie daj się zabić – poradziłam.

A potem o nim zapomniałam. Owen wystrzelił strzałkę ze środkiem paraliżującym, która trafiła prosto w zad Tebogo. Samica wzdrygnęła się i zapiszczała, zarzucając głową. Nie wyciągnęła strzałki. Nie pomógł jej w tym żaden ze słoni, co się czasami zdarzało.

Jej niepokój był jednak zaraźliwy. Stado zbiło się w gromadkę, część osobników przodem do nas, aby osłonić przewodniczkę. Część próbowała jej dotknąć. Rozległy się pomruki, które zatrzęsły ziemią, po policzkach słoni spłynęła tłustawa wydzielina. Tebogo przeszła kilka kroków i kiwnęła głową, po czym M99 dotarło do jej krwiobiegu. Zwiotczała, spuściła łeb, a następnie zakołysała na boki i zaczęła się osuwać na ziemię.

Musieliśmy działać szybko. Jeśli stado nie zostanie odciągnięte od powalonej przewodniczki, może zrobić jej krzywdę, próbując ją podnieść – skaleczyć kłem na przykład – bądź uniemożliwić nam podanie antidotum. Samica mogła upaść na gałąź, mogła upaść na trąbę. Sęk w tym, żeby nie okazywać strachu. Gdyby teraz słonie rzuciły się na nas, zmuszając do odwrotu, stracilibyśmy wszystko. Ze słonicą włącznie.

– Teraz! – krzyknęłam.

Bashi i Elvis zapuścili silniki. Klaskali, pohukiwali i gonili słonie samochodami, aby umożliwić nam podejście do przewodniczki. Kiedy zwierzęta odbiegły na bezpieczną odległość, Owen, Anya i ja wyskoczyliśmy z land rovera, pozostawiając spłoszone stado na głowie rangerów.

Mieliśmy zaledwie dziesięć minut. Od razu sprawdziłam, czy Tebogo leży na boku i czy nie ma niczego pod sobą. Założyłam jej ucho na oko, żeby ochronić przed kurzem i bezpośrednim słonecznym światłem. Patrzyła na mnie ze zgrozą.

– Ciii – powiedziałam kojąco.

Chciałam ją pogłaskać, ale wiedziałam, że nie mogę. Tebogo nie spała, była świadoma każdego odgłosu, zapachu i dotyku, które należało ograniczyć do minimum. Podparłam patyczkiem ścianki trąby, żeby mogła oddychać swobodnie (słoń nie oddycha pyskiem i może się udusić w razie ograniczonego dopływu powietrza). Tebogo leciutko pochrapywała, kiedy polewałam wodą dla ochłody jej ucho i całe ciało. Następnie założyłam jej obręcz na szyję – czujnik ulokowałam na karku – i zapięłam pod brodą, pozostawiając przestrzeń szerokości dwóch dłoni. Potem spiłowałam metalowe krawędzie. Anya błyskawicznie pobrała krew, maleńki wycinek skóry z ucha oraz włosy z ogona do badania DNA, zmierzyła stopy i temperaturę, kły oraz wzrost od stóp do łopatek słonicy. Owen dokonał szybkich oględzin, czy Tebogo nie doznała żadnych obrażeń, zbadał oddech. Na koniec sprawdziliśmy czujnik GPS, czy działa, jak należy.

Całość zajęła nam dokładnie dziewięć minut i trzydzieści cztery sekundy.

– Gotowe – powiedziałam, po czym zebrałyśmy z Anyą wszystkie przybory i zaniosłyśmy do samochodu.

Bashi i Elvis odjechali. Owen nachylił się nad Tebogo po raz ostatni.

– Proszę uprzejmie, ślicznotko – zagruchał i podał jej antidotum do ucha, prosto do krwiobiegu.

Odczekaliśmy, aż słonica wstanie. Trzy minuty później Tebogo dźwignęła się na nogi, potrząsnęła wielką głową i zatrąbiła na siostry. Podbiegła do stada przy wtórze rozgłośnych ryków, wzajemnego dotykania się i oddawania moczu. Wyglądało na to, że obręcz się trzyma.

Byłam spocona i rozczochrana. Miałam umazaną twarz i słoniową ślinę na koszuli. O istnieniu Thomasa Metcalfa zapomniałam kompletnie. Dopóki się nie odezwał.

– Owenie – zagaił. – Co to za środek? M99?

– Zgadza się – padła odpowiedź.

– Czytałem, że wystarczy draśnięcie, aby zabić człowieka.

– Owszem.

– Słonica nie spała, była tylko sparaliżowana, tak?

Weterynarz pokiwał głową.

– Chwilowo. Ale, jak sam widziałeś, jest cała i zdrowa.

– Mamy u nas słonicę o imieniu Wanda – zaczął Thomas. – W 1981 roku przebywała w zoo w Gainesville, gdy przez Teksas przeszła powódź. Większość zwierząt zginęła, ale po dwudziestu czterech godzinach ktoś zauważył ponad wodą jej trąbę. Dwa dni Wanda pozostawała w zanurzeniu, zanim woda opadła na tyle, żeby ją uratować. Potem bała się burz. Nie pozwalała opiekunom się kąpać. Jak ognia unikała kałuż. Tak trwało latami.

– Nie wiem, czy da się porównać dziesięciominutowy paraliż z dwudziestoczterogodzinną traumą – najeżył się Owen.

Thomas wzruszył ramionami.

– Cóż, nie jesteś słoniem.

Gdy land rover prowadzony przez Anyę podskakiwał na wybojach, popatrywałam ukradkiem na Thomasa Metcalfa. Niemal dał do zrozumienia, że słonie mają zdolność myślenia, czucia, chowania urazy, wybaczania. Wszystko to ocierało się o moje przekonania, te same, za które byłam tutaj wyśmiewana.

Podczas dwudziestominutowej jazdy słuchałam, jak opowiada Owenowi o swoim rezerwacie w Nowej Anglii. Wbrew moim przypuszczeniom Metcalf nie był ani treserem, ani pracownikiem zoo. Mówił o słoniach jak o rodzinie. Mówił o nich tak, jak… ja o swoich. Prowadził ośrodek, w którym zwierzęta, trzymane dotąd w niewoli, mogły w spokoju doczekać końca swoich dni. Przyjechał, by się dowiedzieć, jak jeszcze bardziej upodobnić ich życie do życia na wolności, jeśli powrót do Azji lub Afryki nie wchodzi w grę.

W życiu nie spotkałam kogoś takiego.

Po powrocie do obozu Owen z Anyą poszli do kwatery, by wprowadzić dane Tebogo. Thomas przystanął z rękami w kieszeniach.

– Nie ma sprawy, droga wolna – powiedział.

– Słucham?

– Rozumiem. Nie chcesz mnie niańczyć. Nie masz zamiaru się produkować. Nie jestem ślepy.

Dotarło do mnie, jak byłam wredna. Poczerwieniałam.

– Przepraszam . – Wzięłam cię za kogoś innego.

Spoglądał na mnie przez długą chwilę. Wreszcie się uśmiechnął.

– Za George'a? – zapytał.

– Co się z nią stało? – zapytałam później Thomasa, kiedy jechaliśmy sami. – Z Wandą?

– Trwało to dwa lata, a ja wymoczyłem się za wszystkie czasy, ale dziś nie chce wychodzić ze stawu.

Kiedy to powiedział, wiedziałam już, dokąd go zabiorę. Zredukowałam bieg, sunąc wyschniętym korytem rzeki, dopóki nie znalazłam tego, czego szukałam. Tropy słoni wyglądają jak diagramy Venna – odcisk tylnej nogi nachodzi na ślad pozostawiony przez przednią. Te były świeże; płaskie, lśniące kręgi, których nie zdążył przysypać piasek. Gdybym chciała, zapewne ustaliłabym, do kogo należą, zwracając uwagę na załamania. Pomnożenie średnicy tylnej stopy przez pięć i pół dałoby wzrost osobnika. A raczej osobniczki. Bo nie był to ślad pojedynczego samca, ale liczne ślady stada z młodymi.

Nie znajdowaliśmy się daleko od ciała Mmaabo. Byłam ciekawa, czy słonie ją mijały i co zrobiły.

Odsunęłam tę myśl i pojechałam wzdłuż śladu.

– Nigdy nie spotkałam nikogo, kto prowadziłby ośrodek dla słoni…

– A ja nikogo, kto założyłby słoniowi obrożę. Jesteśmy kwita.

– Co skłoniło cię do założenia rezerwatu?

– W 1903 roku na Coney Island była słonica imieniem Topsy. Pomogła zbudować park rozrywki, pozwalała na sobie jeździć i występowała w przedstawieniach. Któregoś dnia opiekun wrzucił jej do pyska papierosa. Naturalnie przypłacił to życiem, ale słonicę uznano za niebezpieczną. Właściciele Topsy postanowili ją uśmiercić i zwrócili się z tym do Thomasa Edisona, który usiłował uświadomić ludziom zagrożenia związane z prądem zmiennym. Podłączył słonicę do prądu, a ta wyzionęła ducha w ciągu paru sekund. – Spojrzał na mnie. – Na oczach tysiąca pięciuset osób. Między innymi mojego pradziadka.

– Czyli chciałeś się rozliczyć z przeszłością?

– Nie. W zasadzie przypomniałem sobie o tym dopiero w college'u, gdy któregoś lata pracowałem w zoo. Właśnie zakupiono tam słonia, Lucille. To było nie byle co, bo słonie zawsze stanowią atrakcję. Kierownictwo miało nadzieję, że dzięki Lucille ogród wyjdzie na prostą. Zatrudniono mnie jako pomocnika tresera, który miał doświadczenie ze zwierzętami cyrkowymi. – Thomas zerknął na drogę. – Czy wiesz, że nawet nie trzeba sieknąć słonia batem, żeby wymusić na nim posłuszeństwo? Wystarczy przyłożyć mu go do ucha, a zwierzę cofnie się z obawy przed bólem, gdyż wie, co je czeka. Jak łatwo się domyślić, strzeliłem niewybaczalną gafę, mówiąc, że słonie zdają sobie sprawę z krzywdy, jaką im wyrządzamy. I wyleciałem.

– Ja właśnie zmieniłam specjalizację. Chcę badać odczuwanie ich smutku po stracie.

Spojrzał na mnie.

– Są w tym lepsze od ludzi.

Wcisnęłam hamulec. Samochód przystanął.

– Moi współpracownicy nie przyznaliby ci racji. W sumie to nawet by cię wyśmiali. Tak jak nabijają się ze mnie.

– Dlaczego?

– W swoich badaniach używają czujników, pomiarów i danych. To, co dla jednego badacza jest percepcją, drugi uważa za uwarunkowanie, do którego nie potrzeba świadomości. – Odwróciłam się do Thomasa. – Ale powiedzmy, że mogłabym tego dowieść. Wyobrażasz sobie konsekwencje? Tak jak powiedziałeś Owenowi: czy etyczne jest podanie słonicy M99, jeśli jest w pełni świadoma tego, co robimy? Zwłaszcza jeśli potem następuje strzał w głowę podczas redukcji stada? Ale jeżeli od tego odstąpimy, jak zapanujemy nad populacją?

Spoglądał na mnie zafascynowany.

– Obroża, którą dziś założyłaś... Mierzy hormony? Poziom stresu? Czy słonica jest chora? Skoro zakładacie słoniom czujniki, możecie chyba przewidzieć ich śmierć?

– Nie możemy. Czujniki zakłada się w innym celu. Mają pomóc w określeniu promienia skrętu.

– A po kiego grzyba? – Thomas się roześmiał. – Dobre pytanie, co?

– Mówię poważnie.

– Serio? Ten ktoś od wskazań czujnika uważa, że jego badania mają większy sens od twoich? – Potrząsnął głową. – Wanda... Ta słonica, która omal nie utonęła, po przyjeździe do rezerwatu miała częściowo sparaliżowaną trąbę. Potrzebowała jakiegoś uspokajacza. Wszędzie ciągała za sobą oponę. W końcu jednak zaprzyjaźniła się z Lilly i opona przestała być jej aż tak niezbędna. Dopóki nie wstrząsnęła nią śmierć Tiny. Gdy pochowano Tinę, Wanda przytargała oponę i ułożyła ją na grobie. Niemal jak wieniec. A może chciała pocieszyć przyjaciółkę?

W życiu nie słyszałam tak wzruszającej opowieści. Byłam ciekawa, czy podopieczni Thomasa czuwali nad zwłokami bliskich. I czy zachowanie Wandy stanowiło normę, czy od niej odbiegało.

– Chcesz coś zobaczyć?

Błyskawicznie podjęłam decyzję; pojechałam okrężną drogą do ciała Mmaabo. Wiedziałam, że Grant wściekłby się na wieść, że pokazałam gościowi truchło; rangerów informowało się o zgonach między innymi dlatego, żeby oszczędzić turystom niezbyt miłego widoku.

Drapieżniki rozszarpały już ciało, nad którym aż roiło się od brzęczących much. Mimo to nieopodal stała w ciszy Onalenna z trzema innymi słoniami.

– To była Mmaabo – oznajmiłam. – Przewodniczka stada złożonego z około dwudziestu sztuk. Umarła wczoraj.

– A tamte to kto?

– Jej córka i część pozostałych. Opłakują ją – dorzuciłam wojowniczo. – Nawet jeśli nie potrafię tego dowieść.

– Mogłabyś to zmierzyć – stwierdził Thomas. – Są badacze, którzy pracowali z pawianami w Botswanie. Mierzyli im poziom stresu. Jeśli mnie pamięć nie myli, po śmierci jednego z pawianów próbki kału wykazały wzrost markerów stresu, zwłaszcza u osobników związanych z nieboszczykiem. Jeśli zatem pozyskasz materiał, a z tym raczej nie będzie problemu, i statystycznie wykażesz skok kortyzolu…

– Może to działa jak u ludzi, wzmagając produkcję oksytocyny? – uzupełniłam. – Tłumaczyłoby to z punktu widzenia biologii potrzebę bliskości po śmierci członka stada. Mamy naukowe uzasadnienie. – Utkwiłam w Thomasie zdumiony wzrok. – Jeszcze nigdy nie spotkałam kogoś, kto byłby takim fascynatem słoni jak ja!

– Zawsze musi być ten pierwszy raz – mruknął.

– Ty nie tylko prowadzisz rezerwat…

Pochylił głowę.

– Robiłem specjalizację z neurobiologii.

– To tak jak ja.

Wymieniliśmy spojrzenia, dokonując w sobie kolejnych odkryć. Zauważyłam, że Thomas ma zielone oczy i pomarańczowe obwódki wokół źrenic. Kiedy się uśmiechał, czułam się we własnym ciele jak uwięziona. Jakby i mnie podano środek paraliżujący.

Przerwały nam pomruki.

– Oho! – powiedziałam, otrząsając się z trudem. – Jak w zegarku.

– Co?

– Zobaczysz. – Nieśpiesznie ruszyliśmy po stromym wzniesieniu. – Kiedy podchodzisz do dzikich słoni – tłumaczyłam cicho – robisz to tak, jak chciałbyś, żeby robił to twój najgorszy wróg. Jak byś się czuł, gdyby nagle ktoś zaszedł cię od tyłu? Albo odgrodził od dziecka?

Zajechałam łukiem na płaskowyż i przystanęłam na krawędzi, skąd roztaczał się widok na pluskające się w stawie stado. Trzy słoniątka, jedno na drugim, dokazywały w kałuży błota; maluch na spodzie wydostał się spod kuzynów i posłał w górę fontannę. Ale nawet matki brodziły i chlapały, robiły fale i pławiły się z wyraźnym upodobaniem.

– To przewodniczka. – Wskazałam na Boipelo. – A to Akanyang, ze złożonym uchem. Matka Dineo. Dineo to ten zuch, który podcina nogi bratu, o tam. – Przedstawiłam Thomasowi każdego słonia po imieniu, kończąc na Kagiso. – Ma urodzić za miesiąc – poinformowałam go. – To jej pierwsze dziecko.

– Nasze dziewczęta też uwielbiają zabawy w wodzie – oznajmił Thomas z zachwytem. – Doszedłem do wniosku, że nauczyły się tego w zoo, gdzie robiły to dla zabicia czasu. Wydawało mi się, że w buszu gra toczy się wyłącznie o życie.

– No tak – przyznałam. – Ale zabawa to jego nieodłączny aspekt. Kiedyś widziałam, jak przewodniczka zjeżdża do wody na tyłku, dla zabawy.

Oparłam nogi na desce rozdzielczej, a Thomas patrzył. Jedno słoniątko rzuciło się bokiem w błoto, przewracając młodsze rodzeństwo, które zaprotestowało głośno. Matka zatrąbiła: „Spokój!".

– Właśnie to chciałem zobaczyć… – szepnął Thomas.

Spojrzałam na niego.

– Wodopój?

Potrząsnął głową.

– Gdy trafia do nas słonica, jest złamana. Robimy, co w naszej mocy, żeby ją poskładać. Ale robimy to na czuja, bo skąd mamy wiedzieć, jak jej życie wyglądało kiedyś? – Odwrócił się w moją stronę. – Masz szczęście, że oglądasz to na co dzień.

Nie powiedziałam mu, że widuję również osierocone słoniątka i tak dotkliwe susze, że słonie wyglądają jak obciągnięte skórą szkielety. Nie powiedziałam, że w porze suchej stada się rozdzielają, żeby nie walczyć z sobą o pokarm. Straszną śmierć Kenosiego też pominęłam milczeniem.

– Opowiedziałem ci swoją historię – odezwał się Thomas. – Choć ty nie powiedziałaś mi jeszcze, co sprowadziło cię do Botswany.

– Podobno ludzie, którzy pracują ze zwierzętami, są z natury niezbyt towarzyscy.

– Bez komentarza – zauważył z przekąsem.

Prawie wszystkie słonie zdążyły już wyjść z wody. Oprószyły piaskiem plecy, gotowe wyruszyć za przewodniczką, gdziekolwiek je powiedzie. Ostatnia samica podsadziła dziecko na stromy brzeg i podążyła jego śladem. Podążyły naprzód w bezgłośnym, synkopowym rytmie; zawsze uważałam, że słonie chodzą w takt muzyki, której nie słyszy nikt oprócz nich. Ale wnosząc z ruchu rozkołysanych bioder, stawiałabym na Barry'ego White'a.

– Pracuję ze słoniami, gdyż przypomina to obserwacje ludzi w kawiarni – powiedziałam. – Są zabawne. Wzruszające. Pomysłowe. Inteligentne. Boże, mogłabym wymieniać w nieskończoność! I mają w sobie tyle z nas! Obserwujesz stado i widzisz niesforne przedszkolaki, troskliwe mamy, rozkwitające nastoletnie dziewczynki, zawadiackich chłopaków. Nie mogłabym cały dzień patrzeć na lwy, ale na to mogę patrzeć całe życie.

– Ja chyba też – odparł Thomas, lecz gdy na niego spojrzałam, wcale nie patrzył na słonie.

Patrzył na mnie.

W obozie panował zwyczaj, że goście nie chodzą bez opieki. W porze kolacji rangersi albo badacze czekali na nich przed wejściem do ich domków, a następnie prowadzili z latarkami do jadalni. Był to nie tyle przejaw dobrych manier, ile pragmatyzmu; widziałam niejednego turystę uciekającego z krzykiem przed guźcem.

Gdy poszłam po Thomasa, zastałam drzwi otwarte na oścież. Zapukałam, po czym weszłam do środka.

W powietrzu wisiał zapach mydła po kąpieli. Wiatrak obracał się nad łóżkiem, mimo to upał był nie do wytrzymania. Thomas siedział przy biurku w bojówkach i w białym podkoszulku, z wilgotnymi włosami, świeżo ogolony. Z wprawą składał i rozkładał coś, co wyglądało jak kawałek papieru.

– Daj mi chwilę – poprosił, nie podnosząc głowy.

Czekałam, z palcami założonymi o szlufki. Kołysałam się na piętach.

– Proszę – oznajmił, odwracając się w moją stronę. – Dla ciebie.

Sięgnął po moją dłoń i wsunął w nią małego papierowego słonika z amerykańskiej dolarówki.

Podczas kolejnych dni zaczęłam postrzegać mój przybrany dom oczami Thomasa. Kwarc, migoczący w ziemi, niczym garść diamentów rozrzuconych dokoła. Symfonia ptaków, ustawionych według głosów na gałęziach drzewa mopane, pod batutą siedzącego opodal koczkodana. Strusie biegające jak starsze panie na obcasach; ich rozhuśtane pióropusze.

Rozmawialiśmy o wszystkim, począwszy od kłusownictwa w okręgu Tuli, aż po szczątkowe wspomnienia słoni i ich związek z zespołem stresu pourazowego. Puszczałam mu nagrania nawoływań godowych i zastanawialiśmy się wspólnie, czy istnieją inne odgłosy, na częstotliwościach, których nie słyszymy, przekazujące słoniom historię, którą zgromadziły w tajemniczy sposób – gdzie jest bezpiecznie, a gdzie nie, gdzie można znaleźć wodę, którędy prowadzi najkrótsza droga z punktu a do punktu b. Thomas opisywał transport słonia do rezerwatu z zoo lub cyrku, po tym jak uznano zwierzę za niebezpieczne, jak u słoni w niewoli narasta problem zapalenia płuc. Opowiedział mi o Olive, która występowała w telewizji i parkach rozrywki, po czym któregoś dnia zerwała się z łańcucha; podczas pościgu zginął zoolog. O Lilly, której złamana w cyrku noga nigdy się nie zrosła. Miał w rezerwacie afrykańską słonicę Hester, osieroconą wskutek redukcji w Zimbabwe, która dwadzieścia lat występowała w cyrku, dopóki jej treser nie uznał, że czas na emeryturę. Prowadził właśnie negocjacje w sprawie innej afrykańskiej słonicy, imieniem Maura, która – miał nadzieję – będzie towarzyszką dla Hester.

W zamian opowiadałam mu, że podczas gdy dzikie słonie zabijają przednimi nogami, miażdżąc ofiarę, wrażliwych tylnych stóp używają do głaskania leżących słoni. Jak zataczają nimi kręgi nad skórą, jakby wyczuwały coś, czego my możemy się tylko domyślać. Mówiłam o tym, że kiedyś przyniosłam do obozu fragment żuchwy samca i jeszcze tej samej nocy inny młody samiec, Kefentse, wdarł się na teren, zabrał kość z mojego ganku i odniósł ją na miejsce śmierci przyjaciela. I o tym, jak w pierwszym roku mojego pobytu japoński turysta, który oddalił się od obozu, zginął, zaatakowany przez słonia. Kiedy poszliśmy po ciało, zastaliśmy sprawcę nieruchomego nad zwłokami.

Wieczorem w przeddzień wyjazdu Thomasa zabrałam go tam, gdzie jeszcze nigdy nie zabierałam nikogo.

Na szczycie wzgórza rósł wielki baobab. Miejscowi wierzyli, że gdy Stwórca wezwał wszystkie zwierzęta, aby pomogły Mu zasadzić drzewa, hiena przyszła spóźniona. Za karę dostała do zasadzenia baobab, ale wściekła posadziła go do góry nogami, żeby wyglądał na opak – jakby jego korzenie muskały niebo, zamiast znajdować się pod ziemią. Słonie lubiły zajadać korę baobabu i szukały pod nim cienia. Nieopodal tkwiły rozrzucone stare kości słonia imieniem Mothusi.

Patrzyłam, jak Thomas zastyga, kiedy uświadomił sobie, co widzi. Kości lśniły w słońcu.

– Czy to...

– Owszem. – Zaparkowałam land rovera i wysiadłam, dając znak, aby Thomas zrobił to samo. O tej porze dnia nie było zagrożenia.

Ostrożnie krążył wokół szczątków, oglądając długie obręcze żeber i przesuwając palcami po ażurowym wnętrzu kości biodrowej.

– Mothusi zmarł w 1998 roku – powiedziałam. – Ale jego stado wciąż tutaj zagląda. Cichnie, jakby pogrążało się w zadumie. Tak jak my, gdy stajemy nad czyimś grobem.

Schyliłam się, podniosłam dwa kręgi i dopasowałam je do siebie.

Część kości została rozwłóczona przez drapieżniki, a czaszka Mothusiego znajdowała się w obozie. Pozostałe fragmenty szkieletu pobielały tak, że wyglądały niczym spienione grzywy fal. Bez większego namysłu zaczęliśmy je zbierać, aż powstała sterta u naszych stóp. Z wysiłkiem podniosłam długą kość udową. Działaliśmy w milczeniu, mocując się z układanką, która nas przerastała.

Gdy skończyliśmy, Thomas wziął patyk i obrysował nim szkielet.

– Proszę – oznajmił, cofając się o krok. – Uwinęliśmy się w godzinę z tym, na co natura potrzebowała czterdziestu milionów lat.

Otaczał nas spokój, niczym kokon z waty. Słońce zachodziło, przenikając przez chmury.

– Możesz ze mną wrócić – oświadczył niespodziewanie Thomas. – W moim rezerwacie zobaczyłabyś dużo smutku. I twoja rodzina musi za tobą tęsknić.

Poczułam ucisk w piersi.

– Nie mogę.

– Dlaczego?

– Widziałam, jak zabito słoniątko w obecności matki. Niezbyt małe, prawie dorosłe. Trwała przy nim całymi dniami. Kiedy to zobaczyłam, coś... Coś się we mnie zmieniło. – Zerknęłam na Thomasa. – Smutek po stracie nie kryje żadnej biologicznej korzyści. W buszu może być wręcz niebezpieczny, no bo kto to widział pościć i sterczeć w miejscu bez uzasadnionej potrzeby? Zachowanie tamtej samicy nie zasługiwało na miano uwarunkowanego. Był to smutek w najczystszej postaci.

– Nie przebolałaś tego malca – stwierdził.

– Na to wygląda.

– A jego matka?

Nie odpowiedziałam. Widywałam Lorato od śmierci Kenosiego; zajmowała się młodszymi dziećmi, powróciła do roli przewodniczki stada. Otrząsnęła się. Ja nie byłam w stanie.

– Mój ojciec zmarł w zeszłym roku – dorzucił Thomas. – Wciąż wypatruję go w tłumie.

– Bardzo mi przykro.

Wzruszył ramionami.

– Moim zdaniem smutek jest jak brzydka wersalka. Trwa. Możesz go upiększać, przykryć narzutą, wepchnąć w kąt, ale koniec końców uczysz się z nim żyć.

Słoniom udało się pójść o krok dalej, pomyślałam. Nie krzywiły się, ilekroć wchodziły do pokoju i ich wzrok padał na tę wersalkę. Mówiły: „A pamiętasz, ile mamy związanych z nią miłych wspomnień?". Posiedziały na niej chwilę i maszerowały gdzie indziej.

Może zaczęłam płakać, nie pamiętam. Ale Thomas stał tak blisko, że czułam zapach mydła. Widziałam pomarańczowe iskry wokół tęczówek.

– Alice... Kogo straciłaś?

Zamarłam. Tu nie chodziło o mnie. Nie pozwolę, żeby tak myślał.

– Czy to dlatego odpychasz ludzi? – wyszeptał. – Żeby nie mogli cię zranić, kiedy podejdą zbyt blisko, a potem znikną?

Ten prawie nieznajomy znał mnie lepiej niż ktokolwiek inny w Afryce. Znał mnie lepiej niż ja siebie. Bo tak naprawdę nie interesowało mnie to, jak radzą sobie ze stratą słonie, tylko jak nie radzi sobie z nią człowiek.

A ponieważ nie chciałam zapomnieć, ponieważ nie wiedziałam jak, objęłam Thomasa Metcalfa. Pocałowałam go w cieniu baobabu, z odwróconymi korzeniami i z korą, którą można zedrzeć sto razy, a odrośnie i tak.

Jenna

Ściany ośrodka, w którym mieszka tata, są pomalowane na fioletowo. Odcień kojarzy mi się z Dinem, obleśnym dinozaurem Flintstone'ów, ale podobno jakiś bardzo uznany psychiatra napisał cały doktorat na temat leczenia kolorami. I ten znalazł się na pierwszym miejscu.

Kiedy wchodzimy, pielęgniarka dyżurna patrzy prosto na Serenity. W sumie nawet to logiczne, bo wyglądamy jak rodzina. Chociaż może trochę dysfunkcyjna.

– W czym mogę pomóc? – pyta.

– Przyszłam do taty – oznajmiam.

– Do Thomasa Metcalfa – dorzuca Serenity.

Znam tu kilka pielęgniarek, ale tę widzę pierwszy raz, pewnie dlatego mnie nie poznaje. Kładzie na blacie listę, żebyśmy się wpisali, ale zanim sięgam po długopis, słyszę w korytarzu głos ojca.

– Tato? – wołam.

Pielęgniarka robi znudzoną minę.

– Nazwisko? – pyta.

– Wpisz nas. Spotkamy się w sali 124 – rzucam do Serenity i puszczam się biegiem.

Słyszę, że Virgil biegnie za mną.

– Serenity Jones – dobiega z tyłu głos jasnowidzki, gdy wpadam do pokoju taty.

Szarpie się z dwoma rosłymi pielęgniarzami.

– Puśćcie mnie, na miłość boską! – wrzeszczy. Jego wzrok pada na mnie. – Alice! Powiedz im, kim jestem!

Na podłodze leży rozbite radio, które wygląda, jakby ktoś rzucił nim przez pokój; części sterczą ze środka jak bebechy. Wokół przewróconego śmietnika walają się zmięte papierowe kubki, zbitki taśmy klejącej i skórka od pomarańczy. Ojciec trzyma w ręku pudełko płatków śniadaniowych. Ściska je kurczowo, jakby nie chciał się z nim rozstać.

Virgil nie odrywa od niego wzroku. Mogę sobie tylko wyobrazić, co widzi – zapuszczonego faceta o zwichrzonych, śnieżnobiałych włosach. Chudego, narwanego i bez piątej klepki.

– Bierze cię za Alice? – pyta kątem ust.

– Thomas... – perswaduję, podchodząc bliżej. – Jestem pewna, że panowie zrozumieją. Tylko się uspokój.

– Jak mam się uspokoić, jeśli próbują wykraść moje badania?

Serenity staje w progu i na widok sceny zastyga jak słup soli.

– Co się tu dzieje?

Pielęgniarz z jasną szczeciną na głowie podnosi wzrok.

– Trochę się wzburzył, kiedy próbowaliśmy wyrzucić puste pudełko po płatkach.

– Przestań się szarpać, Thomas, a na pewno pozwolą ci zatrzymać twoje... badania – mówię.

Ku mojemu zdziwieniu tata daje za wygraną. Pielęgniarze puszczają go. Opada na krzesło, przyciskając do piersi głupi kartonik.

– Już dobrze – mamrocze.

– Ma bzika na punkcie poduszeczek czekoladowych – bąka pod nosem Virgil.

Serenity piorunuje go wzrokiem.

– Bardzo dziękuję – mówi znacząco do pielęgniarzy, którzy zbierają rozrzucone śmieci.

– Nie ma za co, proszę pani – odpowiada jeden. Drugi poklepuje tatę po ramieniu.

– Spokojnie, stary – rzuca pojednawczo.

Tata czeka, póki nie wyjdą, po czym wstaje i łapie mnie za ramię.

– Alice, nie masz pojęcia, co odkryłem! – Nagle jego wzrok wędruje ponad moim ramieniem. Bierze na celownik pozostałych. – Co to za jedni?

– Przyjaciele – odpowiadam.

Wydaje się, że to mu wystarcza.

– Zobacz. – Wskazuje na kartonik.

Widzę kolorowy rysunek przedstawiający coś, co wygląda jak żółw i ogórek z nogami, a w chmurce napis.

CZY WIESZ, ŻE...

...krokodyle nie mogą wystawiać języka?

...pszczoły mają na oczach włosy, które pomagają im zbierać pyłek?

...Anjana, szympansica z rezerwatu w Karolinie Południowej, wychowała młode białego tygrysa, lamparta i lwa, bawiąc się z nimi i karmiąc je z butelki?

...słoń Koshik potrafi powiedzieć sześć słów po koreańsku?

– Nie mówi, rzecz jasna – prostuje ojciec. – Naśladuje opiekunów. Sprawdziłem dziś w Google, po tym jak ta durna Louise w końcu zlazła z komputera po osiągnięciu kolejnego poziomu w Candy Crush. Niesamowite jest to, że nauczył się komunikować najwyraźniej ze względów towarzyskich. Trzymano go z dala od pozostałych słoni i miał do czynienia wyłącznie z ludźmi. Czy wiesz, co to znaczy?

Zerkam na Serenity i wzruszam ramionami.

– Nie. Co?

– No cóż, jeśli istnieje udokumentowany dowód, że słoń nauczył się naśladować ludzką mowę... Czy potrafisz sobie wyobrazić, jak to wpłynie na teorie dotyczące ich umysłów?

– À propos teorii... – wtrąca Virgil.

– W czym pan się specjalizuje? – pyta ojciec.

– Virgil zajmuje się... antropologią – rzucam na chybił trafił. – A Serenity komunikacją.

Ojciec się rozjaśnia.

– Poprzez jakieś medium?

– Owszem – odpowiada Serenity.

Ojciec na chwilę traci wątek, lecz po chwili brnie dalej.

– Teoria umysłu obejmuje dwa główne założenia: świadomość własnej odrębności, myśli, uczucia i zamiary oraz świadomość odrębności pozostałych istot, które nie mają wglądu w twoje myśli – i vice versa – dopóki nie zostaną one przekazane. Ewolucyjna korzyść oparta na zdolności przewidywania zachowań jest ogromna. Na przykład możesz markować kontuzję, ale jeśli ktoś nie wie, że udajesz, nakarmi cię i otoczy opieką. Nie będziesz musiał kiwnąć choćby palcem. Ludzie nie rodzą się z taką umiejętnością, tylko jej nabywają. Wiemy, że dla istnienia teorii umysłu konieczne jest wykorzystanie neuronów lustrzanych. I wiemy, że neurony lustrzane uaktywniają się wówczas, gdy zadanie wymaga zrozumienia innych poprzez naśladownictwo. I w trakcie nauki języka. Jeśli Koshik to robi… Czyż nie oznacza to, że pozostałe emocje, za które neurony odpowiadają u ludzi – jak na przykład empatia – są obecne również u słoni?

Gdy go słucham, przychodzi mi do głowy, że kiedyś musiał być nieprawdopodobnie łebski. Nietrudno zgadnąć, dlaczego matka się w nim zakochała.

I przypominam sobie, po co tu przyszliśmy.

Ojciec odwraca się do mnie.

– Trzeba napisać do autorów artykułu – przekonuje. – Alice, masz pojęcie, jaki to będzie miało wpływ na moje badania? – Wyciąga ręce (czuję, jak Virgil sztywnieje), obejmuje mnie i okręca wokół siebie.

Wiem, że bierze mnie za mamę. I wiem, że przechodzą mnie od tego ciarki. Ale czasem miło się przytulić do taty, bez względu na powód.

Puszcza mnie. Muszę przyznać, że dawno nie widziałam go tak nakręconego.

– Doktorze Metcalf – mówi Virgil. – Wiem, że to dla pana bardzo ważne, ale czy nie zechciałby pan odpowiedzieć przy okazji na kilka pytań o noc zaginięcia Alice?

Ojciec zaciska zęby.

– O czym pan mówi? Przecież ona tu stoi.

– To nie Alice – uświadamia mu Virgil. – To pańska córka, Jenna.

Tata potrząsa głową.

– Moja córka jest mała. Proszę posłuchać, nie wiem, o co panu chodzi, ale…

– Przestań go denerwować – wtrąca Serenity. – W takim stanie nic z niego nie wyciągniesz.

– Nie wyciągniesz? – Ojciec podnosi głos. – Pan też przyszedł mnie okraść? – Rzuca się na Virgila, który łapie mnie za rękę i stawia między nami. Tuż na wprost ojca.

– Niech pan na nią spojrzy! – rozkazuje. – Proszę się przyjrzeć.

Mija pięć sekund, zanim tata reaguje. Wierzcie mi, pięć sekund to bardzo długo. Stoję, patrząc, jak nozdrza pęcznieją mu z każdym oddechem i jak podskakuje mu grdyka.

– Jenna? – szepcze.

Przez ułamek sekundy, kiedy na mnie patrzy, wiem, że nie widzi matki, tylko – jak on to ujął? – odrębną istotę, z własnymi myślami, uczuciami i zamiarami. Zauważa, że istnieję.

A potem znów zamyka mnie w uścisku, ale inaczej – czule i w osłupieniu, jakby chciał osłonić mnie przed całym światem. Czyli, jak na ironię, robi to samo, co ja do tej pory. Jego ręce opasują moje plecy jak skrzydła.

– Doktorze Metcalf – mówi Virgil. – Wracając do pańskiej żony…

Ojciec odsuwa mnie na odległość ramienia i odwraca wzrok w jego stronę. I to wystarcza, aby łącząca nas wątła nić uległa zerwaniu. Gdy ponownie zwraca się do mnie, wiem, że wcale mnie nie widzi. Ba, wcale nie patrzy na moją twarz.

Wzrok ma utkwiony w kamyku dyndającym na łańcuszku na mojej szyi.

Powoli podnosi wisiorek. Obraca go w palcach. Dostrzegam błysk miki.

– Mojej żony… – powtarza.

Zaciska dłoń na łańcuszku i zrywa go gwałtownie. Naszyjnik ląduje na podłodze, a ojciec tak mocno daje mi w twarz, że lecę przez pokój.

– Ty szmato – mówi.

Alice

Tę historię opowiedział mi weterynarz Owen. Kilka lat temu badacze wyjechali w teren z zamiarem założenia słoniowi czujnika. Wzięli na celownik konkretną samicę i wystrzelili do niej z samochodu M99. Tak jak się spodziewali, padła na ziemię. Ale stado skupiło się wokół niej i nie pozwoliło się przepłoszyć rangerom. Czujnika, oczywiście, nie udało się założyć, więc badacze odczekali chwilę, żeby sprawdzić, co się stanie.

Dokoła powalonej samicy utworzyły się dwa kręgi. Zewnętrzny stał nieruchomo tyłem do niej, zwrócony ku samochodom. Ale za jego plecami stał wewnętrzny, którego naukowcy nie widzieli dokładnie, gdyż ten pierwszy przesłaniał im widok. Słyszeli za to szelest, krzątaninę i trzask gałęzi. Nagle, jak na komendę, stado się odsunęło. Samica trafiona strzałką leżała na boku, obficie przysypana ziemią i połamanymi gałązkami.

Po porodzie słonica obsypuje słoniątko ziemią, żeby stłumić zapach krwi, który bardzo przyciąga drapieżniki. Jednakże ta słonica nie była zakrwawiona. Podobno słonie przysypują zwłoki również w celu zamaskowania trupiego zapachu, ale ja w to nie wierzę. Mają tak wrażliwe powonienie, że z pewnością odróżniłyby martwego słonia od trafionego środkiem paraliżującym.

Oczywiście, byłam świadkiem zasypywania martwych towarzyszy lub słoniątka; często mamy do czynienia z tym zachowaniem w przypadku śmierci niespodziewanej lub gwałtownej. Nieżyjący zaś niekoniecznie musi być słoniem. Pewien badacz, który przyjechał do rezerwatu z Tajlandii, opowiedział nam historię indyjskiego samca z firmy organizującej safari na słoniach. Zwierzę zabiło kornaka, który opiekował się nim od piętnastu lat. Stało się to w trakcie *musth*, rui u samic. Słowo to w hindi oznacza „obłęd"; hormony biorą wówczas górę nad umysłem. Po ataku słoń natychmiast uspokoił się i wycofał, zupełnie jakby wiedział, że zrobił coś złego. Jeszcze bardziej intrygujące było zachowanie samic, które przysypały kornaka ziemią i gałęziami.

Tydzień przed opuszczeniem przeze mnie na zawsze Botswany pracowałam do upadłego. Obserwowałam Kagiso przy martwym synu, sporządziłam notatki na temat śmierci Mmaabo. Któregoś upalnego dnia wysiadłam z jeepa, żeby rozprostować nogi, i położyłam się pod baobabem, pod którym ostatnio byłam z Thomasem.

Nie sypiam gdzie popadnie. Mam dosyć rozumu, żeby nie wysiadać z land rovera w miejscach uczęszczanych przez słonie. Lecz nawet nie pamiętam, kiedy przymknęłam oczy. A gdy się obudziłam, mój ołówek i notes leżały gdzieś na ziemi, w oczach i ustach miałam piasek, we włosach liście. Leżałam przysypana gałęziami.

Słoni, które to zrobiły, nie było w zasięgu wzroku. Pewnie to i dobrze. Bo równie dobrze mogłam zginąć.

Nie znajduję usprawiedliwienia ani na tę nagłą śpiączkę, ani na zaćmienie umysłu, prócz jednego – nie byłam sobą. Byłam kimś więcej.

Jak na ironię, słonie, które zobaczyły mnie śpiącą, uznały, że nie żyję, choć w istocie byłam pełna życia. A dokładnie, w dziesiątym tygodniu.

Serenity

Kiedyś zaprosiłam do programu lekarza, który opowiadał o nadludzkiej sile, jaka towarzyszy nam w podbramkowych chwilach, gdy ludzie robią rzeczy niezwykłe. Na przykład podnoszą samochód, aby wydostać spod niego ukochaną osobę. Wspólnym mianownikiem był stres powodujący przypływ adrenaliny, która z kolei pchała do przekraczania granic możliwości własnych mięśni.

Tamtego dnia gościłam w studio kilka osób. Angelę Cavallo, która zdjęła ze swojego syna Tony'ego chevy'ego impalę rocznik 1964, Lydię Angyiou, która w obronie siedmioletniego syna powaliła w Quebecu niedźwiedzia polarnego, a także DeeDee i Dominique Proulx, dwunastoletnie bliźniaczki, które uwolniły dziadka spod traktora przewróconego na stromym wzniesieniu. „To było szaleństwo", opowiadała mi DeeDee. „Potem poszłyśmy i próbowałyśmy ruszyć ten traktor. Ani drgnął".

Myślę tak samo, gdy Thomas Metcalf uderza Jennę w twarz. W jednej chwili patrzę jak widz, a w drugiej odpycham go, rzucam się szczupakiem i ratuję małą przed upadkiem.

Patrzy na mnie, równie zdziwiona jak ja.

– Mam cię – oznajmiam z naciskiem. Można to rozumieć na wszelkie sposoby.

Nie jestem matką, lecz być może mam odegrać taką rolę?

Z kolei Virgil uderza Thomasa z taką siłą, że ten wali się z powrotem na krzesło. Wpada pielęgniarka i jeden z pielęgniarzy, zwabieni hałasem.

– Trzymaj go! – komenderuje pielęgniarka, a mężczyzna obezwładnia chorego. Kobieta patrzy na mnie.
– W porządku?

– Tak – odpowiadam.

Jenna i ja stajemy na nogi.

Tak naprawdę wcale nie jest w porządku. Jenna ostrożnie dotyka rozpalonego policzka, a mnie się zbiera na wymioty. Czy kiedykolwiek mieliście wrażenie, że powietrze jest zbyt ciężkie lub że przeszył was niemający przyczyny dreszcz? To intuicja somatyczna. Dawniej miałam bardzo rozwiniętą empatię – wchodziłam do pokoju, symbolicznie moczyłam palec w energii jak w wodzie i już wiedziałam, czy jest dobra, czy zła, czy przechodził tamtędy morderca i czy smutek powleka ściany jak warstwy farby. Thomasa Metcalfa otacza coś dziwnego. Czuję to przez skórę.

Jenna próbuje być dzielna, ale oczy ma szkliste. Virgil odrywa się od ściany; wzburzenie aż go roznosi. Gdyby nie zaciśnięte zęby, zapewne zacząłby miotać przekleństwa pod adresem ojca małej. Wypada z sali jak huragan.

Zerkam na Jennę. Patrzy na ojca, jakby widziała go po raz pierwszy. Poniekąd może to i prawda.

– Co robimy? – pytam pod nosem.

Pielęgniarka łypie w moją stronę.

– Myślę, że podamy mu środek uspokajający. Radzę wrócić później.

Nie mówiłam do niej, ale nic nie szkodzi. Może to nawet lepiej dla Jenny, że wyjdziemy od ojca, który jeszcze nie przeprosił. Biorę ją pod rękę, mocno przyciskam do siebie jej ramię, i wyprowadzam małą z sali. Od razu robi mi się lżej na sercu.

Na korytarzu ani śladu Virgila, w recepcji tak samo. Prowadzę Jennę obok innych pacjentów, którzy gapią się na nią. Przynajmniej ich opiekunowie mają dosyć taktu, aby udawać, że nie widzą jej opuchniętego policzka i nie słyszą tłumionego szlochu.

Virgil spaceruje przy moim samochodzie. Na nasz widok podnosi głowę.

– To był głupi pomysł. – Bierze Jennę pod brodę, ogląda jej twarz. – Będziesz miała limo.

– Fajnie – odpowiada bez entuzjazmu. – Babcia się ucieszy.

– Powiedz jej prawdę – proponuję. – Tata jest rozchwiany. Można się było tego spodziewać…

– Wiedziałem! – wybucha Virgil. – Wiedziałem, że Metcalf ma skłonności do przemocy!

Patrzymy na niego.

– Że co proszę? – pyta Jenna. – Mój tata nie ma skłonności do przemocy.

Virgil unosi jedną brew.

– Ma – powtarza. – Najwięksi psychopaci, jakich widziałem, urządzali burdy w domu! Przy ludziach są do rany przyłóż, ale w domu dają czadu. Podczas śledztwa wyszło w praniu, że twój tata zadręczał matkę. Wspomniał o tym inny pracownik rezerwatu. Ojciec niewątpliwie wziął cię za Alice. A to oznacza…

– …że mama mogła uciec, bo bała się o siebie – uzupełnia Jenna. – I nie miała nic wspólnego ze śmiercią Nevvie Ruehl.

Dzwoni komórka Virgila. Detektyw odbiera i pochyla się, żeby lepiej słyszeć. Kiwa głową i odchodzi na bok.

Jenna podnosi wzrok.

– Ale to nie tłumaczy, ani dokąd wyjechała, ani dlaczego nie próbowała po mnie wrócić.

Utknęła, przychodzi mi do głowy niespodziewanie.

Wciąż nie wiem, czy Alice Metcalf nie żyje, lecz z całą pewnością zachowuje się jak widmo, które obawia się osądu za swoje zachowania za życia.

Wraca Virgil, ratując mnie od odpowiedzi.

– Moi rodzice byli szczęśliwym małżeństwem – oświadcza Jenna.

– Miłości życia nie nazywa się szmatą – wali bez ogródek Virgil. – Dzwoniła Tallulah z laboratorium. Wymaz twojej śliny pasuje do próbki włosów. To Alice była rudzielcem, który towarzyszył Nevvie w ostatnich chwilach życia.

Ku mojemu zdumieniu Jenna sprawia wrażenie bardziej rozzłoszczonej niż zmartwionej tą informacją.

– Słuchaj, może się zdecydujesz? W końcu to moja matka jest tym bezlitosnym mordercą czy ojciec? Wściec się można od tych twoich teorii!

Virgil patrzy na jej podbite oko.

– Może Thomas rzucił się na Alice, a ona uciekła do zagrody dla słoni. A Nevvie robiła, co tam do niej należało, i niechcący weszła mu w drogę. Poczucie winy z powodu morderstwa często powoduje utratę kontaktu z rzeczywistością. Być może przez to wylądował w ośrodku...

– Jasne – przerywa mu Jenna drwiąco. – Ale najpierw namówił słonia, żeby ten podeptał Nevvie w celu nadania sprawie pozorów wypadku. Bo wiesz, słonie są do tego specjalnie szkolone.

– Było ciemno. Słoń mógł nadepnąć na zwłoki niechcący...

– Dwadzieścia albo trzydzieści razy? Ja też czytałam wyniki sekcji. Poza tym nie masz dowodu, że tata był wtedy w zagrodzie.

– Na razie – podkreśla Virgil.

Jeśli pokój Thomasa Metcalfa przyprawił mnie o gęsią skórkę, obecność tych dwojga sprawia, że zaraz eksploduje mi głowa.

– Szkoda, że nie ma z nami Nevvie – wtrącam pogodnie. – Byłaby świetnym źródłem informacji.

Jenna robi krok w stronę Virgila.

– Wiesz, co ja myślę?

– A czy to ma znaczenie? I tak mi powiesz...

– Myślę, że oskarżasz wszystkich wokół, aby nie musieć przyznać, że wtedy nawaliłeś.

– A ja myślę, że jesteś rozwydrzoną smarkulą, która boi się otworzyć puszkę Pandory i zajrzeć do środka.

– Wiesz co? – mówi Jenna. – Jesteś zwolniony.

– Wiesz co? – odkrzykuje Virgil. – Odchodzę.

– No i dobrze.

– Świetnie.

Jenna odwraca się na pięcie i biegnie przed siebie.

– I co ja mam robić? – pyta Virgil. – Obiecałem przecież, że odnajdę jej mamę. Nie twierdziłem, że spodoba się jej to, co zobaczy. Boże, ten bachor doprowadza mnie do szału!

– Wiem.

– Pewnie matka miała jej dosyć. – Krzywi się z niechęcią. – Nie chciałem tego powiedzieć. Jenna ma rację. Gdybym dziesięć lat temu zaufał intuicji, nie byłoby nas tutaj.

– Pytanie, czy byłaby Alice Metcalf.

Chwilę się nad tym zastanawiamy. Czuję na sobie jego wzrok.

– Ktoś z nas powinien za nią pójść. Ktoś, czyli ty – mówi.

Wyciągam z torebki kluczyki i otwieram samochód.

– Wiesz co? Kiedyś przesiewałam informacje, które dostawałam od duchów. Jeżeli uznałam, że będą dla klienta bolesne, zachowywałam je dla siebie. Jakbym ich nigdy nie słyszała. Lecz w końcu zdałam sobie sprawę, że to nie moja sprawa. Że moją rolą jest przekazać je w całości.

Virgil mruży oczy.

– Czyli zgadzasz się ze mną czy nie?

Siadam za kierownicą, włączam silnik i opuszczam szybę.

– Mówię tylko, że nie trzeba być brzuchomówcą. Wystarczy być kukłą.

– Chciałaś mnie obrazić, tak?

– Trochę – przyznaję. – Ale próbuję również dać ci do zrozumienia, że nie musisz za wszelką cenę panować nad sytuacją. Poczekaj, aż się rozwinie.

Virgil osłania oczy dłonią i patrzy za Jenną.

– Nie wiem, czy Alice ratowała siebie, czy odebrała życie komuś innemu. Ale gdy poszliśmy wtedy do rezerwatu,

Thomas utrzymywał, że ukradła mu badania. Zupełnie tak jak dzisiaj.

– Myślisz, że dlatego próbował ją zabić?

– Nie – odpowiada Virgil. – Moim zdaniem zrobił to, ponieważ go zdradzała.

Alice

Nie znam lepszej matki niż słonica.

Przypuszczam, że gdyby ludzka ciąża trwała dwa lata, wszystkie byłybyśmy lepszymi matkami. Słoniątko może rozrabiać, podkradać matce pokarm, ociągać się lub utknąć w błocie, ale cierpliwość jego matki nie zna granic. Dziecko jest dla słonia najcenniejszym skarbem.

Odpowiedzialność za opiekę nad młodymi spoczywa na całym stadzie. Podczas marszu jego członkowie otaczają je kręgiem. Gdy mijają jeden z naszych pojazdów, maluch znajduje się po wewnętrznej, matka zaś osłania go własnym ciałem. Jeśli ma jeszcze córkę, sześć do dwunastu lat starszą, często biorą malca między siebie. Zdarza się, że siostra podchodzi do samochodu, potrząsając głową, jakby ku przestrodze: „Ani mi się waż, to mój braciszek!". Kiedy słońce staje w zenicie i przychodzi pora drzemki, dzieci śpią pod baldachimem wielkich ciał matek, ponieważ ich skóra jest bardziej wrażliwa na słońce.

Opiekują się nimi wszyscy solidarnie, i podobnie jak w każdym innym przypadku istnieje po temu biologiczne uzasadnienie: jeśli potrzebujesz dziennie sto pięćdziesiąt kilogramów jedzenia i masz ruchliwe dziecko, nie nadążysz za nim, zaspokajając przy tym wszystkie swoje potrzeby, konieczne do jego wykarmienia. Wspólna opieka jest zarazem szkołą dla młodych samic – uczy je, jak zajmować się dzieckiem, jak je chronić oraz jak zapewnić mu przestrzeń, nie narażając go przy tym na zagrożenia.

Dlatego teoretycznie można powiedzieć, że słoń ma wiele matek. A jednak więź szczególna i nietykalna łączy go z tą biologiczną.

W buszu słoniątko poniżej drugiego roku życia nie przetrwa bez matki.

W buszu zadaniem matki jest nauczenie córki wszystkiego, co przygotuje ją do roli matki.

W buszu matka pozostaje z córką do czasu, aż jedna z nich umrze.

Jenna

Idę wzdłuż autostrady, kiedy słyszę na żwirze chrzęst opon hamującego samochodu. Serenity, bo któż by inny. Nachyla się i otwiera drzwi od strony pasażera.

– Chociaż cię podrzucę – mówi.

Zaglądam do samochodu. Na szczęście nie ma w nim Virgila. Co wcale nie znaczy, że mam ochotę na pogawędkę z Serenity, która będzie mi wmawiać, że on tylko robi to, co do niego należy. Lub, co gorsza, ma rację.

– Wolę się przejść – burczę.

Migają światła i za samochodem Serenity przystaje policjant.

– Świetnie – wzdycha Serenity. I dorzuca pod moim adresem: – Ładuj się do cholernego samochodu, Jenna.

Policjant jeszcze nie wyrósł z trądziku. Włosy lśnią mu od żelu jak grzywa Elvisa.

– Dzień dobry – mówi. – Jakiś problem?

– Tak – oświadczam.

– Nie – odpowiada w tej samej chwili Serenity.

– Nic się nie stało – dodaję.

Serenity zgrzyta zębami.

– Kotku, wskakuj do samochodu.

Policjant marszczy brwi.

– Słucham?

Z głośnym westchnieniem wsiadam do volkswagena.

– Dziękuję – mówi Serenity, po czym włącza lewy kierunkowskaz i toczy się z zawrotną prędkością dziesięciu kilometrów na godzinę.

– Szybciej doszłabym na piechotę – mamroczę.

Rozglądam się po rzeczach zaśmiecających wnętrze: gumki do włosów, papierki po gumach, rachunki z Dunkin' Donuts. Reklama wyprzedaży ze sklepu z odzieżą. Napoczęty baton musli. Szesnaście centów i banknot dolarowy.

Bez zastanowienia biorę banknot i składam go w kształt słonia.

Serenity patrzy mi na ręce.

– Gdzie się tego nauczyłaś?

– Od mamy.

– Byłaś cudownym dzieckiem?

– Nauczyła mnie *in absentia*. – Patrzę na Serenity. – Zdziwiłabyś się, ile można nauczyć się od kogoś, kto zawiódł cię na całej linii.

– Jak oko? – pyta, a ja omal nie wybucham śmiechem. Nie ma co, sprytnie zmienia temat!

– Boli.

Biorę gotowego słonika i wkładam go w otwór na kubek. Następnie zapadam się w fotelu i opieram stopy o pulpit. Serenity ma puchatą niebieską kierownicę, podobną do potwora z *Ulicy Sezamkowej*; na lusterku wstecznym wisi ozdobny krzyż. Obie rzeczy zdają się od siebie odległe jak dwa bieguny, co nasuwa mi pewną myśl. Czy człowiek może uczepić się dwóch wersji, które na pierwszy rzut oka zdają się sobie zaprzeczać?

Czy zarówno matka, jak i ojciec ponoszą winę za to, co zaszło dziesięć lat temu?

Czy mama mogła odejść, mimo że mnie kochała?

Zerkam na Serenity, na jej jaskraworóżowe włosy i zbyt opięty żakiet w panterkę, który upodabnia ją do chodzącej parówki. Śpiewa piosenkę Nicki Minaj, myląc słowa. Radio nawet nie jest włączone. Łatwo wyśmiewać się z kogoś takiego jak ona, ale podoba mi się, że nie przeprasza za to, jaka jest – ani gdy przeklina w mojej obecności, ani gdy ludzie gapią się w windzie na jej makijaż (który nazwałabym skrzyżowaniem charakteryzacji gejszy z klownem), ani nawet wtedy – co należy zaznaczyć – gdy popełnia katastrofalny błąd, który kosztuje ją wszystko. Może i nie jest szczęśliwa, lecz cieszy się, że j e s t. Czego nie mogę powiedzieć o sobie.

– Mogę cię o coś zapytać? – przerywam ciszę.

– Jasne, kotku.

– Na czym polega sens życia?

– Rany Julek, mała! To nie pytanie, lecz filozofia. Pytanie to: „Hej, Serenity, a zajedziemy do McDonalda?".

Nie pozwolę jej się tak łatwo wywinąć. Ktoś, kto bez przerwy rozmawia z duchami, nie może gadać tylko o pogodzie i bejsbolu.

– Nigdy nie zapytałaś?

Wzdycha.

– Desmond i Lucinda, moje duchy przewodnie, mawiały, że wszechświat oczekuje od nas dwóch rzeczy: niewyrządzania świadomie krzywdy sobie i bliźnim oraz bycia szczęśliwym. Twierdzili, że ludzie to nadmiernie komplikują. Sądziłam, że na bank wciskają mi kit. Przecież musi chodzić o coś więcej. Ale wygląda na to, że jeszcze nie było mi dane dostąpić tej wiedzy.

– A co jeśli sensem mojego życia jest odkrycie tego, co się stało z nią? – pytam. – Jeśli to jedyna rzecz, która mnie uszczęśliwi?

– Czy aby na pewno?

Aby uniknąć odpowiedzi, włączam radio.

I tak dotarłyśmy już na obrzeża miasta, gdzie zostawiłam rower.

– Masz ochotę na kolację, Jenno? Przyrządzam świetną chińszczyznę na wynos.

– Dziękuję, ale nie. Dziękuję – odpowiadam. – Babcia na mnie czeka.

Czekam, aż odjedzie, żeby nie widziała, że nie wracam do domu.

Pół godziny później docieram do rezerwatu, a po kolejnych dwudziestu minutach staję obok miejsca z fioletowymi grzybami. Gdy kładę się w bujnej trawie i słucham wiatru w gałęziach, wciąż piecze mnie kość policzkowa.

Ta pora to szew pomiędzy nocą a dniem.

Pewnie mam wstrząśnienie mózgu, bo zasypiam na chwilę. Kiedy się budzę, jest ciemno. Na rowerze nie mam światełka i pewnie dostanę szlaban za spóźnienie. Ale było warto, bo przyśniła mi się mama.

W tym śnie byłam bardzo mała, chodziłam do żłobka; matka nalegała, bo trzylatka nie powinna przesiadywać wyłącznie z naukowcami i garstką słoni. Pani zabrała nas na spotkanie z Maurą, potem dzieci rysowały zwierzaki o dziwnych kształtach, a nauczycielki piały z zachwytu, bez względu na niedociągnięcia: „Jaki szary! O, dwie trąby – jakie to pomysłowe! Dobra robota!”. Mój słoń był nie tylko poprawny, ale i szczegółowy – umieściłam kreskę na uchu Maury, tak samo jak matka, gdy szkicowała słonia, i dorysowałam kępkę rozwichrzonych włosów na ogonie, których pozostałe dzieci nawet nie zauważyły. Wiedziałam dokładnie, ile paznokci ma Maura na każdej stopie (po trzy na tylnych, cztery na przednich). Moje opiekunki, panna Kate i panna Harriet, stwierdziły, że jestem jak mały Audubon, chociaż wówczas nie wiedziałam, co to znaczy.

Poza tym stanowiłam dla nich zagadkę; nie oglądałam telewizji i nie wiedziałam, co to Teletubisie. Nie umiałam rozróżnić księżniczek Disneya. Na ogół panie przymykały oko na moje dziwactwa – w końcu był to żłobek, a nie klasa maturalna. Ale któregoś dnia przed świętami dostaliśmy lśniące, białe kartki i polecenie narysowania swojej rodziny. Następnie mieliśmy zrobić ramkę z makaronu, popsikać ją złotą farbą i oprawić portret na prezent.

Pozostałe dzieci od razu przystąpiły do dzieła. Pochodziły z różnych rodzin: Logan mieszkał sam z mamą, Yasmina miała dwóch ojców, a Sly młodszego brata i dwóch starszych, ale przyrodnich. Do wyboru, do koloru. Tak czy inaczej dodatkowi członkowie rodziny byli po prostu dziećmi.

Ja narysowałam pięcioro rodziców.

Tatę w okularach. Mamę z ognistym kucykiem. Gideona, Grace i Nevvie w oliwkowych szortach i czerwonych koszulkach polo.

Panna Kate przysiadła obok.

– Co to za osoby, Jenno? Czy to twoi dziadkowie?

– Nie – odpowiedziałam, pokazując. – To tatuś, a to mamusia.

Mamę poproszono na rozmowę.

– Doktor Metcalf… – zagaiła panna Harriet. – Jenna wydaje się mieć mały problem z identyfikacją członków najbliższej rodziny.

Pokazała mamie obrazek.

– Wszystko się zgadza – oznajmiła. – Cała piątka to jej opiekunowie.

– Nie o to chodzi – odparła panna Harriet.

I wskazała na koślawe podpisy, moje nieudolne próby oznakowania bohaterów obrazka. „Mama" trzymała mnie za jedną rękę, „tata" za drugą. Tyle że tata nie miał okularów. Stał z boku. Prawie zabrakło dla niego miejsca na kartce.

Moja szczęśliwa rodzinka stanowiła zatem albo pobożne życzenie, albo szokująco trafne spostrzeżenia trzyletniego dziecka, które dostrzegało więcej, niż się po nim spodziewano.

Znajdę mamę, zanim zrobi to Virgil, postanowiłam. Być może uchronię ją przed aresztowaniem, może ostrzegę. Może tym razem uciekniemy we dwie. Fakt, porywam się na pojedynek z prywatnym detektywem, który zawodowo rozwiązuje tajemnice. Ale wiem coś, o czym nie wie on.

Sen pod drzewem wydobył na powierzchnię coś, z czego chyba zdawałam sobie sprawę od początku. Wiem już, kto dał mamie naszyjnik. Wiem, czemu rodzice się kłócili. Wiem, kogo przed laty chętnie ujrzałabym na miejscu ojca.

Teraz muszę tylko odnaleźć Gideona.

CZĘŚĆ II

Dzieci są kotwicami, które trzymają matkę przy życiu

Sofokles

Alice

W buszu często zdajemy sobie sprawę, że słonica jest w ciąży, dopiero tuż przed porodem. Gruczoły mlekowe nabrzmiewają w okolicach dwudziestego pierwszego miesiąca, wcześniej – jeśli nie zrobiliśmy badania krwi albo nie byliśmy świadkiem aktu płciowego przed blisko dwu laty – bardzo trudno przewidzieć narodziny.

Kagiso miała piętnaście lat i dopiero niedawno odkryliśmy, że będzie miała małe. Wypatrywano dzień w dzień, czy już nie urodziła. Dla moich kolegów było to ciekawe doświadczenie, a dla mnie powód, żeby wstać z łóżka.

Nie wiedziałam, że jestem w ciąży. Wiedziałam tylko, że doskwiera mi większe niż na ogół zmęczenie; źle znosiłam upał. Praca, która niegdyś dodawała mi energii, stała się rutynowa. Gdy widziałam coś godnego uwagi, moją pierwszą myślą było: „Co powiedziałby na to Thomas?".

Wmówiłam sobie, że moje zainteresowanie nim wynikało z faktu, że był pierwszym kolegą po fachu, który nie wyśmiał moich badań. Jego wyjazd pozostawił mnie z posmakiem letniego romansu, pamiątki, którą mogłam wyciągać i oglądać przez resztę życia. Tak samo zachowałabym muszelkę z wakacji nad morzem albo bilet na pierwszy broadwayowski musical. Gdybym chciała sprawdzić, czy rozchwiany fundament jednej nocy utrzyma ciężar związku na pełen etat, nie byłoby to łatwe. Mieszkaliśmy na innych kontynentach i oboje mieliśmy swoją pracę.

Ale, jak wspomniał kiedyś Thomas, nie było tak, że jedno z nas badało słonie, a drugie pingwiny, w rezerwatach zaś – w wyniku przebytej w niewoli traumy – często widywało się więcej zgonów i bólu po stracie niż w dziczy. Mogłam kontynuować badania gdzie indziej.

Po wyjeździe Thomasa do New Hampshire porozumiewaliśmy się szyfrem naukowców. Posyłałam mu szczegółowe opisy zachowania stada Mmaabo, które nadal odwiedzało jej szczątki, a on rewanżował się opowieścią o śmierci jednej ze swych słonic oraz tym, jak jej trzy towarzyszki czuwały nad nią przez kilka godzin. Zdanie: „To może cię zainteresować", oznaczało: „Tęsknię", odpowiedź zaś: „Myślałem o tobie wczoraj" – „Myślę o tobie bez przerwy".

Zupełnie jakby nastąpiło rozdarcie w materii, z której byłam stworzona, a on był jedyną nicią pod kolor, którą mogłam się załatać.

Któregoś ranka, tropiąc Kagiso, stwierdziłam, że odłączyła się od stada. Przeszukałam okolicę, znajdując ją niecały kilometr dalej. Zobaczyłam przez lornetkę coś małego między jej nogami i pobiegłam tam, skąd mogłam widzieć lepiej.

W przeciwieństwie do większości słonic, które rodzą w buszu, Kagiso była sama. Stado nie świętowało wraz z nią kakofonią i dotykiem niczym na zjeździe rodzinnym, gdzie wszystkie stare ciotki śpieszą uszczypnąć dzidziusia w policzki. Kagiso również nie świętowała.

Trącała nieruchome dziecko nogą, próbując skłonić je do wstania. Owijała trąbę wokół jego trąby, która opadała bezwładnie.

Widywałam już porody, gdy malec był słaby i roztrzęsiony, i potrzebował więcej niż zwykłe pół godziny, by wstać o własnych siłach i podreptać za mamą. Zmrużyłam oczy, żeby dostrzec, czy oddycha. Ale tak naprawdę wystarczył mi widok głowy Kagiso, zwiotczałego pyska i klapniętych uszu. Wyglądała, jakby spuszczono z niej powietrze. Wiedziała, nawet jeśli ja nie przyjmowałam tego jeszcze do wiadomości.

Nagle przypomniała mi się Lorato, pędząca w obronie dorosłego syna, do którego strzelano.

Jeśli jesteś matką, musisz mieć kogoś pod opieką.

A jeżeli ten ktoś zostanie ci odebrany, czy to noworodek, czy też osobnik, który już może mieć potomstwo? Czy wciąż zasługujesz na miano matki?

Patrząc na Kagiso, zrozumiałam, że nie tylko straciła dziecko. Straciła siebie samą. I choć badałam smutek słoni zawodowo, wielokrotnie bywałam świadkiem ich zgonów i analizowałam je bez emocji, jak przystało na obserwatora – coś we mnie pękło. Rozpłakałam się.

Przyroda to wredna suka. A my, badacze, nie mamy prawa się wtrącać, ponieważ królestwo zwierząt radzi sobie samo. Zastanawiam się jednak, czy sprawy potoczyłyby się inaczej, gdybyśmy zawczasu mieli Kagiso na oku. Mimo że wiedziałam, iż wcześniejsze wykrycie ciąży graniczyło z niemożliwością.

Dla siebie nie znajdowałam wymówki.

Nie zauważyłam, że zatrzymał mi się okres, dopóki szorty nie stały się zbyt ciasne i musiałam je spinać agrafką. Po śmierci dziecka Kagiso i pięciu dniach studiowania jej żałoby pojechałam do Polokwane po test ciążowy. Siedziałam w łazience restauracji z kurczakami piri-piri, wpatrzona w różową kreskę, i ryczałam jak bóbr.

Przed powrotem do obozu wzięłam się w garść. Pogadałam z Grantem i poprosiłam o trzytygodniowy urlop. Następnie zostawiłam Thomasowi wiadomość głosową z pytaniem, czy zaproszenie jest wciąż aktualne. Oddzwonił po niecałych dwudziestu minutach. Zasypał mnie pytaniami. Czy nie mam nic przeciwko temu, żeby spać w rezerwacie? Jak długo zostanę? Czy mógłby odebrać mnie z lotniska Logan? Podałam mu wszystkie informacje, pomijając jedną, bardzo istotną. A mianowicie że spodziewam się jego dziecka.

Czy słusznie postąpiłam, zatajając to przed nim? Nie. Złóżcie to na karb ciągłego pobytu w środowisku zdominowanym przez przewodniczki stada albo tchórzostwa; po prostu chciałam przyjrzeć się Thomasowi przed udzieleniem mu częściowego pełnomocnictwa. Jeszcze nie wiedziałam, czy w ogóle urodzę to dziecko, a jeśli nawet, i tak wychowywałabym je sama w Afryce. Po prostu nie miałam poczucia, że jedna noc pod baobabem daje Thomasowi prawo głosu.

W Bostonie wysiadłam z samolotu skonana, stanęłam w kolejce do kontroli paszportowej i odebrałam bagaż. Po wejściu do hali przylotów od razu dostrzegłam Thomasa. Stał tuż za barierką, wciśnięty między dwóch szoferów w czarnych garniturach. W ręce trzymał roślinę korzeniami do góry. Jak bukiet czarownicy.

Podeszłam, ciągnąc za sobą walizkę.

– Przynosisz zdechłe kwiatki wszystkim dziewczynom, które odbierasz z lotniska? – zapytałam.

Potrząsnął rośliną. Trochę ziemi osypało się na podłogę, na moje trampki.

– Nie znalazłem nic, co bardziej przypominałoby baobab – odparł. – Kwiaciarka nie pomogła, więc musiałem improwizować.

Starałam się nie brać tego za znak, że on również miał nadzieję zacząć w miejscu, w którym skończyliśmy. Że łączyło nas coś więcej niż flirt. Na przekór tej iskierce postanowiłam zgrywać idiotkę.

– A czemu chciałeś przynieść mi baobab?

– Bo słoń nie zmieściłby się do samochodu – odparł z uśmiechem.

Lekarze twierdzą, że to medycznie niemożliwe, że było jeszcze za wcześnie. W tamtej chwili jednak poczułam łaskotanie w brzuchu. Jak skrzydło motyla. Jakby prąd między nami obudził dziecko do życia.

***

Podczas długiej jazdy do New Hampshire rozmawialiśmy o moich badaniach, o tym, jak stado Mmaabo radziło sobie po jej śmierci i jak rozdzierający był widok Kagiso opłakującej malca. Przejęty Thomas zakomunikował, że będę świadkiem przyjazdu jego siódmego słonia – afrykańskiej słonicy imieniem Maura.

Incydent pod baobabem pominęliśmy milczeniem.

Nie rozmawialiśmy też o tym, że brakowało mi Thomasa w najdziwniejszych chwilach, na przykład gdy zobaczyłam dwa młode samce kopiące kawałek łajna jak piłkę i zapragnęłam podzielić się z kimś tym widokiem. Albo gdy budziłam się ze wspomnieniem dotyku Thomasa na skórze, jak gdyby jego odciski palców pozostawiły na niej blizny.

Pomijając gest z przywiezioną na lotnisko rośliną, Thomas traktował mnie jak koleżankę z pracy. Do tego stopnia, że zaczęłam się zastanawiać, czy to, co między nami zaszło, przypadkiem mi się nie przyśniło, a ciąża nie jest wytworem mojej wyobraźni.

Zajechaliśmy na miejsce późnym wieczorem. Ledwie patrzyłam na oczy. Siedziałam w samochodzie, kiedy Thomas otwierał elektroniczną bramę. A potem drugą, wewnętrzną.

– Słonie lubią nam pokazywać, jakie są silne. Stawiamy płot, a słoń go rozwala, bo *może*. – Zerknął na mnie. – Na początku mieliśmy masę telefonów. Sąsiedzi zgłaszali, że mają słonia w ogrodzie.

– Co robicie, gdy się wydostaną?

– Ściągamy je z powrotem – odpowiedział Thomas. – Różnica polega na tym, że u nas za to nie obrywają, jak miałoby miejsce w cyrku bądź w ogrodzie zoologicznym. Ze słoniem jak z dzieckiem – przeciąga strunę, ale to nie znaczy, że go nie kochasz.

Na wzmiankę o dziecku odruchowo zakrywam rękami brzuch.

– Czy kiedykolwiek brałeś to pod uwagę? – zapytałam. – Żeby założyć rodzinę?

– Mam rodzinę – zabrzmiała odpowiedź. – Nevvie, Grace i Gideona. Jutro ich poznasz.

Poczułam się jak walnięta obuchem. Czyżbym faktycznie nigdy nie zapytała go, czy jest żonaty? Jak mogłam być aż tak głupia?

– Bez nich nie dałbym sobie rady – ciągnął Thomas, nieświadom wewnętrznego dramatu, rozgrywającego się na sąsiednim fotelu. – Nevvie pracowała przez dwadzieścia lat na Południu w cyrku jako treserka. Gideon był jej pomocnikiem. To mąż Grace.

Powoli rozwiązałam tę zagadkę. I dotarło do mnie, że żadna z tych osób nie była jego żoną ani dzieckiem.

– Mają dzieci?

– Nie. Na szczęście – odparł. – I tak płacę krocie za ubezpieczenie. To byłaby za duża odpowiedzialność.

Naturalnie była to odpowiedź prawidłowa. Wychowywanie dziecka w rezerwacie byłoby czystym szaleństwem, czy to w Afryce, czy w New Hampshire. Poza tym słonie Thomasa były „trudnymi" przypadkami – zabiły tresera bądź narozrabiały tak, że zoo czy cyrk postanowiły się ich pozbyć. Lecz jego odpowiedź wywołała we mnie poczucie, że oblał egzamin, o którym nawet nie miał pojęcia.

Było zbyt ciemno, żeby zobaczyć cokolwiek, ale gdy mijaliśmy kolejne ogrodzenie, opuściłam szybę, aby poczuć znajomy sienny zapach.

– To pewnie Syrah – oznajmił Thomas. – Nasz komitet powitalny.

Zajechał pod domek i wyniósł z samochodu moją walizkę.

Miał malutkie mieszkanko: pokój dzienny, aneks kuchenny, sypialnia i gabinet, nie większy od szafy. Nie było pokoju gościnnego, ale Thomas nie zaniósł mojego wysłużonego bagażu do swojej sypialni. Przystanął zmieszany i dosunął okulary, które zjechały na czubek nosa.

– Witaj w domu – oświadczył.

Nagle zadałam sobie pytanie, co ja tu robię. Prawie go nie znam. Może być psychopatą. Albo seryjnym mordercą.

Mógł być tym i owym, z całą pewnością był jednak również ojcem mojego dziecka.

– No tak – powiedziałam niepewnie. – To był długi dzień. Mogę się wykąpać?

Łazienka Thomasa, ku mojemu zdziwieniu, okazała się patologicznie schludna. Jego szczoteczka do zębów leżała w szufladzie, równolegle do tubki z pastą. Umywalka lśniła czystością, lekarstwa w szafce były ustawione alfabetycznie. Puściłam wodę, aż pomieszczenie wypełniło się parą, i stanęłam przed lustrem jak duch, usiłując wejrzeć we własną przyszłość. Umyłam się pod najgorętszą wodą, dopóki cała nie poróżowiałam i nie obmyśliłam sposobu na skrócenie wizyty, gdyż przyjazd tutaj ewidentnie był pomyłką. Nie miałam pojęcia, co mi strzeliło do głowy. Że niby Thomas usycha z tęsknoty za mną, oddalony o blisko trzynaście tysięcy kilometrów? Że o niczym innym nie marzy, tylko o tym, żebym przejechała pół świata i podjęła przerwany wątek? Nie ma co, szalejące hormony padły mi na głowę.

Kiedy wyszłam w ręczniku, z rozczesanymi włosami, pozostawiając mokre ślady na podłodze, Thomas ścielił kanapę. Jeśli potrzebowałam kolejnego dowodu, że incydent w Afryce był raczej pomyłką niż początkiem, nie musiałam daleko szukać.

– Och... – powiedziałam i coś we mnie pękło. – Dzięki.

– To dla mnie – bąknął, odwracając wzrok. – Możesz spać w łóżku.

Zapiekły mnie policzki.

– Jak sobie życzysz.

Zrozumcie, Afryka rządzi się własnymi, romantycznymi prawami. Patrzysz na zachód słońca i widzisz w tym rękę Boga. Leniwe susy lwicy zapierają ci dech w piersi. Zachwycasz się trójkątem żyrafy pochylonej nad wodopojem. W Afryce skrzydła ptaków mają odcień błękitu, jakiego nie widuje się gdzie indziej. Tam z gorąca topi się powietrze. W Afryce wracasz do korzeni, kołyszesz się w kolebce świata. Nic dziwnego, że w takim otoczeniu wspomnienia nabierają blasku.

– Jesteś gościem – dodał uprzejmie. – Jak *ty* chcesz.

Czego chciałam?

Mogłam przespać się samotnie na kanapie. Albo powiedzieć Thomasowi o dziecku. Ale podeszłam do niego bez słowa.

Ręcznik spadł na podłogę.

Thomas na chwilę oniemiał. A następnie wyciągnął rękę i powiódł palcem od mojej szyi do ramienia.

Kiedyś, na studiach, poszłam nocą wykąpać się w bioluminescencyjnej zatoce w Portoryko. Ilekroć poruszałam rękami i nogami, następował deszcz iskier, jakbym tworzyła spadające gwiazdy. Tak samo czułam się pod dotykiem Thomasa – jakbym połknęła światło. Obijaliśmy się o meble i ściany, nie dotarliśmy do kanapy. Potem leżałam w jego ramionach na szorstkiej, drewnianej podłodze.

– A mówiłeś, że to Syrah jest komitetem powitalnym...

Parsknął śmiechem.

– Pójdę po nią, jeśli chcesz.

– W porządku, nie trzeba. – Obróciłam się w jego objęciach. – Nie sądziłam, że tego pragniesz.

– Miałem podobne obawy co do ciebie – odparł. – Wolałem zatem nie zakładać, że do tego dojdzie. – Wsunął mi palce we włosy. – O czym myślisz?

Myślałam, że kłamią psocące goryle. Że szympansy oszukują, a inne małpy przysiadają wysoko na drzewach i udają zagrożenie, nawet gdy go nie ma. Ale nie słonie. One nigdy nie udają kogoś, kim nie są.

– Zastanawiam się, czy kiedykolwiek zrobimy to w łóżku – odparłam.

Niewinne kłamstewko. Cóż znaczy jedno z wielu?

Ziemia w Południowej Afryce często wygląda na spierzchniętą; ma spękane pięty i łokcie, a doliny spieczone na czerwono. W porównaniu z nią ten rezerwat jawił się niczym rajski ogród: zielone wzgórza i wilgotne pola, kwitnące bujne dęby z ramionami wygiętymi na cztery strony świata. No i, rzecz jasna, słonie.

Było pięć indyjskich, jeden afrykański i kolejny afrykański w drodze. W przeciwieństwie do buszu, o więziach społecznych nie decydowały geny. Stada ograniczały się do dwóch albo trzech sztuk, które krążyły po wydzielonym terenie same lub w pojedynkę. Niektóre osobniki, zaznaczył Thomas, nie dogadywały się, niektóre wolały samotność, a jeszcze inne nie odstępowały towarzysza ani na krok.

Zdziwiło mnie, jak bardzo filozofia amerykańskiego rezerwatu przypomina afrykańską. Zamiast śpieszyć do rannego słonia, czekaliśmy, nie ingerując w przyrodę. Czerpaliśmy wskazówki od słoni i uważaliśmy się za szczęściarzy, że możemy obserwować je bez przeszkód. Thomas i jego personel pragnęli zapewnić emerytowanym zwierzakom możliwie jak najwięcej wolności, zamiast sterować ich egzystencją. Owszem, nie cieszyły się pełną wolnością, lecz otrzymały całkiem sporą jej namiastkę. Większość tutejszych słoni przez większość życia była bita i pętana, by wymusić na nich posłuszeństwo. Thomas był zwolennikiem wolnego kontaktu; owszem, on i jego pracownicy wchodzili do zagród, by nakarmić zwierzęta lub opatrzyć je w razie potrzeby, ale wszelkie próby perswazji odbywały się na zasadzie nagradzania oraz pozytywnego wzmacniania.

Zabrał mnie na obchód quadem, żebym mogła się zorientować w topografii. Siedziałam za nim, obejmując go w pasie, z policzkiem wciśniętym w jego plecy. Bramy zaprojektowano tak, aby przejeżdżał pod nimi samochód; słoń by się nie zmieścił. Istniały osobne zagrody dla słoni indyjskich i afrykańskich. W każdej stał zadaszony budynek, choć na razie Hester, jako jedyny afrykański słoń w rezerwacie, mieszkała samotnie. Same budynki wyglądały jak olbrzymie hangary, tak czyste, że praktycznie można było jeść z podłogi. W betonowych posadzkach zamontowano ogrzewanie, aby w zimie lokatorom nie marzły nogi, a w drzwiach zamocowano ciężkie płachty, podobne do tych w myjniach samochodowych, żeby ciepło nie uciekało, a słonie mogły swobodnie wchodzić i wychodzić. W każdym boksie znajdowały się automatyczne poidła.

– Utrzymanie musi kosztować fortunę... – mruknęłam.

– Sto trzydzieści trzy tysiące dolarów – odparł Thomas.

– Na rok?

– Na słonia. – Roześmiał się. – Boże, chciałbym, żeby to było na rok! Kiedy zobaczyłem ogłoszenie o sprzedaży, utopiłem cały kapitał w ziemi. Więc zaprosiliśmy prasę oraz wszystkich sąsiadów, żeby Syrah choć trochę na siebie zarobiła. Otrzymujemy dotacje, ale to kropla w morzu. Sam pokarm kosztuje jakieś pięć tysięcy od łebka.

Moich słoni z Tuli dotykały lata suszy, gdy chodziły chude jak szczapy, z żebrami sterczącymi pod skórą; Południowa Afryka różniła się od Kenii i Tanzanii, gdzie słonie zawsze sprawiały wrażenie szczęśliwych i dobrze odżywionych. Ale moje słonie miały przynajmniej jakiś pokarm. Tutaj było wprawdzie zielono, ale roślinności do wykarmienia takich kolosów nie wystarczało. A poza tym nie miały do dyspozycji setek kilometrów przestrzeni. Ani przewodniczki, która by je poprowadziła.

– Co to? – zapytałam, wskazując na coś, co wyglądało jak beczka przymocowana do stalowej kratki boksu.

– Zabawka – wyjaśnił Thomas. – W dnie jest dziura, a w środku piłka wypełniona przysmakami. Dionne musi wsadzić do środka trąbę i obrócić piłkę, jeśli chce się do nich dobrać.

Jakby na zawołanie przez uchylne płachty w drzwiach wkroczyła słonica – mała i nakrapiana, z puszkiem włosów na czubku głowy. W porównaniu ze słoniami afrykańskimi, do widoku których byłam przyzwyczajona, miała tycie uszy, postrzępione wokół krawędzi. Za sprawą wydatnej kości czołowej jej oczy zdawały się głęboko osadzone – wielkie i brązowe, z rzęsami, które zawstydziłyby modelkę – i utkwione we mnie. Obcą.

Poczułam, że usilnie próbuje opowiedzieć mi jakąś historię, ale wciąż istniała między nami bariera językowa. Nagle słonica potrząsnęła głową; poznałam ten ostrzegawczy komunikat w naszym rezerwacie, gdy niechcący naruszyliśmy przestrzeń stada. Uśmiechnęłam się mimowolnie, gdyż z uwagi na rozmiar uszu gest ten raczej mnie rozśmieszył, zamiast wystraszyć.

– Indyjskie słonie też tak robią?

– Nie. Ale Dionne wychowała się w filadelfijskim zoo z afrykańskimi. Dlatego nosi się z większym rozmachem niż jej azjatyckie siostry. Prawda, ślicznotko? – zapytał Thomas, wyciągając rękę, żeby słonica mogła ją obwąchać.

Nie wiadomo skąd wyciągnął banana; Dionne delikatnie wzięła go z jego ręki i wsunęła sobie do pyska.

– Nie wiedziałam, że trzymanie afrykańskich i indyjskich razem jest bezpieczne... – powiedziałam.

– Bo nie jest. Dionne została ranna podczas wzajemnych przepychanek i personel ją odseparował. Ale miejsca było zbyt mało, więc postanowiono przysłać ją do mnie.

Rozdzwonił się jego telefon. Odebrał, odwracając się ode mnie i Dionne.

– Tak, tu doktor Metcalf – powiedział.

Zasłoniwszy słuchawkę, rzucił bezgłośnie: „Nowy słoń".

Skinęłam mu i podeszłam bliżej do Dionne. U nas, nawet jeżeli słonie były oswojone z moim widokiem, nigdy nie zapominałam, że to dzikie zwierzęta. Teraz też czujnie wyciągnęłam rękę, jakbym podchodziła do bezpańskiego psa.

Wiedziałam, że wyczuwa mój zapach z miejsca, gdzie stoi. Do licha, pewnie czuła mnie już od progu! Wygięła trąbę w literę S, wysuwając czubek, jak peryskop, przez kraty boksu. Stałam nieruchomo, pozwalając, by zbadała mój bark, ramię, twarz; czytała mnie przez dotyk. Z każdym wydechem czułam woń bananów i siana.

– Miło cię poznać – powiedziałam cicho.

Trąba przesunęła się wzdłuż mojego ramienia, aż do zagłębienia w dłoni.

I zafurkotała, aż połaskotało. Wybuchnęłam śmiechem.

– Lubi panią – rozległ się czyjś głos.

Odwróciłam się i ujrzałam młodą jasnowłosą kobietę o cerze bladej i tak delikatnej, że w pierwszej chwili pomyślałam o bańce mydlanej, która zaraz pęknie. W następnej kolejności uznałam, że nieznajoma jest zbyt drobna, aby dźwigać ciężary, czego wymagała praca przy słoniach. Wyglądała na bardzo młodą i kruchą. Jak z porcelany.

– Doktor Kingston, jak sądzę? – powiedziała.

– Mam na imię Alice. A ty jesteś… Grace?

Dionne zamruczała.

– Jasne, czujesz się pominięta, tak? – Grace poklepała słonicę po czole. – Zaraz podam śniadanie, wasza wysokość.

Wrócił Thomas.

– Przepraszam. Musiałem pobiec do biura. Chodziło o transport Maury…

– O mnie się nie martw. Naprawdę. Jestem dorosła i w otoczeniu słoni. Więcej mi nie potrzeba do szczęścia. – Spojrzałam na Grace. – Może nawet pomogę?

Grace wzruszyła ramionami.

– No pewnie.

Jeśli nawet zobaczyła, że Thomas cmoknął mnie w przelocie, zanim wybiegł, pominęła to milczeniem.

Na przekór moim przypuszczeniom, Grace okazała się mieć niebywałą krzepę. Jej codzienny harmonogram obejmował karmienie słoni dwa razy dziennie, o ósmej, a potem o czwartej, wyjazdy po towar i przyrządzanie indywidualnych posiłków. Grace wywoziła nawóz, spłukiwała wężem boksy, podlewała drzewa. Nevvie, jej matka, uzupełniała ziarno i zbierała pokarm pozostawiony w zagrodach, z którego wytwarzano kompost. Troszczyła się również o ogród, gdzie hodowano owoce i warzywa dla zwierząt i ich opiekunów, a także zajmowała się sprawami administracyjnymi. Gideon dbał o ogrodzenia i tereny zielone oraz o narzędzia i samochody, kosił trawę i siano, targał skrzynki z towarem i wykonywał podstawowe czynności związane ze zdrowiem i pielęgnacją słoni. We troje pełnili na zmianę nocne dyżury. Dodajmy, że tak bywało w zwyczajne dni, kiedy nic nie odbiegało od normy i żadna ze słonic nie wymagała szczególnej uwagi.

Kiedy pomagałam Grace w kuchni, przy śniadaniu dla słoni, ponownie przyszło mi do głowy, że praca w Afryce jest nieporównanie lżejsza. Tam musiałam tylko przyjść, sporządzić notatki i zestawić dane, a od czasu do czasu pomóc rangerowi lub weterynarzowi w podaniu zwierzęciu środka paraliżującego bądź leku, gdy było chore. Nie „prowadziłam" buszu. A już na pewno nie musiałam go finansować.

Grace wyznała mi, że nigdy nie miała zamiaru zamieszkać tak daleko na północy. Dorastała w Georgii i nie znosiła marznąć. Ale potem Gideon podjął pracę u jej matki, a gdy Thomas poprosił oboje o pomoc przy zakładaniu rezerwatu, Grace pojechała za nimi. Dla towarzystwa.

– To nie pracowałaś w cyrku? – zapytałam.

Grace rozdzieliła ziemniaki do osobnych wiader.

– Miałam być nauczycielem drugiego stopnia.

– W New Hampshire też mają szkoły…

Spojrzała na mnie.

– No tak – odparła. – Chyba mają.

Czułam, że coś przede mną ukrywa. A może to ja nie do końca rozumiałam, jak podczas niemej rozmowy z Dionne? Czy Grace przyjechała za matką? Czy za mężem? Była wprawdzie dobra w tym, co robiła, jednak wielu ludzi wykonuje swoją pracę porządnie, ale bez entuzjazmu.

Miała niebywałą wprawę; jestem pewna, że tylko jej przeszkadzałam. Zielenina, cebula i bataty, kapusta, brokuły, marchewka, ziarna. Część słoni potrzebowała dodatkowej witaminy E i glukozaminy, innym podawano suplementy – jabłka naszpikowane lekarstwami i posmarowane masłem orzechowym.

Załadowałyśmy wiadra do jeepa i wyruszyłyśmy na poszukiwanie słoni, żeby je nakarmić.

Podążałyśmy szlakiem łajna, połamanych gałęzi oraz śladów w błotnistych kałużach, prowadzących z miejsc, gdzie słonice przebywały w dniu wczorajszym. W razie chłodu, takiego jak dziś, przenosiły się na wzniesienia.

Najpierw zlokalizowałyśmy Dionne, która w międzyczasie opuściła hangar, i jej przyjaciółkę Olive, bardziej rosłą, choć niższą. Jej uszy spływały w miękkich fałdach, jak aksamitne zasłony. Słonice stały jedna przy drugiej, ze splecionymi trąbami, jak młode dziewczęta trzymające się za ręce.

Nieświadomie wstrzymałam oddech. Ocuciło mnie dopiero spojrzenie Grace.

– Jesteś jak Gideon i moja matka – stwierdziła. – Masz to we krwi.

Słonice najwyraźniej były przyzwyczajone do samochodu, ale mimo to nie mogłam się nadziwić, że podeszły tak blisko, kiedy Grace zgarnęła dwa pierwsze wiadra i wysypała ich zawartość około sześciu metrów od siebie. Dionne natychmiast capnęła dynię i schrupała ją w całości, Olive poskubała to tego, to owego, przegryzając siankiem.

Ruszyłyśmy w pogoń za pozostałymi słonicami. Poznałam wszystkie z imienia, odnotowując, która ma szramę na uchu, która dziwną wadę postawy od dawnych urazów, która jest płochliwa, a która towarzyska. Gromadziły się w pary lub trójki, przypominając mi panie ze stowarzyszenia Czerwonych Kapeluszy*, które widziałam kiedyś w Johannesburgu, celebrujące swoją dojrzałość.

Dopiero przy zagrodzie afrykańskiej zobaczyłam, że Grace jakby się zawahała.

– Nie lubię tu wchodzić – przyznała. – Zwykle wyręcza mnie Gideon. Hester jest wredna.

* Red Hat Society – założona w 1998 roku w Stanach Zjednoczonych organizacja kobiet w średnim wieku, które spotykają się na podwieczorkach w czerwonych kapeluszach i fioletowych sukienkach (przyp. tłum.).

Rozumiałam ją doskonale, zwłaszcza że chwilę później Hester wypadła z zarośli, potrząsając głową, aż falowały jej wielkie uszy. Zatrąbiła tak głośno, że aż dostałam gęsiej skórki. I natychmiast się uśmiechnęłam. To znałam. Do *tego* byłam przyzwyczajona.

– Może ja? – zaproponowałam.

Grace zrobiła minę, jakbym zaoferowała się udusić kozę gołymi rękami.

– Doktor Metcalf by mnie zabił…

– Znasz jednego afrykańskiego słonia, to jakbyś znała je wszystkie – skłamałam. – Możesz mi wierzyć.

Zanim zdążyła mnie powstrzymać, wyskoczyłam z jeepa, wytaszczyłam wiadro ze śniadaniem i przełożyłam je przez otwór w płocie. Słonica podniosła trąbę i zatrąbiła ponownie. A następnie sięgnęła po kij i cisnęła nim we mnie.

– Pudło – oznajmiłam, biorąc się pod boki, i pomaszerowałam z powrotem do samochodu po siano.

Nawet nie próbujcie wymieniać powodów, dla których nie powinnam była tego robić. Nie znałam tego słonia i nie wiedziałam, jak reaguje na obcych. Nie miałam pozwolenia Thomasa. A już na pewno nie powinnam dźwigać ani narażać się na niebezpieczeństwo, wziąwszy pod uwagę dobro dziecka.

Ale wiedziałam też, że nie wolno mi okazać strachu, więc gdy Hester przygalopowała w moim kierunku, gdy niosłam siano, wzbijając tuman kurzu, nawet mi nie drgnęła powieka.

Nagle usłyszałam głośny okrzyk, po czym ktoś porwał mnie z ziemi i odstawił od dziury w ogrodzeniu.

– Jezu! – odezwał się męski głos. – Życie ci niemiłe?

Na jego dźwięk Hester uniosła głowę, a następnie pochyliła nad jedzeniem, jakby przed chwilą nie próbowała mnie sterroryzować. Przestąpiłam z nogi na nogę, próbując wydostać się z żelaznego chwytu nieznajomego, który patrzył ze zdumieniem na Grace w jeepie, ale nie zwalniał uścisku.

– Coś ty za jedna? – zapytał.

– Alice – odparłam zduszonym głosem. – Miło mi cię poznać. Czy mógłbyś mnie puścić?

Odzyskałam grunt.

– Głupia jesteś? To słoń afrykański!

– Wcale nie jestem głupia. Robię habilitację. Słonie afrykańskie to moja specjalizacja.

Miał blisko metr dziewięćdziesiąt wzrostu, skórę koloru kawy i oczy tak czarne, że omal nie straciłam równowagi.

– Ale nie specjalizujesz się w Hester – mruknął pod nosem tak cicho, że te słowa na pewno nie były przeznaczone dla moich uszu.

Był co najmniej dziesięć lat starszy od żony, dziewczyny na oko tuż po dwudziestce. Podszedł do samochodu.

– Dlaczego mnie nie zawołałaś?

– Nie przyszedłeś po wiadro Hester, więc myślałam, że jesteś zajęty. – Stanęła na palcach i zarzuciła mu ręce na szyję.

Gideon obejmował Grace, lecz nie przestawał spoglądać na mnie ponad jej ramieniem, jakby nie potrafił zdecydować, czy ma przed sobą kretynkę, czy nie. Stopy Grace oderwały się od ziemi.

Była po prostu sporo niższa, lecz wyglądało to tak, jakby zawisła nad przepaścią.

Kiedy wróciłam do biura, Thomasa nie było; pognał do miasta poczynić ustalenia w sprawie przyjazdu przyczepy z nową podopieczną. Prawie tego nie odnotowałam. Kontynuowałam rekonesans, ucząc się tego, czego nie miałam okazji nauczyć się w buszu.

Dotąd nie miałam zbyt wiele do czynienia ze słoniami indyjskimi, dlatego usiadłam i obserwowałam je jakiś czas. Znam taki stary kawał: jaka jest różnica między słoniem azjatyckim a afrykańskim? Trzy tysiące mil. Ale one rzeczywiście były inne – spokojniejsze od oglądanych przeze mnie na co dzień afrykańskich, bardziej wyluzowane i mniej demonstracyjne. Przypomniałam sobie stereotypy krążące o ludziach z tych dwóch kultur, zaciekawiona do jakiego stopnia sprawdza się to u słoni. W Azji ludzie częściej odwracają wzrok. W Afryce głowa jest uniesiona, a spojrzenie prosto w oczy – nie w celu okazania agresji, lecz z powodu panującego zwyczaju.

Syrah właśnie wlazła do stawu i chlapała trąbą, opryskując koleżanki. Potem zabrzmiał chór pisków i ćwierkania, gdy jedna z pozostałych słonic zjechała ze skarpy do wody.

– Jakby plotkowały, prawda? – zabrzmiał głos za moimi plecami. – Zawsze mam nadzieję, że mnie nie obgadują.

Kobieta miała jedną z tych twarzy, z których trudno wyczytać wiek, i zaplecione w warkocz jasne włosy; tylko pozazdrościć gładkiej cery. Była barczysta i miała umięśnione ramiona. Pamiętam, jak moja matka mówiła, że wiek aktorki można poznać po dłoniach, choćby była nie wiem jak ponaciągana. Dłonie tej kobiety były pomarszczone, szorstkie i brudne, bo właśnie zbierała śmieci.

– Pomogę pani – zaproponowałam, biorąc od niej skorupy dyń i skórki od arbuzów. Idąc za jej przykładem, wrzuciłam je do wiadra, po czym wytarłam ręce w koszulę. – Nevvie, jak sądzę?

– Alice Kingston?

Słonice za nami dokazywały w wodzie. Odgłosy brzmiały jak muzyka w porównaniu z odgłosami słoni afrykańskich, które znałam na pamięć.

– Gaduły – dorzuciła Nevvie. – Zawsze się przekrzykują. Kiedy Wanda na chwilę znika im z oczu i wraca po pięciu minutach, pozostałe dwie witają ją, jakby się nie widziały lata.

– A wiesz, że w *Parku jurajskim* wykorzystano głos słonia afrykańskiego jako t-rexa? – zapytałam.

Nevvie potrząsnęła głową.

– No proszę, a miałam się za eksperta...

– I nim jesteś – odparłam. – Pracowałaś w cyrku, tak?

Potwierdziła.

– Lubię mawiać, że gdy Thomas Metcalf uratował pierwszego słonia, uratował i mnie.

Pragnęłam usłyszeć coś więcej o Thomasie. Dowiedzieć się, że ma dobre serce, że ocalił kogoś od zguby, że mogę na nim polegać. Pragnęłam ujrzeć w nim wszystkie cechy, które kobieta pragnie widzieć w ojcu swego potomstwa.

– Pierwszym słoniem, jakiego zobaczyłam, była Wimpy. Należała do rodzinnego cyrku, który co rok zjawiał się latem w małym miasteczku w Georgii, gdzie dorastałam. Och, była wspaniała! Nieprzeciętnie bystra, uwielbiała się bawić, kochała ludzi. Z czasem urodziła dwójkę dzieci, które też występowały w cyrku. Były jej oczkiem w głowie.

Nie zdziwiło mnie to. Od dawna wiedziałam, że słoniowe matki nie mają sobie równych.

– To dzięki Wimpy zapragnęłam pracować ze zwierzętami. Dlatego jako nastolatka zaczepiłam się w ogrodzie zoologicznym, a po skończeniu liceum zostałam treserem w innym cyrku rodzinnym, w Tennessee. Zaczynałam od psów, poprzez kucyki, aż do słonicy, Ursuli. Spędziłam tam piętnaście lat. – Nevvie skrzyżowała ramiona na piersi. – Ale cyrk zbankrutował i został zlikwidowany, a ja znalazłam pracę w Wędrownym Kramie z Cudami Braci Bastion. Były tam dwa słonie, uznawane za niebezpieczne, ale stwierdziłam, że zdecyduję o tym sama, jak tylko rzucę okiem. Wyobraź sobie moje zdumienie, kiedy jednym z nich okazała się Wimpy, słonica z mojego dzieciństwa. W którymś momencie swego życia musiała zostać sprzedana braciom Bastion.

Nevvie potrząsnęła głową.

– Była nie do poznania, skuta łańcuchem, wycofana. Naprawdę trudno było odnaleźć w niej cokolwiek z dawnej Wimpy, choćby człowiek patrzył i cały dzień. Drugim słoniem był jej syn. Trzymano go nieopodal przyczepy Wimpy, w zagrodzie z drutu pod napięciem. Na końcach jego kłów widniały metalowe nasadki; widziałam je po raz pierwszy. Jak się okazało, syn chciał do mamy i forsował ogrodzenie. Dlatego jeden z braci Bastion wymyślił rozwiązanie – nasadzić te nakładki słoniowi na kły i podłączyć je do metalowej płytki w pysku. Ilekroć słoń rzucał się na ogrodzenie, aby zbliżyć się do matki, kopał go prąd. Oczywiście Wimpy słyszała jego krzyki i musiała na to patrzeć. – Nevvie przeniosła wzrok na mnie. – Słoń nie może targnąć się na własne życie. Ale dałabym głowę, że Wimpy robiła, co mogła.

W buszu słonica rozstaje się z synem, gdy ten ma dziesięć do trzynastu lat. A tu przymusowa rozłąka, widok cierpiącego dziecka i własna bezsilność... Przypomniałam sobie Lorato, pędzącą w dół, żeby stanąć nad ciałem Kenosiego. Pomyślałam o smutku słoni i o tym, że nie zawsze strata bywa jednoznaczna ze śmiercią. Odruchowo osłoniłam rękami brzuch.

– Modliłam się o cud i któregoś dnia zjawił się Thomas Metcalf. Bracia Bękarty chcieli pozbyć się Wimpy; stwierdzili, że i tak długo nie pociągnie, a jej syn im wystarczy. Thomas sprzedał samochód, żeby opłacić jej podróż na północ. Była pierwszym słoniem w rezerwacie.

– Myślałam, że Syrah.

– No, niby tak – potwierdziła Nevvie. – Bo Wimpy zmarła dwa dni po przyjeździe. Było już dla niej za późno. Lubię myśleć, że przed śmiercią może chociaż poczuła się bezpieczna.

– A dziecko?

– Nie mieliśmy możliwości, aby przygarnąć samca.

– A sprawdziliście, co się z nim stało?

– Pewnie dorósł i gdzieś żyje – odparła. – Pewnych rzeczy nie przeskoczymy. Ale robimy, co w naszej mocy.

Spojrzałam na Wandę, która delikatnie zamaczała nogę w stawie, podczas gdy Syrah cierpliwie wydmuchiwała bąbelki pod wodą. Nagle Wanda wskoczyła, chlapiąc trąbą i posyłając w górę kaskadę wody.

– Możliwe, że Thomas wie – oznajmiła po chwili Nevvie.

– O czym?

Twarz miała gładką, nieodgadnioną.

– O dziecku – odparła.

Następnie dźwignęła wiadro z odpadkami i ruszyła pod górę do ogrodu.

Jakby mówiła o słoniach i niczym więcej.

Przybycie Maury, nowej rezydentki, zostało przesunięte o tydzień. Cały rezerwat wpadł w wir przygotowań. Pomagałam, jak mogłam, aby przystosować afrykańską zagrodę do potrzeb drugiego słonia. Byłam tak zaaferowana, że widok Gideona, spokojnie robiącego Wandzie pedikiur w hangarze azjatyckim, kompletnie zbił mnie z tropu.

Siedział na stołku przed boksem; prawa przednia noga słonicy wystawała przez klapę w stalowej kracie, oparta o belkę. Gideon nucił, zeskrobując odciski od spodu i przycinając skórki. Uznałam, że jak na takiego wielkoluda jest zadziwiająco delikatny.

– Tylko mi nie mów, że jeszcze wybierze sobie odcień lakieru do paznokci – powiedziałam, przystając za jego plecami w nadziei, że zatrę niemiłe wrażenie po naszym pierwszym spotkaniu.

– Problemy ze stopami to przyczyna śmierci połowy słoni w niewoli – oznajmił Gideon. – Bóle ścięgien, artretyzm, zapalenie kości i szpiku. Spróbuj postać na betonie przez najbliższe sześćdziesiąt lat.

Przykucnęłam.

– Lepiej zapobiegać, niż leczyć.

– Opiłowujemy pęknięcia, żeby do środka nie dostawały się kamyki. Moczymy w occie jabłkowym, aby uniknąć ropni. – Wskazał brodą na boks, gdzie lewa przednia noga Wandy spoczywała w dużej gumowej balii. – Jedna z naszych dziewcząt miała nawet wielkie sandały marki Teva, z gumowymi podeszwami. Na złagodzenie bólu.

Nigdy nie przyszłoby mi do głowy, że może to stanowić problem, no ale moje słonie były od dziecka zaprawione w trudnym terenie. I miały nieograniczoną przestrzeń, gdzie mogły rozprostować kości.

– Jaka spokojna – zauważyłam. – Jakbyś ją zahipnotyzował.

Gideon zignorował komplement.

– Nie zawsze taka była. Po przyjeździe dawała się we znaki. Potrafiła nabrać wody do całej trąby, a potem wylać ci na głowę. Rzucała patykami. – Spojrzał na mnie. – Jak Hester. Ale gorzej celowała.

Poczułam, że się rumienię.

– No tak. Przepraszam za tamto.

– Grace powinna ci powiedzieć. Wiedziała, w co się pakujesz.

– To nie była wina twojej żony.

Przez jego twarz przemknął jakiś cień. Żal? Rozdrażnienie? Za słabo go znałam, aby to określić.

W tej samej chwili Wanda wyszarpnęła nogę. Wystawiła trąbę przez kraty i przewróciła miskę, ochlapując Gideona. Westchnął i podniósł miskę.

– Noga! – powiedział. I Wanda mu ją podstawiła, żeby skończył. – Lubi się z nami drażnić – ciągnął Gideon. – Chyba zawsze była takim słoniem. Ale kiedyś za to obrywała. Gdy nie chciała się ruszyć, pieścili ją batem. Po przyjeździe waliła w kraty, robiąc straszny hałas, jakby chciała nas sprowokować do ukarania. A my jej kibicowaliśmy, żeby hałasowała jeszcze bardziej. – Gideon poklepał nogę, a Wanda wycofała ją ostrożnie.

Wylazła z octowej kąpieli. Przechyliwszy trąbą miskę, opróżniła ją do odpływu i podała Gideonowi.

Roześmiałam się ze zdziwieniem.

– No, teraz to chyba uosobienie dobrych manier.

– Niezupełnie. Rok temu złamała mi nogę. Zajmowałem się jej tylną stopą, kiedy ugryzł mnie szerszeń. Poderwałem rękę, ale to, że niechcący klepnąłem ją w zad, chyba nie przypadło jej do gustu. Wysunęła trąbę i zaczęła mną walić o kraty, jakby dostała szału. Doktor Metcalf i moja teściowa z trudem jej wyperswadowali ten atak – dodał. – Kość udowa złamana w trzech miejscach.

– Wybaczyłeś jej.

– Ona nie zawiniła – odparł beznamiętnie. – Nie ma wpływu na to, co ją spotkało. I tak cud, że po tym wszystkim pozwala do siebie podejść. – Patrzyłam, jak Gideon namawia Wandę do podania mu przedniej nogi. – Ich wspaniałomyślność jest niesamowita.

Pokiwałam głową, ale myślałam o Grace, która chciała być nauczycielką, a zeskrobywała słoniowe łajno z podłogi. Zastanawiałam się, czy słonie w rezerwacie, nawykłe do klatek, pamiętają pierwszą osobę, która je w nich umieściła.

Patrzyłam, jak Gideon klepie Wandę po nodze, a ta na próbę odstawia ją na posadzkę. I pomyślałam – nie po raz pierwszy – że wybaczanie i zapominanie nie wykluczają się nawzajem.

Po przyjeździe Maury zaparkowano przyczepę w zagrodzie afrykańskiej. Hester gdzieś znikła. Wcześniej pasła się w najbardziej wysuniętym na północ zakątku, więc przyczepę ustawiono przy krawędzi południowej. Przez cztery godziny Grace, Nevvie i Gideon próbowali wywabić Maurę, przekupując ją arbuzem, jabłkami i sianem. Grali na tamburynie w nadziei, że zainteresuje ją hałas. Puszczali przez przenośne głośniki muzykę klasyczną, a kiedy to zawiodło – rocka.

– Czy tak się już zdarzało? – zapytałam szeptem Thomasa.

Wyglądał na wyczerpanego, miał sińce pod oczami. Przez ostatnie dwa dni chyba nie przysiadł ani na chwilę. Odkąd dostał wiadomość, że Maura jest w drodze.

– Bywało dramatycznie, na przykład kiedy Olive została przywieziona przez swojego cyrkowego tresera. Wypadła z przyczepy, zdzieliła go dwa razy i znikła w lesie. Ale muszę przyznać, że sobie zasłużył, pajac jeden. Olive po prostu zrobiła to, na co wszyscy mieliśmy ochotę. Pozostałe słonie były ciekawskie i miały dosyć ciasnoty, więc nie dały się długo prosić.

Szybko nadchodził zmierzch. Po niebie snuły się chmury obleczone szkarłatem. Niebawem zrobi się zimno i ciemno, więc jeżeli mamy tu zostać i czekać, będziemy potrzebowali koców, lamp i latarek. Nie miałam wątpliwości co do planów Thomasa. W buszu zrobiłabym tak samo, mimo że kontekst był zupełnie inny.

– Gideonie… – zaczął Thomas, chcąc wydać polecenie, gdy nagle coś zaszeleściło wśród drzew.

Słonie bywają niezwykle szybkie i bezszelestne; wiedziałam o tym dobrze, dlatego nagłe pojawienie się Hester nie powinno wywołać mojego zdziwienia. Przemieszczała się niemalże zbyt szybko jak na zwierzę tej wielkości, z lekkością i podnieceniem wywołanym tym wielkim, metalowym przedmiotem, który niespodziewanie pojawił się w jej zagrodzie. Thomas wspominał, że słonie ożywiały się na widok buldożera. Intrygowały je obiekty większe od nich samych.

Hester zaczęła dreptać przed wejściem do przyczepy. Zatrąbiła na powitanie. Trwało to około dziesięciu sekund. Gdy nie doczekała się odpowiedzi, ryknęła. Krótko i zwięźle.

Z głębi przyczepy dobiegł pomruk.

Poczułam, że Thomas bierze mnie za rękę.

Maura ostrożnie zeszła po trapie, przystając w pół drogi. Hester przestała dreptać. Jej pomruki przeszły w ryk, trąbienie, potem ponownie w pomruk. Odegrała radosną kakofonię, jaka następuje po długiej rozłące.

Uniosła głowę i zawachlowała uszami. Maura oddała mocz; z jej gruczołów skroniowych popłynęła wydzielina. Wysunęła trąbę ku Hester, choć wciąż jeszcze nie zeszła na sam dół. Oba słonie nie przestawały grzmieć, gdy Hester postawiła przednie nogi na trapie i obróciła głowę, pokazując Maurze naderwane ucho. Następnie zaprezentowała lewą przednią nogę. Zupełnie jakby opowiadała historię swego życia: „Zobacz, co mi zrobili. Ale widzisz, przeżyłam".

Ten widok sprawił, że zaczęłam płakać. Kiedy Hester w końcu splotła trąbę z trąbą Maury, poczułam, że Thomas mnie obejmuje. Hester odsunęła się od trapu, Maura z wahaniem poszła za nią.

– Wyobraź sobie, że należysz do wędrownego cyrku… – wykrztusił Thomas. – Już nie będziesz musiała jeździć przyczepą, malutka.

Słonice zakołysały się w zgodnym rytmie, sunąc w stronę drzew. Szły tak blisko siebie, że wyglądały jak jakiś wielki mityczny stwór. Gdy otoczył je mrok, zlały się z gęstwiną drzew.

– No, Mauro… – mruknęła Nevvie. – Witaj w domu.

Mogłabym się tłumaczyć na różne sposoby, dlaczego w owej chwili podjęłam taką, a nie inną decyzję – że tutejsze słonie potrzebują mnie bardziej niż te w buszu, że mojej pracy naukowej nie determinują bariery geograficzne, że mężczyzna, który trzyma mnie za rękę, wzruszył się jak ja, do łez, przybyciem ocalonego słonia. Lecz żaden z tych powodów nie był prawdziwy.

Po przybyciu do Botswany goniłam za wiedzą, sławą, uznaniem w swojej dziedzinie. Ale teraz, kiedy zmieniły się okoliczności, moje pobudki również uległy zmianie. Ostatnimi czasy nie zajmowałam się pracą, tylko odsuwaniem myśli, które budziły we mnie grozę. Nie biegłam już ku przyszłości, ale uciekałam przed wszystkim innym.

Dom. Tego właśnie chciałam. Chciałam tego dla mojego dziecka.

Zapadły ciemności tak wielkie, że – podobnie jak słonie – nie widziałam niczego i musiałam uciec się do pomocy innych zmysłów. Dlatego ujęłam twarz mężczyzny w obie dłonie, wciągnęłam w nozdrza jego zapach i dotknęłam czołem jego czoła.

– Thomas – szepnęłam. – Muszę ci coś powiedzieć.

Virgil

Zajarzyłem przez ten głupi kamyk.

Jak tylko Thomas Metcalf go zobaczył, dostał jakiegoś szału. No dobra, powiedzmy, że i tak ma nierówno pod sufitem, lecz w chwili gdy zagapił się na naszyjnik, oczy miał przytomne do bólu.

Furia często odsłania prawdziwą naturę człowieka.

Teraz siedzę w biurze i łykam kolejną tabletkę na nadkwasotę – chyba dziesiątą, straciłem rachubę – bo nie mogę pozbyć się dławiącego ucisku w piersi. Pewnie mam zgagę po tych gównianych hot dogach, które zjedliśmy na lunch. Ale coś mi świta, że może to wcale nie są problemy gastryczne, tylko czysta, niezachwiana intuicja. Przeczucie. Coś, czego nie czułem od bardzo, bardzo dawna.

W moim biurze aż roi się od dowodów. Przed każdym wyniesionym z posterunku pudłem leży kilka papierowych torebek, z zawartością ułożoną w półokrąg. Wykres zbrodni, przestępcze drzewo genealogiczne. Stąpam ostrożnie, uważając, by nie zdeptać kruchego liścia z czarną plamą krwi lub nie przeoczyć małego papierowego zawiniątka z włóknami w środku.

Dziękuję Bogu za własne niedbalstwo. Wiele materiałów mogło, lub powinno, trafić z powrotem do właścicieli, co nie nastąpiło nigdy. Albo śledczy nie powiedział dyżurnemu, że rzeczy mogą być zniszczone bądź zwrócone, albo dyżurny nie miał nic wspólnego ze śledztwem i nie wiedział tego sam z siebie. Po tym jak śmierć Nevvie Ruehl uznano za wypadek, mój partner przeszedł na emeryturę, a ja zapomniałem lub podświadomie postanowiłem nie wspomnieć Ralphowi o usunięciu pudeł. Może brałem pod uwagę, że Gideon wniesie sprawę cywilną przeciwko rezerwatowi? Albo zastanawiałem się, jaką rolę odegrał tamtej nocy. Tak czy inaczej, najwyraźniej czułem przez skórę, że jeszcze zechcę zajrzeć do tych kartonów.

Fakt – dla ścisłości – zostałem odsunięty od sprawy. Tyle że Jenna Metcalf jest trzynastoletnią smarkulą, która dziś rano pewnie z pięć razy zmieniła zdanie, w co się ubrać. Obrzuciła mnie słowami jak błotem, ale teraz już wyschły i mogę je strzepnąć.

Rzeczywiście nie jestem pewien, czy śmierć Nevvie Ruehl nastąpiła z winy Thomasa czy jego żony Alice. Przypuszczam, że i Gideona nie należy wykluczać. Jeśli sypiał z Alice, zapewne nie wzbudziło to aprobaty jego teściowej. Po prostu nie wierzę, że jej śmierć nastąpiła w wyniku stratowania, nawet jeżeli przyjąłem tak dziesięć lat temu. Ale jeśli mam ustalić tożsamość mordercy, najpierw muszę dowieść, że w ogóle doszło do zbrodni.

Dzięki Tallulah i laboratorium wiem już, że przy zwłokach znaleziono włosy Alice Metcalf. Ale czy to ona znalazła stratowane ciało i pozostawiła przy nim włosy, zanim uciekła? A może była bezpośrednią przyczyną tej śmierci?

Czyżby obecność kosmyka rzeczywiście nic nie znaczyła, jak chce uwierzyć Jenna, a kobiety otarły się o siebie w przelocie, nieświadome, że zanim minie dzień, jedna z nich będzie martwa?

Kluczem jest Alice, rzecz jasna. Jej znalezienie podsunęłoby mi wszystkie odpowiedzi. Wiem tylko tyle, że uciekła. Ludzie, którzy uciekają, albo próbują coś dogonić, albo czegoś uniknąć. Nie mam pewności, jak było w tym przypadku. Ale dlaczego Alice nie zabrała z sobą córki?

Bardzo nie lubię przyznawać racji Serenity, ale faktycznie byłoby łatwiej, gdyby zjawiła się Nevvie Ruehl i opowiedziała mi, co zaszło.

– Zmarli nie mówią – mamroczę na głos.

– Że co proszę?

Abigail, moja gospodyni, omal nie przyprawia mnie o zawał. Ni z tego, ni z owego staje w progu i patrzy z dezaprobatą na rzeczy rozsiane po całym gabinecie.

– Kurwa, Abby, przestań się skradać!

– Musisz się tak wyrażać?

– Kurwa – powtarzam. – Nie wiem, czemu ci przeszkadza. To słowo sprawdza się w każdej sytuacji. Jest bardzo uniwersalne. – Posyłam staruszce szeroki uśmiech.

Kręci nosem na bałagan.

– Bądź łaskaw pamiętać, że każdy lokator sam wynosi śmieci.

– To nie śmieci, tylko praca.

Abigail mruży oczy.

– To mi wygląda na wytwórnię ampy.

– Po pierwsze, mówi się „amfa”...

Abby podnosi ręce do gardła.

– Wiedziałam!

– Nie! – zaprzeczam. – Zaufaj mi, tak? Żadna wytwórnia amfy, tylko dowody w sprawie.

Bierze się pod boki.

– Może dla odmiany wymyślisz coś lepszego?

Mrugam zdziwiony i przypominam sobie, że kiedy nie tak dawno temu wpadłem w ciąg i przez cały tydzień kisiłem się w biurze we własnym smrodzie, Abigail przylazła powęszyć. Gdy weszła, leżałem jak nieżywy na biurku, a gabinet wyglądał, jakby ktoś wrzucił do niego bombę. Wcisnąłem jej, że całą noc harowałem i chyba przysnąłem, a śmieci na podłodze to dowody zebrane przez wydział zabójstw.

Choć tak naprawdę były to puste torebki po popcornie i stare numery „Playboya".

– Piłeś, Victorze?

– Nie – mówię i nagle konstatuję, że przez ostatnie dwa dni myśl o tym nawet nie postała mi w głowie. Nie chciałem chlać i koniec. Nie potrzebowałem tego. Jenna Metcalf nie tylko wyznaczyła mi cel, ale i ustawiła do pionu. Jak na najlepszym odwyku.

Abigail robi krok do przodu i staje wśród torebek z dowodami, zaledwie kilka centymetrów przede mną. Wspina się na palce, jakby chciała dać mi buziaka, ale tylko wącha mój oddech.

– No proszę – oznajmia. – Jednak cuda się zdarzają. – Wycofuje się ostrożnie i ponownie przystaje w progu. – Ale jesteś w błędzie. Owszem, zmarli mówią. Mój nieboszczyk mąż i ja mamy nasz szyfr, jak mistrz ucieczek, ten Żyd...

– Houdini?

– Właśnie. Jeśli trafi z zaświatów, zostawi mi wiadomość, którą tylko ja będę umiała odczytać.

– Wierzysz w te głupoty, Abby? Nigdy bym się nie spodziewał. – Patrzę na nią. – Od jak dawna go nie ma?

– Od dwudziestu dwóch lat.

– Niech zgadnę. Rozmawiacie bez przerwy, tak?

Abby się waha.

– Gdyby nie on, dawno bym cię wyrzuciła.

– Prosił, żebyś mi odpuściła?

– Hm, niezupełnie – odpowiada Abigail. – On też miał na imię Victor. – Zamyka za sobą drzwi.

– Na szczęście nie wie, że mam na imię Virgil – mruczę pod nosem i kucam obok jednej z zapieczętowanych torebek.

W środku znajduje się czerwona koszulka polo i płócienne szorty, które Nevvie Ruehl miała na sobie w chwili śmierci. Tak samo ubrani byli Gideon Cartwright i Thomas Metcalf.

Abby ma rację. Właściwie zmarli – i zmarłe – mówią. Jak nic.

Ze sterty za biurkiem wyciągam starą gazetę i przykrywam blat. Następnie ostrożnie wyjmuję z torebki czerwoną koszulę oraz szorty i rozkładam na płask. Są upstrzone plamami (pewnie krew i błoto) i częściowo poszarpane (efekt tratowania). Wyjmuję z szuflady biurka lupę i oglądam każde rozdarcie. Przyglądam się krawędziom, próbując ustalić, czy dziury powstały w wyniku użycia ostrego narzędzia, czy też naprężenia i pęknięcia tkaniny. Poświęcam na to godzinę, tracąc rachubę obejrzanych dziur.

Dopiero za trzecim razem zauważam rozdarcie, na które wcześniej nie zwróciłem uwagi, w sumie bardziej pęknięcie wzdłuż szwu przy rękawie. Niewielkie, kilkucentymetrowe, jakby materiał o coś zahaczył.

W obrąbku tkwi półksiężyc paznokcia.

Sytuacja staje mi przed oczami. Szarpanina. Ktoś łapie za koszulkę Nevvie na piersi.

W laboratorium powiedzą, czy paznokieć pasuje do DNA Alice. Jeśli nie, pobierzemy próbkę od Thomasa. Jeśli zaś nie pochodzi od żadnego z tych dwojga, być może należy do Gideona Cartwrighta.

Chowam paznokieć do koperty. Ostrożnie składam odzież i umieszczam ją z powrotem w torebce. Dopiero wówczas zauważam inną kopertę, z mniejszym papierowym skrawkiem w środku. Papier został spryskany ninhydryną, co ujawniło charakterystyczne fioletowe prążki odcisku palca, dopasowanego w kostnicy do lewego kciuka Nevvie Ruehl. Obyło się bez niespodzianek – na rachunku znalezionym w kieszeni szortów z pewnością widniały odciski palców ofiary.

Wyjmuję z koperty nieduży papierowy kwadracik. Ninhydryna zdążyła już spłowieć, przybierając odcień lawendy. Mogę spróbować poddać go w laboratorium ponownej analizie, ale po tylu latach wskóram raczej niewiele.

Chowając papier z powrotem do koperty, przyglądam się uważniej i dopiero zauważam, co to takiego. GORDON, SPRZEDAŻ HURTOWA, głosi napis. Data i godzina, ranek w dniu śmierci Nevvie Ruehl. Nie ustaliłem, kto odebrał wówczas zamówienie, ale może w hurtowni pamiętają jeszcze pracowników rezerwatu?

Jeśli Alice Metcalf uciekła przed Thomasem, być może zasadnicze pytanie brzmi: do kogo?

Jakby zapadła się pod ziemię. Czy Gideon Cartwright zapadł się wraz z nią?

Tak naprawdę wcale nie chciałem zadzwonić do Serenity. Samo wyszło.

Wykonałem telefon, a ona ni z tego, ni z owego odebrała. Słowo daję, nawet nie pamiętam, żebym wybierał numer, a przecież nie wypiłem ani kropli.

Chciałem tylko zapytać, czy ma jakąś wiadomość od Jenny.

Sam nie wiem po co. Mogłem machnąć na nią ręką, krzyż na drogę.

Ale w nocy nie zmrużyłem oka.

Chyba dlatego, że z chwilą gdy weszła do mojego biura, z tym głosem, który prześladował mnie w snach, zdarła plaster tak gwałtownie, że zacząłem krwawić na nowo. Co do jednego miała rację – naprawdę skrewiłem, bo dziesięć lat temu nie postawiłem się Donny'emu Boylanowi, kiedy wyciszał aferę. Ale co do drugiego się myli. Tu nie chodzi o nią, o znalezienie jej matki. Chodzi o mnie.

Żebym się odnalazł na nowo.

Cała trudność, że nie mam w tym wprawy.

No więc złapałem za słuchawkę i zanim się spostrzegłem, już prosiłem Serenity Jones, tak zwaną niepraktykującą jasnowidzkę, żeby pojechała ze mną na zwiady do Hurtowni Owocowo-Warzywnej Gordona. Dopiero kiedy zgodziła się po mnie przyjechać – z entuzjazmem na miarę uczestniczki teleturnieju – zrozumiałem, co skłoniło mnie, żeby się z nią skontaktować. Nie, nie sądziłem, że pomoże mi w śledztwie. Zrobiłem to dlatego, ponieważ Serenity wiedziała, jakie to uczucie nie móc z sobą żyć, kiedy się popełniło katastrofalny błąd.

Teraz, godzinę później, jedziemy jej puszką po rybnej konserwie na obrzeża Boone, gdzie, odkąd sięgam pamięcią, mieści się hurtownia Gordona. To miejsce, w którym nawet w środku zimy można kupić świeże mango, dostępne o tej porze roku jedynie w Chile i Paragwaju. Sprzedawane tu w lecie truskawki są wielkości główki niemowlęcia.

Włączam radio, żeby zabić ciszę, i znajduję we wnęce papierowego słonika.

– Ona to zrobiła – rzuca Serenity.

Nie musi nawet wymieniać imienia Jenny.

Słonik wyślizguje mi się z palców i sfruwa łukiem do wielkiej fioletowej torebki Serenity, otwartej pomiędzy naszymi siedzeniami. Jest jak dywanikowa torba Mary Poppins.

– Dzwoniła do ciebie dzisiaj?

– Nie.

– Jak myślisz dlaczego?

– Bo dochodzi ósma rano, a mówimy o nastolatce.

Kręcę się na fotelu pasażera.

– A nie myślisz, że dlatego, bo wczoraj zachowałem się jak palant?

– Zaczekajmy do dziesiątej albo jedenastej, to się okaże. Ale teraz śpi. Jak wszyscy jej rówieśnicy podczas wakacji.

Serenity poprawia ręce na kierownicy, a ja po raz kolejny zagapiam się na futrzany pokrowiec, którym ją obciągnęła. Jest niebieski, ma wyłupiaste oczy i białe kły.

Przypomina trochę Ciasteczkowego Potwora, który ma ochotę połknąć kierownicę.

– Co to ma, do cholery, być? – pytam.

– Bruce – odpowiada Serenity z miną, jakby to było oczywiste.

– Nadałaś imię kierownicy?

– Kotku, z tym samochodem łączy mnie najdłuższy związek, jaki kiedykolwiek miałam na koncie. Biorąc pod uwagę, że twój najlepszy kompan ma na imię Jack, a na nazwisko Daniels, daruj sobie komentarze. – Posyła mi promienny uśmiech. – Do diaska, jak mi tego brakowało!

– Słownych przepychanek?

– Nie, pracy w dochodzeniówce. Jesteśmy jak Cagney i Lacey, tyle że jesteś przystojniejszy od Tyne'a Daly'ego.

– Pozwól, że się nie wypowiem – bąkam pod nosem.

– Wiesz co? Wbrew temu, co myślisz, wcale się tak bardzo nie różnimy od siebie.

Wybucham śmiechem.

– Taaa. Nie licząc mojej słabości do namacalnych dowodów.

Puszcza te słowa mimo uszu.

– Tylko pomyśl. Oboje wiemy, jakie pytania zadawać. I jakich nie zadawać. Znamy się na mowie ciała, a nasze drugie imię to „intuicja".

Potrząsam głową. Takie porównania w życiu nie przyszłyby mi do głowy.

– W mojej pracy nie ma nic paranormalnego. Nie miewam wizji, skupiam się na tym, co mam przed nosem. Detektywi są obserwatorami. Widzę osobę, która nie patrzy mi prosto w oczy, i próbuję dociec, czy wynika to z żalu czy z poczucia winy. Zwracam uwagę na to, co doprowadza ludzi do łez. Słucham, nawet gdy nikt nic nie mówi – uzupełniam. – Czy kiedykolwiek pomyślałaś, że nie ma czegoś takiego jak jasnowidztwo? Że może tak zwani jasnowidze są po prostu świetnymi detektywami?

– A przypadkiem nie na odwrót? Może dobry detektyw czyta w ludziach, bo jest trochę jasnowidzem?

Serenity zajeżdża pod hurtownię Gordona.

– Idziemy na przeszpiegi – oznajmiam, wysiadając z samochodu, po czym szybko zapalam papierosa. Moja towarzyszka z trudem dotrzymuje mi kroku. – Cel: przyskrzynić Gideona Cartwrighta.

– Nie wiesz, dokąd pojechał po zamknięciu rezerwatu?

– Wiem, że pomagał przy wyekspediowaniu słoni do nowego domu. A co nastąpiło potem... Nie mam zielonego pojęcia – mówię. – Zakładam, że do hurtowni jeździli wszyscy pracownicy. Jeżeli Gideon planował ucieczkę z Alice, może kiedyś coś mu się wymknęło?

– Sądzisz, że pracuje tu ta sama ekipa co przedtem?

– Nie wiem, czy nie pracuje – zaznaczam. – Przeszpiegi, pamiętasz? Nigdy nie wiadomo, co wyjdzie w praniu. Po prostu wczuj się w rolę.

Miażdżę niedopałek obcasem i wchodzę do środka. To drewniana chałupa, gęsto zaludniona dwudziestolatkami z dredami i w sandałach marki Birkenstock, ale dostrzegam również starszego pana układającego pomidory w wielką piramidę. Robi wrażenie, chociaż kusi mnie, żeby wyciągnąć jednego spod spodu. Niech się wszystko rozsypie!

Jedna z pracownic, dziewczyna z kółkiem w nosie, uśmiecha się do Serenity, taszcząc w stronę kasy wielki kosz z kukurydzą.

– W razie czego proszę wołać – mówi.

Przypuszczam, że decyzja o sprzedaży rezerwatowi po kosztach została podjęta przez kierownictwo. I może jestem uprzedzony, ale zakładam, że starszy pan orientuje się lepiej niż typek o przekrwionych oczach.

Sięgam po brzoskwinię i biorę gryza.

– O rany, Gideon miał rację – mówię do Serenity.

– Przepraszam – wtrąca mężczyzna – ale nie wolno częstować się bez płacenia.

– Ależ zapłacę. Kupię cały kilogram. Mój znajomy miał rację – sprzedajecie najlepsze owoce, jakich próbowałem. „Marcusie", powiedział, „jeżeli będziesz kiedyś w Boone w stanie New Hampshire i nie zajrzysz do Gordona, będziesz tego srodze żałował".

Mężczyzna z zadowoleniem szczerzy zęby.

– Nie pozostaje mi nic innego, jak się z panem zgodzić. – Podaje mi rękę. – Gordon Gordon.

– Marcus Latoile – odpowiadam. – A to moja, hm, żona. Helga.

Serenity czaruje go uśmiechem.

– Właśnie jedziemy na festiwal rękodzieła – oświadcza. – Ale na widok szyldu Marcus wręcz musiał się zatrzymać...

Przerywa jej huk na zapleczu.

Gordon wzdycha.

– Dzisiejsza młodzież! Tacy ekologiczni, a mają dwie lewe ręce. Państwo wybaczą na chwilę.

Wychodzi, a ja odwracam się do „żony".

– Festiwal rękodzieła? – wybucham.

– Helga? – odparowuje. – Na poczekaniu nie wymyśliłam nic lepszego. Nie spodziewałam się, że będziesz cyganił.

– Ja nie cyganię, tylko prowadzę dochodzenie. Grunt, żeby go skłonić do zeznań. Przy detektywach ludzie nabierają wody w usta. Żeby nie wkopać siebie albo kogoś innego.

– I ty twierdzisz, że jasnowidze to szarlatani?

Wraca Gordon, cały w przeprosinach.

– Dostaliśmy robaczywą kapustę.

– Nie znoszę takich sytuacji – mruczy Serenity.

– Może skusicie się na melona? – pyta Gordon. – Słodki jak miód.

– Nie wątpię. Gideon wspomniał, że szkoda takiego towaru dla słoni – wtrącam.

– Słonie... – powtarza Gordon. – Chyba nie mówi pan o Gideonie Cartwrighcie?

– Pamięta go pan? – Rozpromieniam się. – Nie do wiary! Po prostu nie do wiary. Byliśmy współlokatorami w college'u, od tamtej pory go nie widziałem. Zaraz, to on tu nie mieszka? Chętnie bym z nim pogadał...

– Wyjechał dawno temu, po zamknięciu rezerwatu – informuje mnie Gordon.

– Zaraz, to rezerwat zamknięto?

– Wielka szkoda. Jedna z pracownic została stratowana. Teściowa Gideona, nawiasem mówiąc.

– To musiał być cios. I dla niego, i jego żony – ciągnę, zgrywając głupa.

– Grace szczęśliwie tego nie dożyła – mówi Gordon. – Zmarła miesiąc wcześniej.

Czuję, jak Serenity sztywnieje u mego boku. To dla niej nowość, ale ja przypominam sobie jak przez mgłę słowa Gideona, że „nie ma Grace". Utrata jednego członka rodziny to tragedia. Utrata dwóch, jednego po drugim, to coś więcej niż zbieg okoliczności.

Po śmierci teściowej Gideon Cartwright wyglądał jak kupka nieszczęścia. Ale być może powinienem był wciągnąć go na listę podejrzanych?

– Orientuje się pan może, dokąd wyjechał? – drążę. – Chętnie bym się z nim skontaktował. Złożyłbym mu kondolencje.

– Wiem, że wybierał się do Nashville. Tam jechały słonie, do pobliskiego rezerwatu. I tam pochowano Grace.

– Znał pan jego żonę?

– Przemiła dziewczyna. Na pewno nie zasługiwała na przedwczesną śmierć.

– Była chora? – wtrąca Serenity.

– Poniekąd – odpowiada Gordon. – Weszła do rzeki Connecticut, z kamieniami w kieszeniach. Znaleźli ją po tygodniu.

Alice

Dwadzieścia dwa miesiące to bardzo długa ciąża.

Dla słonia to niesamowity wydatek, czasowy i energetyczny. Dołóżcie do tego czas i energię potrzebne na opiekę nad potomstwem, dopóki się nie usamodzielni, a zrozumiecie, co oznacza bycie słoniową matką. Nieważne, kim jesteś ani jakiego rodzaju relację wykształciłeś ze słonicą. Spróbuj rozdzielić ją i dziecko, a cię zabije.

Maura była słoniem cyrkowym, sprowadzonym do zoo jako potencjalna partnerka afrykańskiego samca. Zaiskrzyło, ale nie tak, jak życzyliby sobie opiekunowie – nic dziwnego, w buszu samica nie żyłaby w tak bliskim sąsiedztwie samca. Maura zaatakowała zalotnika, zniszczyła płot w swojej zagrodzie, przygważdżając do niego dozorcę i gruchocząc mu kręgosłup. Trafiła do nas z etykietką morderczyni. Podobnie jak pozostałych mieszkańców rezerwatu poddano ją dziesiątkom badań, w tym pod kątem zapalenia płuc. Nie uwzględniono jednak testu ciążowego, toteż nie wiedzieliśmy, że jest brzemienna, niemal do samego rozwiązania.

Kiedy się w końcu połapaliśmy – po obrzmiałych sutkach i opuszczonym brzuchu – odseparowaliśmy ją na kilka tygodni. Nie sposób było bowiem przewidzieć reakcji Hester, drugiej afrykańskiej słonicy w zagrodzie, gdyż ta nigdy nie miała potomstwa. Nie wiedzieliśmy też, czy Maura ma w tym względzie jakieś doświadczenie, dopóki nie zlokalizowaliśmy cyrku, z którym jeździła, i nie dowiedzieliśmy się, że urodziła kiedyś syna. Był to jeden z wielu powodów, dla których uznano ją za niebezpieczną – opiekunowie nie chcieli ryzykować matczynej agresji, skuli więc słonicę na czas porodu, aby przejąć opiekę nad małym. Ale Maura dostała szału: trąbiła, ryczała i szarpała łańcuchy, wyrywając się do dziecka. Uspokoiła się, dopiero gdy pozwolono jej go dotknąć.

Kiedy miał dwa lata, sprzedano go do ogrodu zoologicznego.

Na wieść o tym poszłam do jej zagrody i usiadłam. Jenna bawiła się pod moimi nogami.

– To się więcej nie powtórzy – zapewniłam.

W rezerwacie zapanowało podniecenie. Z różnych powodów. Thomas upatrywał w słoniątku korzyści finansowej, chociaż w przeciwieństwie do zoo, które odnotowałoby gigantyczny wzrost frekwencji, nie zamierzaliśmy wystawiać malca na pokaz. Po prostu liczyliśmy, że sponsorzy chętniej sięgną do kieszeni. Nie ma nic słodszego niż zdjęcia słoniątka, z przecinkiem trąby i główką między kolumnami matczynych nóg, a mieliśmy nadzieję, że naszę ulotki będą pełne takich fotografii. Grace nigdy nie była przy narodzinach słonia, z kolei Nevvie i Gideon widzieli po dwa za swoich cyrkowych czasów i liczyli na szczęśliwe zakończenie.

A ja? No cóż, czułam więź z tą olbrzymką. Pojawiłyśmy się w rezerwacie z grubsza w tym samym czasie, pół roku później urodziłam córkę. Przez ostatnie półtora, podczas swoich obserwacji, czasem chwytałam jej wzrok. Może to mało profesjonalna antropomorfizacja, ale tak między nami? Chyba obie czułyśmy, że los się do nas uśmiechnął.

Miałam prześliczną córkę i wspaniałego męża. Zebrałam dużo materiałów dzięki zapisom dźwiękowym Thomasa i mój artykuł o słoniowym smutku po stracie nabierał realnych kształtów. Dzień w dzień uczyłam się czegoś nowego od tych niezwykłych, inteligentnych zwierząt. Ułatwiało mi to skupienie na pozytywnych aspektach sytuacji zamiast tych, które niepokoiły mnie coraz częściej – permanentny brak pieniędzy i Thomas na tabletkach na bezsenność. A także fakt, że od ponad półtora roku nie udokumentowałam jakiegokolwiek przypadku zgonu wśród zwierząt, i poczucie winy, że przedkładam badania nad życie podopiecznych.

Do tego dochodziły sprzeczki z Nevvie, która uważała, że zjadła wszystkie rozumy z uwagi na najdłuższy staż. Kwestionowała mój wkład, gdyż jej zdaniem słonie w rezerwacie obowiązywały inne zasady niż w buszu.

Niektóre z tych konfliktów były błahe – na przykład gdy przygotowywałam posiłki dla słoni, a Nevvie wprowadzała poprawki, bo Syrah nie lubi truskawek, a melony szkodzą Olive na żołądek (nic mi o tym nie było wiadomo). Czasem jednak wykraczała poza swoje kompetencje, co dotykało mnie osobiście. Jak wówczas, gdy umieściłam kości azjatyckich słoni w zagrodzie afrykańskiej w celu zbadania reakcji słonic, Nevvie zaś je usuwała, posądzając mnie o brak szacunku dla szczątków. Albo gdy opiekowała się Jenną i uparcie dawała jej miód na ząbkowanie, choć ze wszystkich poradników wynikało, że należy wprowadzać go dopiero od drugiego roku życia. Kiedy wspomniałam o tym Thomasowi, bardzo go to zdenerwowało. „Nevvie jest ze mną od początku”, kwitował mimo to. Jakby nie miało znaczenia, że ja mam być z nim do końca.

Ponieważ nikt z nas nie wiedział, kiedy Maura zaszła w ciążę, data porodu była szacunkowa. Co do tego też nie mogłyśmy dojść z Nevvie do porozumienia. Wnosząc z wyglądu sutków, spodziewałam się, że to już niedługo, ona twierdziła zaś, że słonice zawsze rodzą podczas pełni, która przypadała za trzy tygodnie.

W buszu byłam świadkiem jednego porodu; to mało, zważywszy na liczbę młodych w stadach. Rodziła słonica o imieniu Botshelo, co w języku tswana oznacza „życie”. Tropiąc inne słonie, natknęłam się przy rzece na jej stado, które zachowywało się bardzo dziwnie. Na ogół bardzo opanowane zwierzęta teraz skupiły się wokół Botshelo, głowami na zewnątrz, jakby ją osłaniały. Przez godziny zza ich pleców dochodziły pomruki, po czym rozległ się chlupot. Słonie przesunęły się na tyle, że zobaczyłam, jak Botshelo rozrywa worek owodniowy i zakłada go sobie na głowę, jak ludzie abażur w trakcie szampańskiej zabawy. Stado zaczęło oddawać mocz, z gruczołów skroniowych popłynęła wydzielina. Zwierzęta przewracały oczami, jakby zapraszając mnie do ogólnej radości. Słoniątko zostało obmacane od stóp do głów przez wszystkich członków gromady; Botshelo podważała je i owijała trąbą, następnie wsuwała mu ją do pyszczka. „Witaj. Jak się masz?”.

Skołowane młode przewracało się z boku na bok, rozkraczone jak rozgwiazda. Botshelo próbowała postawić je na nogi za pomocą trąby i stóp, co udało jej się tylko częściowo, gdyż przód padał z chwilą, kiedy zadek wędrował w górę i na odwrót. Wreszcie Botshelo przyklękła, przyciskając twarz do główki dziecka, a potem wstała, zupełnie jakby demonstrowała tę czynność małemu. Słoniątko podjęło próbę, ale się poślizgnęło, więc nasypała mu pod nogi trawy i ziemi, aby miało się jak zaprzeć. Po dwudziestu minutach troskliwych zabiegów malec kolebał się obok matki, która podtrzymywała go trąbą, ilekroć się zachwiał. W końcu zanurkował pod jej brzuch, żeby się najeść.

Tak właśnie wyglądał poród w pigułce, najbardziej niezwykła rzecz, jakiej byłam świadkiem.

Gdy któregoś ranka, zgodnie ze swoim zwyczajem, zajrzałam do Maury, z Jenną przytroczoną do pleców jak indiańskie dziecko, zauważyłam wybrzuszenie w okolicach odbytu. Pojechałam do zagrody azjatyckiej, gdzie Thomas rozmawiał z Nevvie o grzybicy na paznokciu jednej ze słonic.

– Już czas – oznajmiłam bez tchu.

Thomas zachował się tak, jak na wieść, że odeszły mi wody. W podnieceniu stracił głowę i zaczął biegać w kółko. Zadzwonił do Grace z prośbą, by zabrała Jennę do naszego domu i przypilnowała jej, podczas gdy reszta z nas uda się do afrykańskiej zagrody.

– Nie ma pośpiechu – upierała się Nevvie. – Jeszcze nie słyszałam o słonicy, która urodziłaby w ciągu dnia. To się dzieje nocą, żeby wzrok dziecka mógł się przyzwyczaić.

Wiedziałam, że w przypadku Maury oznaczałoby to komplikacje. Wygląd słonicy świadczył o zaawansowanym porodzie.

– Moim zdaniem mamy góra pół godziny – stwierdziłam.

Patrzyłam, jak Thomas przenosi wzrok z Nevvie na mnie.

– Jedziemy – postanowił.

Kiedy się odwróciłam, spojrzenie Nevvie zakłuło mnie w plecy.

Początkowo nastrój był szampański. Thomas spierał się z Gideonem, czy lepszy byłby słonik czy słoninka, a Nevvie opowiadała, jak rodziła Grace. Żartowali, zastanawiając się, czy słonicy można podać znieczulenie zewnątrzoponowe, a jeśli tak, to w jakiej dawce. Ja skupiłam się na Maurze. Gdy pomrukiwała w czasie skurczów, odpowiadał jej chór siostrzanego współczucia: Hester trąbiła, a indyjskie słonice dawały o sobie znać z oddali.

Minęło pół godziny, odkąd ponagliłam Thomasa, potem godzina. Kolejne dwie i nic.

– Może powinniśmy wezwać weterynarza – zaproponowałam, ale Nevvie mnie zbyła.

– Przecież mówiłam – oznajmiła. – Urodzi po zachodzie słońca.

Znałam wielu rangerów, którzy widywali rodzące słonice o różnych porach, ale ugryzłam się w język. Żałowałam, że nie jesteśmy w buszu. Maura miałaby wówczas wsparcie w postaci stada.

Sześć godzin później ogarnęły mnie potężne wątpliwości.

Gideon i Nevvie poszli nakarmić resztę zwierząt. Poród porodem, ale pozostałe sześć słoni też wymagało naszej opieki.

– Chyba powinieneś wezwać weterynarza – powiedziałam do Thomasa, patrząc, jak Maura się słania. – Coś tu nie gra.

Nie wahał się ani chwili.

– Zajrzę do Jenny i zadzwonię. – Popatrzył na mnie zatroskany. – Zostaniesz z Maurą?

Potwierdziłam, po czym usiadłam z kolanami pod brodą. Patrzyłam na cierpiącą słonicę. Nie chciałam mówić tego głośno, ale nie mogłam uwolnić się od myśli o Kagiso, którą zastałam nad martwym słoniątkiem tuż przed wyjazdem z Afryki. Usilnie odsuwałam tę myśl, żeby nie zapeszyć.

Niecałe pięć minut po wyjeździe Thomasa Maura odwróciła się do mnie zadem i między jej nogami ujrzałam balon owodniowy. Zerwałam się na równe nogi, rozdarta pomiędzy chęcią wezwania Thomasa a świadomością braku czasu. Zanim zdążyłam to rozstrzygnąć, pęcherz wyślizgnął się z pluskiem i słoniątko spadło w trawę, wciąż pokryte białą błoną.

Gdyby Maura miała przy sobie siostry, powiedziałyby jej, co robić. Zachęciłyby ją do rozdarcia worka i postawienia małego na nogi. Ale Maura nie miała nikogo oprócz mnie. Przyłożyłam dłonie do ust, próbując naśladować sygnał SOS, jakim słonie ostrzegają się przed drapieżnikami. Miałam nadzieję, że to wytrąci ją z marazmu.

Wreszcie za trzecim razem Maura rozerwała trąbą worek. Ale od razu wiedziałam, że coś tu nie gra. Nie było wybuchu euforii, jak w przypadku Botshelo i jej stada. Maura stała skurczona, ze spuszczonym wzrokiem i zwiotczałym pyskiem. Uszy przylegały płasko do ciała.

Wyglądała jak Kagiso po śmierci dziecka.

Próbowała dźwignąć słonika do pionu. Pchnęła go przednią nogą, ale ani drgnął. Owinęła go trąbą i podniosła, ale się jej wyślizgnął. Odepchnęła łożysko i przetoczyła ciało małego. I wciąż krwawiła; krew spływała jej po tylnych nogach, ciemna i wyraźna jak wydzielina z gruczołów skroniowych. Mimo to Maura nie przestawała trącać i obtaczać w piasku dziecka, które nie zaczerpnęło tchu.

Kiedy zjawił się Thomas z Gideonem oraz informacją, że weterynarz przyjedzie za godzinę, tonęłam we łzach. W całym rezerwacie zapadła cisza, słonie zamilkły; ucichł nawet wiatr. Słońce ukryło twarz w rękawie horyzontu i żałobnym zwyczajem rozdarto szatę nocy. W każdym pęknięciu rozbłysła gwiazda. Maura stała nad ciałem syna, osłaniając je jak parasol.

– Co się stało? – zapytał Thomas.

Do końca życia będę przekonana, że mnie oskarżał.

Potrząsnęłam głową.

– Odwołaj weterynarza – powiedziałam. – Nie musi na razie przyjeżdżać. Krwawienie ustało, nie miałby nic do roboty.

– Będzie chciał obejrzeć małego…

– Matka najpierw musi go opłakać – odparłam.

Przypomniałam sobie moje ciche życzenie sprzed paru dni – aby jeden ze słoni umarł i umożliwił mi kontynuację badań do habilitacji.

Czułam, że podświadomie doprowadziłam do tej tragedii. Być może oskarżał mnie Thomas słusznie.

– Ja tu zostanę – oznajmiłam.

Thomas podszedł bliżej.

– Nie musisz…

– Ale chcę – odparłam stanowczo.

– A Jenna?

Zobaczyłam, że Gideon dyskretnie usuwa się na bok.

– Co, Jenna? – zapytałam.

– Jesteś jej matką.

– A ty ojcem.

Tego jednego wieczoru mogę chyba nie położyć jej spać i zostać przy Maurze. Na tym polega moja praca. Chodziło o nagły przypadek, czułam się usprawiedliwiona. Jak lekarz wezwany do wypadku.

Thomas mnie nie słuchał.

– Tak liczyłem na to słoniątko… – wymamrotał. – Miało nas uratować.

Gideon odchrząknął.

– Thomas? Może odwiozę cię do domu, a Grace przywiezie Alice sweter?

Po ich wyjeździe sporządziłam notatki, zapisując godziny, w jakich słonica wodziła trąbą po ciele dziecka i apatycznie podrzucała worek owodniowy. Opisałam różnice w wydawanych przez nią odgłosach, począwszy od pieszczotliwego nawoływania aż po sygnał wzywający dziecko do powrotu, ale był to monolog.

Grace przyjechała ze swetrem i śpiworem i posiedziała ze mną trochę, obserwując Maurę i łącząc się z nią w bólu.

– Powietrze jest tutaj cięższe – zauważyła.

Wprawdzie na śmierć słonia nie miało wpływu ciśnienie atmosferyczne, ale wiedziałam, o co jej chodzi. Cisza więzła mi w gardle i napierała na bębenki. Jakby chciała nas udusić.

Zjawiła się też Nevvie. Bez słowa podała mi butelkę wody i kanapkę, po czym stanęła z boku, jakby przywoływała wspomnienia, którymi nie chciała się z nikim dzielić.

Około trzeciej nad ranem, gdy zaczęłam przysypiać, Maura w końcu odstąpiła od słoniątka. Zagarnęła je trąbą, ale wypadło jej dwukrotnie. Próbowała podnieść za szyję, a następnie za nogi. Po kilku nieudanych próbach owinęła je trąbą, jakby podnosiła belę siana.

Powoli, ostrożnie ruszyła na północ. Z oddali dobiegło wołanie Hester. Maura odpowiedziała stłumionym rykiem, jakby nie chciała obudzić dziecka.

Gideon i Nevvie zabrali łaziki, więc chcąc nie chcąc, ruszyłam pieszo. Nie wiedziałam, dokąd idzie Maura, więc zrobiłam to, czego nie powinnam była robić. Wślizgnęłam się przez wjazd dla samochodów i cichcem ruszyłam za nią.

Na szczęście była zbyt ogłuszona bólem albo skupiona na cennym balaście, żeby zwracać na mnie uwagę. Podążałam chyłkiem niecałe dwadzieścia metrów za jej zadem, mijając po drodze staw, brzozowy zagajnik i łąkę. Aż dotarłyśmy do miejsca, gdzie lubiła przesiadywać w upał. Pod rozłożystym dębem leżał kobierzec ze świerkowego igliwia; tam kładła się na boku i drzemała w cieniu.

Ale dziś ułożyła tam słonika i zaczęła okrywać go patykami, łamiąc gałązki i zgarniając igły oraz kępy mchu, aż częściowo zasłoniła ciało. Potem znów stanęła nad maleństwem, niczym wsparta na kolumnach świątynia.

A ja się modliłam.

***

Dwadzieścia cztery godziny po porodzie Maury wciąż byłam na nogach, podobnie jak ona. Do tego ona nic nie jadła. Wprawdzie mogła obejść się bez pożywienia jakiś czas, ale musiała pić wodę. Więc gdy Gideon odnalazł mnie, już po drugiej stronie ogrodzenia, poprosiłam go o przysługę.

Miał przywieźć jedną z tych płytkich balii, których używaliśmy do moczenia słoniowych nóg, i pięć dwulitrowych dzbanków wody.

Na dźwięk podjeżdżającego samochodu popatrzyłam na Maurę, żeby sprawdzić, jak zareaguje. Afrykańskie słonie na ogół okazywały zainteresowanie w porach karmienia. Ale Maura nawet nie odwróciła głowy w stronę Gideona.

– Wysiadaj – zakomenderowałam, kiedy stanął na ścieżce.

Planowałam zrobić rzecz nie do pomyślenia, a mianowicie zaburzyć ekosystem. Było to nadzwyczaj lekkomyślne, gdyż miałam naruszyć osobistą przestrzeń cierpiącej matki. Lecz miałam to w dupie.

– Nie. – Gideon od razu połapał się w sytuacji. – Pakuj się do samochodu.

Posłuchałam; skuliłam się na siedzeniu i wjechaliśmy do zagrody. Maura natarła na nas z rozpostartymi uszami, dudniąc nogami o ziemię. Poczułam, że Gideon ma zamiar wrzucić wsteczny. Powstrzymałam go.

– Nie – powiedziałam. – Wyłącz silnik.

Spojrzał na mnie przez ramię z przerażeniem, rozdarty między poleceniem żony szefa a instynktem samozachowawczym.

Pojazd znieruchomiał.

Maura też.

Wysiadłam bardzo powoli i wytaszczyłam ciężką balię. Postawiłam ją jakieś trzy metry od samochodu i nalałam do środka wody. Następnie znów usiadłam obok Gideona.

– Zawracaj – wyszeptałam. – Ale już!

Wycofał w chwili, gdy Maura zamachnęła się na nas trąbą. Ale podeszła do balii i wypiła duszkiem całą zawartość.

Ustawiła się bokiem, tak blisko, że od jej kłów dzieliło mnie parę centymetrów. Widziałam każde załamanie, każdą bliznę na skórze. Tak blisko, że spojrzałam jej w oczy.

Wyciągnęła trąbę i pogłaskała mnie po ramieniu. Następnie podjęła wartę nad dzieckiem.

Poczułam na plecach dłoń Gideona. Jego dotyk miał dodawać otuchy, a zarazem wyrażał nabożny szacunek.

– Oddychaj – polecił.

Po trzydziestu sześciu godzinach przyleciały sępy. Kołowały w górze jak czarownice na miotłach. Ilekroć się zbliżały, Maura wachlowała uszami i ryczała, żeby je odstraszyć. Nocą przyszły kuny wodne. Podkradły się do ciała słoniątka, fosforyzując oczami. Maura, wyrwana z transu, natarła na nie z kłami przy ziemi.

Thomas przestał prosić mnie o powrót do domu. Przestali wszyscy. A ja nie miałam zamiaru się ruszyć, dopóki nie zrobi tego Maura. Będę jej stadem, postanowiłam, przypomnieniem, że ma żyć dalej. Nawet jeśli słoniątku nie było to dane.

Dostrzegałam ironię sytuacji – odgrywałam rolę słonia, a Maura, opłakując zmarłego syna, zachowywała się jak człowiek. Jednym z najbardziej niesamowitych zachowań słoni w buszu jest fakt, że potrafią znienacka odpuścić sobie ogromne cierpienie. Ludzie tak nie umieją. Zawsze myślałam, że to z powodu religii, że liczymy na ponowne spotkanie z bliskimi w przyszłym życiu, jakkolwiek miałoby ono wyglądać. Słonie nie żywią owej nadziei, im pozostają wspomnienia doczesne. Może dlatego pogodzenie się ze śmiercią przychodzi mi łatwiej.

Siedemdziesiąt dwie godziny po porodzie Maury spróbowałam wydać odgłos tego „pogodzenia się" z losem, ale słonica mnie zignorowała. Ze zmęczenia ledwie stałam, świat rozmazywał mi się przed oczami. Miałam zwidy, że słoń forsuje ogrodzenie, ale okazało się, że to quad z Nevvie i Gideonem.

Nevvie spojrzała na mnie i potrząsnęła głową.

– Masz rację, całkiem się rozsypała – powiedziała do zięcia. Zwróciła się do mnie: – Jedziemy do domu. Córka cię potrzebuje. Jeśli nie chcesz zostawiać Maury, ja z nią pobędę.

Gideon miał obawy, że na tylnym siedzeniu spadnę ze zmęczenia, więc posadził mnie z przodu. Drzemałam jak dziecko w jego ramionach, dopóki nie wysadził mnie przed domem. Zakłopotana podziękowałam mu szybko i weszłam do środka.

Ku mojemu zdziwieniu, na kanapie przy łóżeczku Jenny – stojącym pośrodku dużego pokoju, bo nie mieliśmy miejsca na dziecięcy – spała Grace. Obudziłam ją i powiedziałam, że może wracać do domu, do Gideona, a sama poszłam do gabinetu Thomasa.

Podobnie jak ja, wciąż miał na sobie to samo, co przed trzema dniami. Siedział zgarbiony nad zeszytem, tak pochłonięty, że mnie nie zauważył. Na biurku leżały rozsypane tabletki, obok trzymała wartę uszczuplona butelka whisky. W pierwszej chwili pomyślałam, że przysnął, lecz z bliska zauważyłam szeroko otwarte oczy, niewidzące i szkliste.

– Thomas… – szepnęłam. – Chodźmy spać.

– Nie widzisz, że jestem zajęty? – spytał tak głośno, że dziecko rozpłakało się w sąsiednim pokoju. – Morda w kubeł! – wrzasnął, po czym złapał zeszyt i cisnął nim o ścianę za moimi plecami.

Uchyliłam się, a potem przykucnęłam, aby go podnieść. Leżał otwarty na podłodze.

Thomas nie czytał… Zobaczyłam czysty brulion, pełen niezapisanych kartek.

Zrozumiałam, dlaczego Grace wolała nie zostawiać go sam na sam z dzieckiem.

Fiolki z lekami, uszeregowane w jego szufladzie jak żołnierze na baczność, zobaczyłam dopiero po naszym ślubie w miejscowym ratuszu. „Depresja", usłyszałam w odpowiedzi na moje pytanie. Po śmierci ojca – matki już nie miał – nie miał siły wstać z łóżka.

Kiwałam głową, siląc się na współczucie. Mniej wstrząsnęła mną informacja o klinicznej depresji niż świadomość, iż wyszłam za kogoś, nie mając pojęcia, że oboje jego rodzice nie żyją.

Od tamtej pory nie miał żadnych dołków, ale prawdę mówiąc, nie zagłębiałam się w temat. Nie byłam pewna, czy chciałam usłyszeć odpowiedź.

Roztrzęsiona wyszłam i zamknęłam za sobą drzwi. Wzięłam na ręce Jennę, która ucichła natychmiast, i zaniosłam ją do łóżka dzielonego z nieznajomym, a zarazem ojcem mojego dziecka.

Na przekór wzburzeniu zasnęłam jak kamień, z rączką córki – jak gwiazdka z nieba – w mojej dłoni.

Kiedy się obudziłam, słońce stało wysoko na niebie. W uchu brzęczała mi mucha. Machnęłam ręką, żeby ją odpędzić, i natychmiast zrozumiałam, że to wcale nie mucha i że dźwięk nie ustaje. Był to daleki warkot maszyny używanej do prac ogrodniczych w rezerwacie.

– Thomas! – zawołałam, ale nie odpowiedział.

Wzięłam Jennę, która ocknęła się z uśmiechem, i pobiegłam do gabinetu.

Thomas tkwił przy biurku, z twarzą przyciśniętą do blatu, bez ruchu. Sprawdziwszy, czy oddycha, zapakowałam małą do chusty na plecach, jak nauczyły mnie gotujące w naszym obozie Afrykanki. Wyszłam z domu i pojechałam quadem na północny skraj rezerwatu, gdzie zostawiłam Maurę.

Najpierw zobaczyłam elektrycznego pastucha. Maura miotała się za nim, odchodząc od zmysłów, lecz ani na chwilę nie spuszczając z oka słoniątka.

Przypiętego łańcuchem do drewnianej palety obok Nevvie, która pokazywała Gideonowi, gdzie ma wykopać grób.

Przejechałam przez bramę, minęłam Maurę i wyhamowałam przed Nevvie.

– Co wy wyprawiacie, do jasnej cholery?

Zerknęła na mnie, na dziecko na moich plecach i jednym spojrzeniem dała mi do zrozumienia, za jaką uważa mnie matkę.

– To, co zawsze, gdy umiera słoń. Weterynarz pobrał rano próbki do analizy.

Krew zadudniła mi w uszach.

– Oddzieliliście matkę opłakującą dziecko?

– Minęły trzy dni – zaznaczyła Nevvie. – To dla jej dobra. Widywałam słonice, które cierpiały z powodu dzieci. To je wyniszcza. Tak było z Wimpy. Jeżeli czegoś nie zrobimy, sytuacja się powtórzy. Chcesz narażać Maurę?

– Chcę, żeby sama określiła koniec żałoby! – krzyknęłam. – Sądziłam, że na tym polega filozofia tego rezerwatu! – Spojrzałam na Gideona, który wyłączył maszynę i niepewnie przystanął z boku. – Czy wy w ogóle pytaliście Thomasa o zdanie?

– Owszem. – Nevvie zadarła podbródek. – Powiedział, że pozostawia sytuację mojej ocenie.

– Która, jak widać, jest błędna – ucięłam. – To nie miłosierdzie, lecz okrucieństwo.

– Co się stało, to się nie odstanie – stwierdziła Nevvie. – Im szybciej Maura przestanie oglądać dziecko, tym szybciej zapomni.

– Ona nie zapomni nigdy – zapewniłam ją. – Podobnie jak ja.

Niedługo potem Thomas obudził się, skruszony i taki jak zawsze. Zrugał Nevvie za samowolę, gładko wykręcając się od odpowiedzialności za udzielenie jej pozwolenia swoim rozchwianym stanem. Z płaczem poprosił mnie i Jennę o wybaczenie za uleganie demonom.

Urażona Nevvie znikła na całe popołudnie. Gideon i ja zdjęliśmy łańcuch z ciała słoniątka, ale nie ruszyliśmy go z palety. Gdy tylko wyłączyłam prąd, Maura przedarła się przez płot, jakby był ze słomy, i pognała do syna. Głaskała go trąbą, dotykała tylnymi nogami. Postała przy nim przez trzy kwadranse, a następnie powlokła się do brzozowego zagajnika.

Odczekałam dziesięć minut, czy aby nie wróci. Nic takiego nie nastąpiło.

– Już – zawyrokowałam.

Gideon wszedł na koparkę i wyrył dół pod dębem, w miejscu gdzie lubiła odpoczywać Maura. Ponownie przypięłam słonika do palety, żeby go na niej opuścić, gdy grób będzie wystarczająco głęboki. Chwyciłam za przyniesioną przez Gideona łopatę i przysypałam ciało ziemią.

Kiedy uklepywałam ją na grobie, aksamitną jak zmielona kawa, byłam rozczochrana; pod pachami i na plecach miałam rozległe plamy potu. Czułam się obolała i wyczerpana. Zmęczenie ostatnich pięciu godzin dało o sobie znać, dosłownie zwalając mnie z nóg. Z płaczem osunęłam się na kolana.

Nagle znalazł się przy mnie Gideon i otoczył ramionami. Był potężnym mężczyzną, wyższym i bardziej barczystym od Thomasa. Wtuliłam się w niego jak w ziemię po upadku z dużej wysokości.

– Już dobrze – powiedział. Nie podzielałam jego zdania. Nie mogłam wskrzesić dziecka Maury. – Miałaś rację. Nie powinniśmy oddzielać jej od małego.

Odsunęłam się.

– Więc czemu to zrobiliście?

Popatrzył mi w oczy.

– Bo czasem, gdy próbuję samodzielnie myśleć, popadam w kłopoty.

Czułam jego dłonie na moich ramionach i słony zapach jego potu. Spojrzałam na jego skórę, ciemną na tle mojej.

– Pomyślałam, że będziecie chcieli się napić – odezwała się Grace.

Stała z dzbankiem mrożonej herbaty w ręku.

Nie wiem, kiedy podeszła ani co sobie pomyślała na widok pocieszającego mnie męża. Nie chodziło o nic innego, ale odskoczyliśmy od siebie, jakbyśmy mieli coś do ukrycia. Wytarłam oczy brzegiem koszuli, Gideon sięgnął po dzbanek.

Kiedy odchodzili, trzymając się za ręce, wciąż czułam na sobie żar jego dłoni. I myślałam o Maurze, rozpiętej nad dzieckiem jak baldachim. Na próżno.

Jenna

Kiedy jesteś dzieckiem, większość ludzi traktuje cię jak powietrze. Biznesmeni nie zaszczycają cię spojrzeniem, zbyt pochłonięci dzwonieniem, wysyłaniem wiadomości albo pisaniem mejli do swoich szefów. Matki odwracają wzrok, bo widzą w tobie przyszłość, nieuchronność faktu, że ich śliczne prosiątko w wózeczku wyrośnie na mrukliwego nastolatka, podłączonego do muzyki i zamkniętego w sobie. Jedynymi ludźmi, którzy w ogóle patrzą mi w oczy, są starsze panie lub małe dzieci, domagające się uwagi. Dzięki temu wejście do greyhounda* bez biletu to pestka, co jest super, bo nie znam nikogo, kto nie chciałby zaoszczędzić stu dziewięćdziesięciu dolarów. Trzymam się rodziny, która wciąż się rozłazi: niemowlę wrzeszczy, pięciolatek stoi z kciukiem w buzi, a nastolatka wystukuje wiadomości w takim tempie, że jej galaxy chyba zaraz się rozleci. Kiedy wzywają pasażerów do Bostonu, a skołowani rodzice liczą bagaż i potomstwo, idę za najstarszą córką, jakbym podróżowała z nimi.

Nikt mnie nie zatrzymuje.

* Greyhound – amerykańska firma oferująca przejazdy autokarowe (przyp. tłum.).

Wiem, że kierowca policzy wszystkich, zanim wyruszymy, więc pędzę i czym prędzej zamykam się w łazience. Czekam, dopóki autokar nie odjedzie, a Boone w stanie New Hampshire nie zostanie wspomnieniem. Następnie wślizguję się na tylne siedzenie, którego wszyscy unikają jak ognia, bo śmierdzi moczem, i udaję, że śpię.

Pogadajmy chwilę o tym, że babcia pewnie założy mi szlaban do pięćdziesiątki. Zostawiłam jej list, ale specjalnie wyłączyłam komórkę, gdyż wolę nie słyszeć jej reakcji, kiedy go znajdzie. Jeśli uważa, że poszukiwania internetowe rujnują mi życie, nie będzie zachwycona, że jadę autokarem do Tennessee, żeby osobiście wytropić matkę.

Prawdę mówiąc, sama jestem trochę wkurzona, że nie wpadłam na to wcześniej. Może furia ojca – kompletnie niepasująca do kogoś, kto spędza większość życia w półśnie – uruchomiła mi pamięć. Tak czy inaczej przypomniałam sobie Gideona i rolę, jaką odgrywał w życiu moim i matki. Reakcja ojca na kamyk była jak iskra, która podpaliła lont – zagrały fanfary, a ja pomyślałam: „Oho!". Lecz nawet jeśli pamiętałam Gideona, nie potrafiłam określić, dokąd udał się dziesięć lat temu. Ale wiem, którędy przejeżdżał.

Po zniknięciu matki i ujawnieniu bankructwa rezerwatu słonie wysłano do Hohenwaldu w stanie Tennessee. Można przeczytać w Internecie, że tamtejszy zarząd – na wieść o położeniu ojca – postanowił przygarnąć bezdomne zwierzęta. Towarzyszył im jedyny pracownik, który pozostał. Gideon.

Nie wiedziałam, czy został zatrudniony na miejscu, czy zostawił słonie i pojechał dalej. I czy ponownie spotkał się z matką. Ani czy wciąż trzymali się za ręce, kiedy myśleli, że nikt nie patrzy.

Widzicie? Oto kolejna przypadłość ludzi, którzy nie zwracają uwagi na dzieci. Zapominają mieć się przy nich na baczności.

Wiem, że to głupie, ale miałam całkiem spore przekonanie, że zastanę Gideona w Hohenwaldzie i że nie będzie on znał miejsca pobytu matki, nawet jeśli tylko po to miałabym się tłuc kawał drogi z kapturem nasuniętym na czoło, aby nie zwracać niczyjej uwagi. Chyba nie zniosłabym myśli, że przez ostatnie dziesięć lat mama była szczęśliwa. Nie, nie życzyłam jej śmierci ani życia w nieszczęściu. Ale z jakiej racji znalazłam się poza nawiasem?

Tak czy siak, przerobiłam w myślach możliwe scenariusze.

1. Gideon pracuje w rezerwacie i mieszka z matką, która żyje pod przybranym nazwiskiem, jak Mata Hari, Euphonia Lalique (lub coś równie tajemniczego), i nie ma ochoty się ujawniać (na marginesie – wolałam nie wnikać przed kim: ojcem, wymiarem sprawiedliwości czy mną; żadna z tych wersji nie budziła we mnie entuzjazmu). Naturalnie Gideon od razu mnie rozpozna i zaprowadzi do matki, która rozpłynie się ze szczęścia i błagając o wybaczenie, zapewni, że nigdy o mnie nie zapomniała.

2. Gideon rzucił pracę w rezerwacie, ale że słoniowa społeczność jest niewielka, w archiwum odnajdzie się informacja na jego temat. Pójdę pod wskazany adres, otworzy mi matka, a dalej wszystko się potoczy jak w scenariuszu 1.

3. Znajdę Gideona, gdziekolwiek się znajduje, ale on wyrazi ubolewanie, gdyż nie zna miejsca pobytu matki.

Tak, kochał ją. Tak, chciała z nim uciec od ojca. Może nawet w śmierci Nevvie było coś na rzeczy. Lecz przez minione lata, kiedy dorastałam, po prostu im nie wyszło. I zostawiła go, tak jak mnie.

Oczywiście ostatni scenariusz był najgorszym z możliwych. Jeszcze bardziej posępny wydał mi się wprawdzie jeszcze jeden, ale był tak mroczny, że uchyliwszy drzwi wyobraźni, zatrzasnęłam je czym prędzej i odsunęłam od siebie tę wizję.

4. Znajduję matkę przez Gideona. Ale nie ma radości, nie ma euforii ani łez wzruszenia. Tylko rezygnacja, z którą mówi: „I co cię tu przyniosło?".

Jak wspomniałam, wolę nie brać jej pod uwagę, żeby – jak mawia Serenity – energia posłana przypadkową myślą w świat nie przekuła się w rzeczywistość.

Pewnie Virgil niedługo wpadnie na to, dokąd pojechałam, albo wyciągnie ten sam wniosek, co ja – że Gideon to trop i powód, dla którego mama uciekła. A może nawet ma związek z wypadkiem, który wcale wypadkiem nie był. Trochę mi głupio, że zataiłam mój wyjazd przed Serenity. Ale w końcu ona żyje z czytania w ludziach, więc pewnie się domyśli, że mam zamiar wrócić. Tyle że nie sama.

W Bostonie, Nowym Jorku i Cleveland mam przesiadki. Na każdym przystanku wysiadam ze wstrzymanym oddechem i przekonaniem, że policjant zgarnie mnie zaraz do radiowozu i odstawi do domu. Ale to wymagałoby najpierw zgłoszenia mojego zaginięcia, a powiedzmy sobie otwarcie – babcia nie ma w tym wprawy.

Telefon pozostaje wyłączony; po co babcia, Virgil lub Serenity mają do mnie dzwonić?

Na każdym przystanku procedura wygląda tak samo – podłączam się do licznej rodziny, która nie zwraca na mnie uwagi. Na zmianę to przysypiam, to urządzam sobie gry z samą sobą: jeśli zobaczę na autostradzie trzy czerwone samochody z rzędu, mama ucieszy się na mój widok. Jeśli zobaczę volkswagena garbusa, zanim doliczę do stu, uciekła, bo nie miała wyboru. Jeśli zobaczę karawan, nie żyje i dlatego do mnie nie wróciła.

Uprzedzając pytanie – karawanu nie widzę.

Jeden dzień, trzy godziny i czterdzieści osiem minut po opuszczeniu Boone w stanie New Hampshire docieram na dworzec autobusowy w Nashville w stanie Tennessee i wychodzę prosto w żar, który omal nie zwala mnie z nóg.

Dworzec leży w śródmieściu; straszny tu gwar i zamieszanie. Jakbym trafiła w epicentrum bólu głowy. Widzę pełno krawatów bolo*, turystów z butelkami z wodą i ludzi grających na gitarach przed witrynami sklepów. Zdaje się, że wszyscy noszą kowbojki.

Pośpiesznie wracam na klimatyzowany dworzec i znajduję mapę Tennessee. Hohenwald – gdzie mieści się rezerwat – leży na południowy zachód od miasta, jakieś półtorej godziny drogi stąd. Domyślam się, że nie stanowi celu turystycznych pielgrzymek, więc nie ma z nim bezpośredniego połączenia. A ja jeszcze nie zwariowałam, żeby jechać autostopem. Czy to możliwe, że pokonanie

* Bolo tie – rodzaj krawata składającego się ze sznurka lub plecionej skóry, spinanego metalową spinką lub suwakiem. Nawiązuje do tradycyjnych ubiorów kowbojskich (przyp. tłum.).

ostatnich stu trzydziestu kilometrów okaże się trudniejsze niż pierwszych tysiąca sześciuset?

Sterczę przez chwilę przed wielką mapą stanu na ścianie i zastanawiam się, czemu amerykańskie dzieci nie uczy się geografii. Może wtedy miałabym lepsze rozeznanie w sytuacji? Biorę głęboki oddech i wychodzę na zewnątrz. Podążam ulicą i zaglądam do sklepów z westernowymi rekwizytami oraz restauracji z muzyką na żywo. Wzdłuż jezdni stoją zaparkowane ciężarówki i samochody osobowe. Spoglądam na tablice rejestracyjne; wiele z nich to pewnie wynajęte pojazdy. Ale w niektórych są dziecięce foteliki i rozsypane na podłodze płyty kompaktowe. Ślad obecności właściciela.

Przenoszę wzrok na napisy na zderzakach. Niektórych się spodziewam („Amerykanin z pochodzenia, Południowiec z Bożego miłosierdzia"), od innych robi mi się niedobrze („Daruj jeleniowi, przywal pedałowi"). Szukam wskazówek, znaków, za przykładem Virgila. Informacji na temat rodziny, do której należy samochód.

Wreszcie na jednej z furgonetek dostrzegam napis, który głosi: „Dumni z naszego studenta z Columbii!". Sytuacja ma dwa plusy: jest platforma, gdzie mogę się ukryć, a Columbia – jak wynika z mapy na dworcu – leży po drodze do Hohenwaldu. Stawiam stopę na tylnym zderzaku, gotowa podciągnąć się niepostrzeżenie i położyć.

– Co robisz?

Pochłonięta obserwacją przechodniów, nie zauważam małego chłopca. Wygląda na siedmiolatka i nie ma tylu zębów, że pozostałe wyglądają jak nagrobki na cmentarzu.

Przykucam, pomna doświadczeń z dziećmi.

– Bawię się w chowanego. Pomożesz?

Kiwa głową.

– Super. Ale to znaczy, że musisz dochować tajemnicy. Potrafisz? Nie piśniesz rodzicom, że tu jestem?

Przytakuje gorliwie.

– A potem będzie moja kolej?

– No jasne – obiecuję i podciągam się na platformę.

– Brian! – woła jego matka. Biegnie zdyszana, a za nią podąża naburmuszona nastolatka z założonymi rękami. – Do mnie, natychmiast!

Metal jest rozgrzany do czerwoności; niemal czuję, jak tworzą mi się pęcherze na dłoniach i nogach. Leciutko unoszę głowę, nawiązuję z chłopcem kontakt wzrokowy i przykładam palec do ust.

Matka jest coraz bliżej, więc kładę się i wstrzymuję oddech.

– Potem moja kolej – przypomina Brian.

– Z kim rozmawiasz? – pyta matka.

– Z nową koleżanką.

– Przecież mówiłam ci, że nie wolno kłamać – strofuje go matka i otwiera drzwiczki.

Żal mi Briana, nie tylko z powodu bury, ale i obietnicy, której nie dotrzymam. Zniknę, zanim się obejrzy.

Ktoś uchyla tylną szybkę, żeby zrobić przeciąg. Słyszę radio, kiedy Brian z siostrą i mamą jadą autostradą w stronę – mam nadzieję – Columbii w stanie Tennessee. Przymykam oczy i wyobrażam sobie, że oto leżę na plaży, a nie na rozgrzanej blasze.

Lecą piosenki o ciężarówkach albo o zacnych dziewczynach, które zbłądziły. Na moje ucho wszystkie brzmią tak samo. Moja mama nie znosiła muzyki country, wręcz nie mogła jej słuchać. Pamiętam, jak skwapliwie wyłączała radio. Czy ktoś taki mógłby zamieszkać w kolebce gatunku? A może używała owej niechęci jako zasłony dymnej, aby nikt się nie domyślił, gdzie chce osiąść na stałe?

Samochód podskakuje, a ja myślę, że:

1. Muzyka country nie jest taka zła.
2. Być może ludzie się zmieniają.

Alice

Nie będzie przesadą twierdzenie, że w przypadku słoni gody to taniec i śpiew.

Każda forma komunikacji u tych zwierząt to odgłos, a zaraz potem gest. Przewodniczka na ogół daje sygnał do wymarszu, po czym zwraca się w kierunku, w którym chce powieść stado.

Odgłosy godowe są jednak bardziej skomplikowane. W buszu słyszymy pulsujące gardłowe pomruki samców, niskie i głębokie; to brzmienie nabuzowanych hormonów. Samiec wydaje je w konfrontacji z innym samcem, na widok podjeżdżającego samochodu lub podczas poszukiwań partnerki. Dźwięki podlegają różnicom indywidualnym, nierzadko towarzyszy im machanie uszami i oddawanie moczu.

Gdy samiec obwieszcza swoją gotowość, odpowiada mu chór samic. Wydawane przez nie odgłosy przyciągają nie tylko samca, który zaczął rozmowę, ale i wszystkich okolicznych kawalerów, dzięki czemu samice w rui mają okazję wybrać najlepszego kandydata. I nie mam tu na myśli największego przystojniaka, ale najlepszy materiał genetyczny – zdrowego starszego samca. Słonica może uciec od niechcianego zalotnika, nawet gdy ten już ją posiadł, i poszukać sobie lepszego. Naturalnie zakładając, że takiego znajdzie.

To dlatego na kilka dni przed rują wydaje ryk zachęty, który wabi większe grono adoratorów, tym samym umożliwiając lepszy wybór. Na koniec, gdy dochodzi do kopulacji, śpiewa pieśń godową, w przeciwieństwie do pomruków samców, liryczną i ciągłą – gardłowy turkot, który pośpiesznie wznosi się, a potem milknie. Samica głośno trzepocze uszami, z jej gruczołów skroniowych cieknie wydzielina. Po stosunku odzywają się pozostałe samice z jej rodziny; płynie symfonia ryków, trąbienia i pomruków, jak w innych chwilach o doniosłym znaczeniu – narodzin lub ponownego spotkania.

Wiemy, że w przypadku pieśni wielorybów liczy się ta najbardziej skomplikowana. W świecie słoni samiec nie przebiera w partnerkach; śpiewa samica, z biologicznej konieczności. Ruja trwa zaledwie sześć dni, a jedyny dostępny kandydat może być daleko. Feromony nie działają na taką odległość, więc trzeba uciec się do innych sposobów poszukiwań narzeczonego.

Dowiedziono, że pieśni wielorybów przekazywane są z pokolenia na pokolenie, we wszystkich oceanach świata. Zawsze byłam ciekawa, czy to samo dotyczy słoni. Czy młode samice uczą się śpiewów godowych od matek, sióstr i ciotek, by wabić najsilniejszych, najlepszych samców, gdy nadejdzie ich kolej? I czy uczą się na matczynych błędach?

Serenity

Czegoś wam dotąd nie powiedziałam. Zdarzyło mi się to raz, jeszcze w czasach mojej świetności. Straciłam kontakt z duchami.

Miałam sesję z młodą studentką, która pragnęła porozmawiać ze zmarłym ojcem. Przyprowadziła matkę; obie przyniosły dyktafony, aby móc przesłuchać później wszystko od początku. Wzywałam go przez półtorej godziny, na próżno. W mojej głowie kluło się jedynie, że zabił się z broni palnej.

Poza tym cisza.

Dokładnie tak jak teraz, gdy podejmuję próby kontaktu ze zmarłymi.

Tak czy inaczej czułam się podle. Wzięłam od tych kobiet pieniądze za półtorej godziny pustki. I chociaż nie udzielałam na nic gwarancji, nie pamiętałam takiej próżni w swojej karierze jasnowidza. Dlatego przeprosiłam.

Rozczarowana dziewczyna wybuchnęła płaczem i zapytała, czy może skorzystać z łazienki. Podczas jej nieobecności matka – która nie odzywała się przez całą sesję – opowiedziała mi o mężu i o tajemnicy, której nie zdradziła córce.

Faktycznie się zastrzelił. Był bardzo znanym trenerem koszykówki w Karolinie Północnej, który wdał się w romans z jednym ze swoich podopiecznych. Na wieść o tym żona zażądała rozwodu i zagroziła, że zrujnuje mu karierę, jeśli nie dostanie pieniędzy za milczenie. On odmówił, przekonując, że naprawdę mu zależy na chłopcu, ona zaś, że proszę bardzo, ale oskubie go do ostatniego centa i ujawni sprawę całemu światu. Oto cena miłości, dodała.

Mężczyzna zszedł do piwnicy i palnął sobie w łeb.

Na jego pogrzebie, podczas ostatniego pożegnania, szepnęła nad trumną: „Ty gnoju. Nie myśl sobie, że ci wybaczyłam. Nie chcę o tobie więcej słyszeć".

Po dwóch dniach córka zadzwoniła do mnie z dziwną informacją – nagrania z sesji nie było. Mimo że rozmawiałyśmy przez cały czas, dyktafon zarejestrował wyłącznie szmer. Co jeszcze dziwniejsze, to samo dotyczyło nagrania jej matki.

Nie miałam wątpliwości, że mąż usłyszał słowa żony na pogrzebie i bardzo się nimi przejął. Nie chciała mieć z nim nic wspólnego, więc postanowił trzymać się z daleka od nas wszystkich. Na zawsze.

Rozmowa z duchami to nieustający dialog. A do tego trzeba dwojga. Jeśli się starasz i nic, to albo duch nie życzy sobie nawiązać kontaktu, albo nie może uczynić tego medium.

– To nie działa jak kran – burczę, odsuwając się od Virgila. – Nie mogę zakręcić i odkręcić.

Stoimy na parkingu przed hurtownią Gordona, trawiąc informację o samobójstwie Grace Cartwright. Muszę przyznać, że jestem zaskoczona. Virgil przekonuje, że to istotny element układanki.

– Zaraz... Czegoś tu nie rozumiem – mówi z powagą. – Jestem skłonny przyznać, że jasnowidztwo to nie stek bzdur. Jestem nawet skłonny dać szansę twojemu, hm, talentowi. A ty nie chcesz nawet spróbować?

– Niech ci będzie – odpowiadam zrezygnowana.

Opieram się o przedni zderzak mojego garbusa i strzepuję ramiona. Jak pływak, zanim skoczy ze słupka. Następnie przymykam oczy.

– Tutaj? – przerywa mi Virgil.

Uchylam lewą powiekę.

– Czy nie o to ci przypadkiem chodziło?

Czerwienieje.

– Myślałem, że potrzebujesz... Sam nie wiem. Namiotu czy czegoś.

– Bez szklanej kuli i fusów też sobie poradzę – kwituję z przekąsem.

Nie przyznałam się Virgilowi i Jennie, że utraciłam swoje zdolności. Pozwoliłam im uwierzyć, że znalezienie portfela i naszyjnika Alice w dawnym rezerwacie nie było dziełem przypadku, lecz przypływem weny.

Może nawet wmówiłam to sama sobie. Może dlatego przymykam oczy i myślę: „Grace. Grace, odezwij się do mnie".

Kiedyś tak to robiłam.

Ale nic, cisza. Jak wówczas, gdy próbowałam nawiązać kontakt z trenerem koszykówki, który popełnił samobójstwo.

Zerkam na Virgila.

– Masz coś? – pytam.

Szuka w Internecie wzmianki o Gideonie Cartwrighcie z Tennessee.

– Nic – przyznaje. – Ale na jego miejscu zmieniłbym nazwisko.

– U mnie też cisza. – Chociaż raz mówię prawdę.

– Może powinnaś… Głośniej?

Biorę się pod boki.

– Czy ja ci mówię, co masz robić? – pytam. – Z samobójcami czasem tak bywa.

– Jak?

– Jakby się wstydzili własnego czynu.

Samobójcy, niemal bez wyjątku, to widma. Utknęli na ziemi, bo chcą przeprosić bliskich albo przepełnia ich wstyd za siebie.

To ponownie nasuwa mi myśl o Alice Metcalf. Być może nie słyszę jej, bo się zabiła. Tak jak Grace.

I natychmiast odsuwam tę możliwość. Za bardzo przejęłam się słowami Virgila. Nie, nie słyszę Alice, ani żadnego innego ducha, gwoli ścisłości, z powodów, które tkwią raczej w głębi mojej duszy.

– Potem spróbuję znowu – kłamię. – A czego ty w ogóle chcesz od Grace?

– Chcę wiedzieć, dlaczego popełniła samobójstwo – odpowiada. – Dlaczego szczęśliwa mężatka na stałej posadzie pakuje do kieszeni kamienie i się topi.

– Ponieważ nie była szczęśliwą mężatką – kwituję.

– No właśnie – oświadcza Virgil. – Odkrywasz, że twój mąż sypia z inną. Co robisz?

– Czerpię otuchę z faktu, że to ja zaciągnęłam go do ołtarza?

Virgil wzdycha.

– Nie. Dochodzi między wami do konfrontacji. Albo uciekasz.

Idę dalej tym tropem.

– A jeśli Gideon zażądał rozwodu, a Grace odmówiła? Jeśli on ją zabił i upozorował samobójstwo?

– Zostałoby to stwierdzone podczas sekcji.

– Serio? A ja myślałam, że wymiar sprawiedliwości bywa omylny w kwestii określania przyczyny zgonu.

Virgil ignoruje tę szpilę.

– A jeśli Gideon planował ucieczkę z Alice, a Thomas odkrył ten plan?

– Odstawiliście Thomasa do psychiatryka, zanim Alice znikła ze szpitala.

– Ale mogli pokłócić się wcześniej, dlatego uciekła do zagrody. Może napatoczyła się Nevvie Ruehl? Może próbowała powstrzymać Thomasa, a ten ją załatwił? Tymczasem Alice, uciekając, wyrżnęła głową o gałąź i zemdlała półtora kilometra dalej. Gideon poszedł do niej do szpitala i razem obmyślili plan opuszczenia narwanego małżonka. Wiemy, że Gideon odwiózł słonie do nowego domu. Może spotkali się na miejscu?

Z podziwem krzyżuję ręce na piersi.

– Nieźle to wymyśliłeś.

– Chyba że – ciągnie Virgil – było na odwrót. Powiedzmy, że Gideon zażądał od Grace rozwodu, żeby uciec z Alice. Zdruzgotana Grace popełniła samobójstwo. Poczucie winy zmusiło Alice do zrewidowania planu, ale Gideon nie zamierzał odpuścić. A przynajmniej nie chciał pozostawić jej przy życiu.

Zastanawiam się przez chwilę nad tym scenariuszem. Gideon mógł przyjść do szpitala i na przykład przekonać Alice, że coś grozi jej dziecku. Albo wmówić jej cokolwiek, co skłoniło ją do natychmiastowego wyjazdu. Nie jestem głupia, oglądam *Prawo i porządek*. Dochodzi do tylu morderstw, ponieważ ofiary otwierają drzwi byle komu, wierzą na słowo albo dają się podwieźć.

– To jak zginęła Nevvie?

– Ją też zabił Gideon.

– Czemu miałby zabijać własną teściową? – pytam.

– Żartujesz? – prycha Virgil. – Czy to nie marzenie każdego faceta? Jeśli Nevvie dowiedziała się, że Alice sypia z Gideonem, pewnie wszczęła awanturę.

– Albo zostawiła zięcia w spokoju, a w zagrodzie dobrała się do Alice. Alice uciekła, żeby się ratować, i po drodze straciła przytomność. – Zerkam na niego. – Jenna twierdziła to od początku.

– Nie patrz tak na mnie – burczy Virgil z niechęcią.

– Powinieneś do niej zadzwonić. Może przypomniała sobie coś à propos matki i Gideona.

– Nie potrzebujemy jej pomocy. Musimy jechać do Nashville.

– I co? Nic jej nie powiemy?

Virgil zacietrzewia się na chwilę. Potem wyciąga komórkę i wbija w nią wzrok.

– Masz numer?

Dzwoniłam raz, ale z domu, nie z komórki. Nie mam przy sobie numeru. Ale w przeciwieństwie do Virgila wiem, gdzie go szukać.

Jedziemy do mnie. Virgil tęsknie zerka na bar, który musimy wyminąć, aby wejść na schody.

– I ty potrafisz się powstrzymać? – mruczy pod nosem. – To jak życie nad chińską knajpą…

Przystaje w progu, podczas gdy ja przetrząsam stertę poczty na stole w poszukiwaniu zeszytu, do którego wpisują się klienci. Dane Jenny widnieją, rzecz jasna, na samym jego końcu.

– No wejdźże! – mówię.

Po chwili lokalizuję telefon pod ścierką kuchenną na blacie. Podnoszę go i wystukuję numer, ale chyba nie ma funkcji wybierania tonalnego.

Virgil ogląda zdjęcie na kominku – ja pomiędzy George'em i Barbarą Bushami.

– Miło, że się do nas zniżasz – stwierdza.

– Kiedyś byłam inna – odpowiadam. – Zresztą, sława jest przereklamowana. Na zdjęciu tego nie widać, ale na tyłku mam dłoń prezydenta.

– Mogło być gorzej – kwituje Virgil. – To mogła być ręka Barbary.

Ponownie wybieram numer. Bez efektu.

– Dziwne. Chyba jakaś awaria – informuję Virgila, który wyciąga z kieszeni komórkę.

– Może ja spróbuję – proponuje.

– Zapomnij. Tu nie ma zasięgu, musiałbyś wyjść na dach. Uroki życia na prowincji.

– Zadzwońmy z baru – podsuwa.

– Mniejsza z tym. – Oczami wyobraźni widzę go przyssanego do butelki. – Zanim zostałeś detektywem, byłeś krawężnikiem, tak?

– Owszem.

Chowam zeszyt do torebki.

– W takim razie trafisz na Greenleaf Street.

Dzielnica, w której mieszka Jenna, przypomina wiele innych: trawniki przystrzyżone w kwadraty, domy z czerwonymi i czarnymi okiennicami, psy rozszczekane za niewidzialnymi płotami. Kiedy się zatrzymujemy, po chodniku jeżdżą dzieci na rowerkach.

Virgil lustruje ogródek Jenny.

– O człowieku można wiele powiedzieć na podstawie tego, jak mieszka – mamrocze.

– Na przykład?

– No wiesz... Na przykład flaga często oznacza konserwatystę, a toyota prius liberała. Na ogół to bzdura, ale można poczynić ciekawe spostrzeżenia.

– Jednym słowem, strzelasz. Jak tarocistka z ulicy.

– Po prostu nie myślałem, że Jenna dorastała w tak, hm, pospolitym otoczeniu. Jeśli rozumiesz, co mam na myśli.

Owszem. Schludna uliczka, domy pod linijkę, kubły do segregacji śmieci na krawężniku, a na każdym podwórku statystyczne dwa i cztery dziesiąte dziecka. Istne Stepford. Tymczasem Jenna ma w sobie coś nietypowego. Coś, co tutaj nie pasuje.

– Jak się nazywa jej babcia? – pytam Virgila.

– A skąd mam, kurwa, wiedzieć? – warczy. – To i tak nieistotne. W ciągu dnia pracuje.

– Wobec tego powinieneś tu zostać – stwierdzam.

– A to dlaczego?

– Żeby zmniejszyć prawdopodobieństwo, że Jenna zatrzaśnie mi drzwi przed nosem.

Virgil jest wkurzający, ale nie głupi. Kuli się na fotelu pasażera.

– Jak chcesz.

Podchodzę brukowaną ścieżką do drzwi frontowych. Są w odcieniu brudnego różu, z przybitym drewnianym serduszkiem z napisem: „Witajcie, przyjaciele". Dzwonię.

Po chwili drzwi otwierają się same z siebie.

Tak mi się przynajmniej wydaje, dopóki nie zauważam malca z kciukiem w buzi. Ma może ze trzy latka; nie znam się na małych ludziach. Przypominają mi gryzonie, które obgryzą ci najlepsze buty, rozsiewając wokół okruchy i bobki. Jestem tak wstrząśnięta, że Jenna ma rodzeństwo – które zapewne przyszło na świat po tym, jak wprowadziła się do babci – że nie potrafię wykrztusić słowa.

Maluch wyciąga kciuk z buzi jak korek z wanny i włącza syrenę alarmową.

Natychmiast przybiega młoda kobieta i zgarnia go z podłogi.

– Przepraszam – mówi. – Nie słyszałam dzwonka. Czym mogę służyć?

Oczywiście wrzeszczy, próbując przekrzyczeć dzieciaka. I łypie nienawistnie, jakbym zrobiła mu jakąś krzywdę. A ja próbuję dociec, co to za jedna i co robi w domu Jenny.

Posyłam jej swój telewizyjny uśmiech.

– Chyba przychodzę nie w porę – mówię. Bardzo głośno. – Szukam Jenny.

– Jenny?

– Metcalf – uzupełniam.

Kobieta podrzuca dziecko na biodrze.

– Pomyłka.

Chce zamknąć drzwi, ale wsuwam w nie stopę i wyszarpuję z torebki zeszyt. Otwiera się na ostatniej stronie, gdzie Jenna nabazgrała swój adres: 145 Greenleaf Street, Boone.

– 145 Greenleaf Street? – pytam.

– Owszem – potwierdza. – Ale nie mieszka tu żadna Jenna.

Zatrzaskuje mi drzwi przed nosem, a ja patrzę na zeszyt. Oszołomiona wracam do samochodu i rzucam go Virgilowi.

– Okłamała mnie – mówi. – Podała fałszywy adres.

– Czemu miałaby to robić?

Potrząsam głową.

– Nie wiem. Może nie chciała, żebym przysyłała jej oferty?

– Albo ci nie ufała – podsuwa Virgil. – Nie ufa żadnemu z nas. Wiesz, co to znaczy? – Czeka, dopóki na niego nie spojrzę. – Ona ma nad nami przewagę.

– Jak to?

– Jest bystra. Musiała się zorientować, dlaczego jej ojciec zareagował tak, a nie inaczej. Na pewno wie o matce i o Gideonie i robi to, co my powinniśmy zrobić już przed godziną. – Wyciąga rękę i przekręca kluczyk w stacyjce. – Jedziemy do Tennessee – oświadcza. – Stawiam stówę, że Jenna już tam jest.

Alice

Śmierć z rozpaczy to ostateczne, lecz ewolucyjnie niewykonalne poświęcenie. Gdyby smutek rzeczywiście przytłaczał aż tak, wyginąłby cały gatunek. Przy czym w świecie zwierząt takie przypadki się zdarzały – słyszałam na przykład o koniu, który zdechł nagle, a jego długoletni towarzysz ze stajni niedługo potem. W pewnym aquaparku mieszkała para pływających w duecie delfinów. Po śmierci samicy samiec tygodniami pływał z zamkniętymi oczami.

Po śmierci dziecka Maura miała ból wypisany na twarzy i w ruchach, ostrożnych i ociężałych, jakby przerastał ją nawet opór powietrza. Przesiadywała samotnie nad grobem, na noce nie chciała wracać do stodoły. Brakowało jej wsparcia rodziny, która przywróciłaby ją z powrotem życiu.

Postanowiłam za wszelką cenę nie dopuścić, aby słonica stała się ofiarą własnej melancholii.

Gideon przymocował do płotu wielką szczotkę ryżową, prezent od przedsiębiorstwa oczyszczania, które zakupiło sobie nową; Maura kiedyś uwielbiała się o nią czochrać, lecz tym razem nie zainteresowało jej nawet wbijanie gwoździ. Grace próbowała poprawić jej humor ulubionymi czerwonymi winogronami i arbuzem, ale słonica przestała jeść. Pustka w jej oczach i ciągły przykurcz nasuwały mi skojarzenie z Thomasem, zapatrzonym w pusty zeszyt trzy dni po śmierci słoniątka. Obecnym ciałem, ale odległym duchem.

Nevvie uważała, że powinniśmy wpuścić do zagrody Hester, na pociechę, ale moim zdaniem było jeszcze na to za wcześnie. Widywałam przewodniczki, które atakowały słonice z własnego stada, nawet bliskie krewne, jeśli tamte zbytnio zbliżyły się do żywego malca. Któż mógł przewidzieć, jak zachowa się Maura w obronie dziecka, które nie żyje?

– Jeszcze nie – powiedziałam do Nevvie. – Muszę wiedzieć, że jest gotowa.

Obserwacja samotnej słonicy, która radzi sobie bez udziału stada, była fascynującym z naukowego punktu widzenia, a zarazem rozdzierającym doświadczeniem. Godzinami opisywałam zachowanie Maury, gdyż na tym polegała moja praca. Brałam z sobą Jennę, ilekroć Grace nie mogła jej przypilnować, a Thomas był zbyt zajęty.

Podczas gdy większość z nas wciąż poruszała się jak w zwolnionym tempie, przytłoczona otaczającym Maurę smutkiem, Thomasa wręcz roznosiło. Był skoncentrowany i pełen energii, kompletne przeciwieństwo faceta oglądanego tamtego wieczoru przy biurku. Wprawdzie pieniądze od sponsorów, na które liczył w związku z narodzinami słoniątka, okazały się mrzonką, zaświtał mu jednak nowy pomysł na rentowność i pochłonął go bez reszty.

Jeśli mam być szczera, nie miałam nic przeciwko przejęciu jego obowiązków; wszystko było lepsze niż oglądanie jego marazmu. Tamtego Thomasa – z czasów zanim go poznałam – nie chciałam więcej widzieć. Miałam nadzieję, że być może jestem istotnym elementem równania, że moja obecność wystarczy, aby uchronić go przed nawrotem depresji. A ponieważ nie chciałam być jej powodem, byłam gotowa sprostać wszystkim zachciankom i wymaganiom mojego męża. Postanowiłam kibicować mu we wszystkim.

Dwa tygodnie po śmierci słoniątka – tak zaczęłam odmierzać upływ czasu – pojechałam do Gordona po odbiór cotygodniowego zamówienia. Lecz gdy chciałam zapłacić kartą kredytową, nastąpiła odmowa.

– Spróbujmy jeszcze raz – zaproponowałam, ale nic to nie dało.

Zakłopotana – nie było tajemnicą państwową, że rezerwat jedzie na oparach – powiedziałam Gordonowi, że podskoczę do bankomatu i wypłacę gotówkę.

Spróbowałam, jednak maszyna nie wypluła żadnych pieniędzy. „Brak środków", stało na ekranie jak byk. Weszłam do banku i poprosiłam o rozmowę z kierowniczką oddziału. Na pewno zaszła jakaś pomyłka.

– Pani mąż wypłacił z tego konta wszystko – oznajmiła kobieta.

– Kiedy? – zapytałam zdruzgotana.

Sprawdziła w komputerze.

– W zeszły czwartek – odpowiedziała. – I tego samego dnia zaciągnął drugi kredyt pod hipotekę.

Twarz mi płonęła. Jestem jego żoną. Jak może podejmować takie decyzje bez porozumienia ze mną? Mamy siedem słoni, których jadłospis poważnie ucierpi, jeśli nie odbiorę zamówienia z hurtowni. I troje pracowników, którzy liczą na copiątkową pensję. A wszystko wskazuje, że nie mamy pieniędzy.

Nie wróciłam do hurtowni, tylko pojechałam do domu i wyszarpnęłam Jennę z fotelika tak nerwowo, że aż się rozpłakała. Wpadłam do domu, wołając Thomasa, ale odpowiedziała mi cisza. Grace kroiła dynie w szopie indyjskiej, a Nevvie przycinała winorośl, ale żadna z nich nie widziała mojego męża.

Po powrocie do domu zastałam w nim Gideona.

– Czy wiesz coś o dostawie sadzonek? – zapytał.

– Sadzonek? – Byłam zbita z tropu.

– Tak. Roślin.

– Nie przyjmuj tej dostawy! – krzyknęłam. – Spław ich!

W tej samej chwili minął nas Thomas; dawał znaki, żeby kierowca wjechał przez bramę.

Podałam Gideonowi małą i złapałam męża za ramię.

– Masz chwilę?

– Właściwie to nie – odparł.

– Nalegam – odparowałam i zaciągnęłam go do gabinetu, zamykając za nami drzwi. – Co jest w tej ciężarówce?

– Orchidee – oświadczył. – Wyobrażasz sobie? Pole fioletowych orchidei, aż po szopę indyjską. – Wyszczerzył zęby. – To było moje marzenie!

Zamówił transport nikomu niepotrzebnych egzotycznych kwiatów z powodu zachcianki? Orchidee nie przyjmą się na tej glebie. No i nie są tanie. Wyrzucił w błoto nasze pieniądze.

– Kupiłeś kwiaty? Mimo że mamy puste konto i przekroczony limit na karcie?

O zgrozo, twarz Thomasa aż pojaśniała.

– To nie *jakieś tam* kwiaty, lecz inwestycja w przyszłość. Sam nie wiem, dlaczego wcześniej na to nie wpadłem, Alice – dodał. – Kojarzysz poddasze afrykańskiej stodoły? Urządzę tam taras widokowy. – Wyrzucał słowa tak prędko, że plątały się jak włóczka. – Stąd widać wszystko. Teren całego rezerwatu. Wyglądam przez okno i czuję się jak król świata. A wyobraź sobie dziesięć okien. Całą ścianę ze szkła. I sponsorów, którzy przyjadą oglądać słonie. Albo wynajmą salę konferencyjną...

Pomysł był wcale niegłupi, tyle że stanowczo nie w porę. Nie mieliśmy ekstrafunduszy na jego realizację. Ba, nie wystarczało na wydatki bieżące.

– Thomas, nie stać nas na to.

– Stać. Jeśli nie zatrudnimy wykonawców, tylko zrobimy wszystko sami.

– Gideon nie ma czasu...

– Gideon? – roześmiał się. – Nie potrzebuję Gideona. Sam sobie poradzę.

– Jak? – spytałam. – Nie wiesz nic o budownictwie.

Spojrzał na mnie dziko.

– A ty o mnie.

Odprowadzając go wzrokiem, pomyślałam, że chyba ma rację.

Powiedziałam Gideonowi, że zaszła pomyłka i trzeba odesłać kwiaty. Wciąż nie wiem, jak tego dokonał, ale powrócił z całą sumą, którą przeznaczyliśmy na skrzynie z dynią, kapustą i przejrzałymi melonami od Gordona. Thomas chyba niczego nie zauważył, pochłonięty piłowaniem i wbijaniem gwoździ na poddaszu afrykańskiej szopy, gdzie przesiadywał całymi dniami. Wolałam nie pytać, jak mu idzie, bo naskakiwał na mnie natychmiast.

A może to jego reakcja na stratę?, snułam domysły. Może rzucił się w wir pracy, żeby nie myśleć, co nam przepadło? Uznałam, że najlepszy sposób na wyrwanie go z tego obłędu to przypomnienie, co wciąż pozostaje w zasięgu jego ręki. Gotowałam zatem wymyślne potrawy, chociaż moją specjalnością było spaghetti. Pakowałam prowiant, brałam Jennę i wyciągałyśmy Thomasa na pikniki. Któregoś popołudnia zapytałam go o postępy.

– Pokaż – błagałam. – I tak, dopóki nie skończysz, nie powiem nikomu.

Ale on twardo pokręcił głową.

– Warto zaczekać.

– Mogłabym ci pomóc. Jestem dobra w malowaniu…

– Jesteś dobra w wielu rzeczach. – Pocałował mnie.

Często się kochaliśmy. Kiedy Jenna zasypiała, Thomas wracał ze stodoły i brał prysznic, a potem wślizgiwał się do łóżka obok mnie. Nasz seks był podszyty desperacją – ja próbowałam uciec od wspomnienia dziecka Maury, a Thomas trzymał się kurczowo czegoś, o czym wiedział wyłącznie on. Prawie się nie liczyłam; miałam wrażenie, że moją rolę mogło odegrać pierwsze lepsze ciało, ale nie mogłam mieć pretensji. W końcu ja też wykorzystywałam go, żeby zapomnieć. Zasypiałam wyczerpana, a w środku nocy, gdy szukałam go obok siebie, moja dłoń natrafiała na pustkę.

Odwzajemniłam ten piknikowy pocałunek. Ale potem Thomas wsunął mi rękę pod bluzkę i zaczął majstrować przy staniku.

– Thomas – szepnęłam. – Jesteśmy na widoku…

Nie dość że siedzieliśmy w cieniu, gdzie w każdej chwili mógł zjawić się któryś z pracowników, to jeszcze patrzyła na nas Jenna. Która wstała na nóżki i chwiejnie ruszyła w naszą stronę.

Oniemiałam.

– Thomas! Ona chodzi!

Zatopił twarz w zagłębieniu mojej szyi. Złapał mnie za pierś.

– Thomas! – Odepchnęłam go. – Zobacz!

Odsunął się, poirytowany. Oczy za okularami były niemal czarne. Choć się nie odezwał, wyczytałam to z jego twarzy: „Jak śmiesz?". Ale gdy Jenna dopadła jego kolan, porwał ją w objęcia i ucałował w czoło i policzki.

– Duża dziewczynka! – powiedział, na co zagulgotała w odpowiedzi. Postawił ją na ziemi i obrócił w moją stronę. – Trafiło się ślepej kurze ziarno, czy już umie? – zapytał. – Robimy drugi eksperyment?

Wybuchnęłam śmiechem.

– Biedne dziecko naukowców! – Wyciągnęłam ręce. – No, wróć do mnie – zagruchałam.

Mówiłam do córki. Ale prośbę skierowałam również do Thomasa.

Kilka dni później, kiedy pomagałam Grace przyrządzać posiłek dla słoni indyjskich, zapytałam, czy kłóci się z Gideonem.

– A co? – Zareagowała czujnie.

– Nic. Po prostu świetnie się dogadujecie – odparłam. – To wręcz niesamowite.

Odetchnęła.

– On nie opuszcza deski sedesowej. Doprowadza mnie to do szału!

– Jeśli to jego jedyna wada, możesz się uważać za szczęściarę. – Przekroiłam melona na pół, skupiając się na wyciekającym soku. – Ma przed tobą tajemnice?

– Na przykład co kupi mi na urodziny? – Wzruszyła ramionami. – Jasne.

– Nie mówię o takich sekretach. Chodzi mi raczej o to, czy nigdy nie zdarza ci się myśleć, że on coś przed tobą ukrywa. – Odłożyłam nóż i spojrzałam Grace prosto w oczy. – Tamtej nocy, gdy umarło słoniątko... Widziałaś Thomasa, prawda?

Nigdy o tym nie rozmawiałyśmy. Ale wiedziałam, że musiała zauważyć, jak kołysał się na krześle, z pustką w oczach i rozdygotanymi rękami. Że właśnie dlatego nie zostawiła z nim Jenny.

Grace uciekła spojrzeniem.

– Każdy ma swoje demony – mruknęła.

Wywnioskowałam z jej tonu, że widywała go już w takim stanie.

– To mu się zdarzało?

– Zawsze wraca do pionu.

Czyżbym była jedyną osobą w rezerwacie, która nie zdaje sobie sprawy?

– Mówił, że tylko raz... Po śmierci rodziców – odparłam. Płonęły mi policzki. – Myślałam, że małżeństwo polega na partnerstwie. Na dobre i złe. W zdrowiu i w chorobie. Dlaczego mnie okłamał?

– Niemówienie całej prawdy to jeszcze nie kłamstwo. Czasem to jedyny sposób, aby ochronić ukochaną osobę.

Prychnęłam.

– Mówisz tak, bo sama nigdy tego nie doświadczyłaś!

– Owszem – przyznała spokojnie. – Ale w moim małżeństwie to ja nie mówię całej prawdy. – Z wprawą przystąpiła do smarowania przepołowionych melonów masłem orzechowym. – Uwielbiam zajmować się twoją córką – dodała ni z gruszki, ni z pietruszki.

– Wiem. I bardzo to doceniam.

– Uwielbiam zajmować się twoją córką – powtórzyła Grace. – Bo sama nie mogę mieć dzieci.

Spojrzałam na nią i nagle zobaczyłam w niej Maurę. Ten cień w oczach, na który już wcześniej zwróciłam uwagę i który złożyłam na karb młodzieńczego braku pewności siebie. A przecież mógł wynikać z bólu po utracie czegoś, co nigdy nie stanie się jej udziałem…

– Jesteś jeszcze młoda – bąknęłam.

Grace potrząsnęła głową.

– Mam zespół policystycznych jajników – odparła. – To hormonalne.

– Możesz znaleźć surogatkę. Albo adoptować. Rozmawiałaś z Gideonem o opcjach?

Popatrzyła na mnie bez słowa, a ja zrozumiałam – on nie wie.

To była owa tajemnica, o której wspomniała!

Nagle Grace złapała mnie za ramię, aż zabolało.

– Nie powiesz mu?

– Nie – obiecałam.

Uspokoiła się i powróciła do krojenia. Przez chwilę pracowałyśmy w milczeniu, po czym odezwała się znowu.

– Rzecz nie w tym, że zbyt mało cię kocha, aby wyznać ci prawdę – oznajmiła. – Kocha za bardzo, by położyć wszystko na jednej szali.

Tamtego wieczoru, kiedy Thomas po północy wrócił do domu i zajrzał do sypialni, udałam, że śpię. Odczekałam, aż puści wodę, i cichcem wymknęłam się z łóżka, żeby nie obudzić Jenny. Gdy wzrok przyzwyczaił się do ciemności, minęłam pędem pogrążony w mroku dom Gideona i Grace. Wyobraziłam ich sobie splecionych w łóżku, wtulonych w siebie każdym skrawkiem ciała.

Spiralne schody były pomalowane na czarno, więc boleśnie stłukłam sobie goleń, zanim zrozumiałam, że właśnie dotarłam na drugi koniec afrykańskiej stodoły. Bezszelestnie – nie chciałam obudzić słoni i wszcząć alarmu – weszłam na górę, przygryzając z bólu wargę. Drzwi na poddasze okazały się zamknięte, ale zaopatrzona w klucz uniwersalny miałam pewność, że je sforsuję.

Pierwszą rzeczą, na jaką zwróciłam uwagę, był skąpany w księżycowej poświacie widok z okna, faktycznie piękny, tak jak zapewniał Thomas. Nie wstawił jeszcze okien, ale wyciął otwory i osłonił je płachtami folii. Widziałam przez nie każdy zakątek rezerwatu, osrebrzony blaskiem pełni. Bez trudu wyobraziłam sobie taras widokowy, obserwatorium, z którego odwiedzający będą mogli podziwiać naszych wspaniałych podopiecznych bez ingerencji w ich naturalne środowisko, jak ma to miejsce w ogrodach zoologicznych i cyrkach.

Może przesadzam? Może Thomas rzeczywiście próbuje ratować rezerwat. Odwróciłam się w poszukiwaniu włącznika. Pstryknęłam i na chwilę oślepiło mnie ostre światło.

Otaczała mnie pustka. Zero mebli, kartonów, narzędzi, nawet deski. Ściany pomalowano na śnieżną biel, łącznie z sufitem i podłogą. Ale każdy ich skrawek pokrywały litery i cyfry, jak niekończący się szyfr.

C14H19NO4C18H16N6S2C16H21NO2C3H6N2O-2C189H285N55O57S.

Zupełnie jakbym znalazła się w świątyni i ujrzała wypisane krwią okultystyczne symbole. Oddech uwiązł mi w gardle. Pokój napierał ze wszystkich stron, cyfry migotały i zlewały się z sobą. Osuwając się na podłogę, zrozumiałam, że to przez łzy.

Thomas jest chory.

Thomas potrzebuje pomocy.

Choć nie byłam psychiatrą i nie miałam doświadczenia w takich sprawach, to mi nie wyglądało na depresję.

Wyglądało na... czyste szaleństwo.

Wstałam i wyszłam, nie zamykając za sobą drzwi. Miałam niewiele czasu. Ale zamiast wrócić do domu, zapukałam do drzwi Grace i Gideona.

Otworzyła Grace, w męskim podkoszulku, rozczochrana.

– Alice? Co się stało?

– Zastałam Gideona? – zapytałam, choć z góry znałam odpowiedź. Nie wszystkie mamy mężów, którzy wymykają się nocą, by wypisywać głupoty na ścianach.

Podszedł do drzwi w spodenkach, z nagim torsem i koszulką w dłoni.

– Potrzebuję twojej pomocy – powiedziałam.

– Chodzi o którąś ze słonic? Co się stało?

Bez słowa zawróciłam w stronę stodoły. Gideon włożył koszulkę i mnie dogonił.

– Która?

– Nic im nie jest – odparłam roztrzęsionym głosem. Stanęliśmy u stóp spiralnych schodów. – Musisz coś zrobić, ale o nic nie pytaj. Zgoda?

Spojrzał na mnie i pokiwał głową.

Szłam jak na ścięcie. Patrząc wstecz, może i faktycznie tak było. Może był to pierwszy krok ku samozagładzie. Otworzyłam drzwi, żeby Gideon mógł zajrzeć.

– O cholera! – stęknął. – Co to ma być?

– Nie wiem. Ale do rana musisz to zamalować. – Opuściły mnie resztki opanowania. Zgięłam się wpół, niezdolna dłużej powstrzymać łez. Gideon natychmiast wyciągnął dłoń, ale odskoczyłam jak oparzona. – Pośpiesz się – wykrztusiłam tylko, po czym zbiegłam po schodach.

W domu Thomas w obłoku pary właśnie wychodził z łazienki.

– Obudziłem cię? – zapytał z tym uśmieszkiem, który tak oczarował mnie w Afryce. Który wrył mi się w pamięć i w serce.

Jeśli mam go ratować przed nim samym, musi wiedzieć, że nie jestem wrogiem. I wierzyć, że w niego wierzę. Dlatego wysiliłam się na podobny uśmiech.

– Wydawało mi się, że płacze Jenna.

– I co?

– Śpi jak suseł – odparłam gładko, mimo bolesnego ucisku w gardle. – Coś mi się przyśniło.

Okłamałam Gideona, gdy zapytał o zapis na ścianie. Doskonale wiedziałam, co to takiego.

Nie był to przypadkowy ciąg liter i cyfr, ale chemiczne wzory leków: anizomycyny, U0126, propranololu, D-cykloseryny oraz neuropeptydu Y. Pisałam o nich w którymś ze starych artykułów, gdy jeszcze poszukiwałam powiązań pomiędzy pamięcią słoni a procesem poznawania. Podane krótko po doznanym szoku działały na ciało migdałowate, chroniąc pamięć przed zakodowaniem bolesnych wspomnień. Okazało się, że w trakcie badań na szczurach naukowcy z powodzeniem wyeliminowali wywołane niektórymi z nich lęk i stres.

Nietrudno wyobrazić sobie konsekwencje takiego działania. A część autorytetów medycznych nie omieszkała tego uczynić. Powstały zatem kontrowersje wokół szpitali, które chciały podawać tego rodzaju leki ofiarom gwałtów. Do praktycznej kwestii, czy wspomnienie pozostałoby zablokowane na zawsze, dochodził jeszcze aspekt moralny: czy zgoda ofiary na podanie leku byłaby wiążąca, jeśli szok zaburzyłby ocenę sytuacji?

Ale co Thomas wywnioskował z mojego artykułu i jaki miało to związek z planami zebrania pieniędzy dla rezerwatu? Może jednak nie miało? Jeśli mój mąż faktycznie zbzikował, mógł dostrzegać znaczenie i w hasłach krzyżówki, i w prognozie pogody. Mógł tworzyć rzeczywistość z luźnych zjawisk, które dla innych pozostawały bez związku.

Nie pamiętałam dokładnie, w każdym razie artykuł sprowadzał się do wniosku, że wspomnienia służą jako ostrzeżenie nie bez powodu. Jeśli mają chronić nas przed przyszłym niebezpieczeństwem, to czy ich chemiczne wymazanie aby na pewno leży w naszym interesie?

Czy kiedykolwiek zniknie mi sprzed oczu ten pokój, pokryty graffiti wzorów chemicznych? Nie, nawet gdy Gideon zamaluje go na biało. Lecz może tak będzie lepiej, bo dzięki temu będę zawsze miała na uwadze, że człowiek, w którym się zakochałam, nie jest tym, który dzisiejszego ranka wszedł do kuchni, pogwizdując pod nosem.

Miałam plany. Chciałam poszukać dla niego pomocy. Lecz tuż po jego wyjściu zjawiła się Nevvie w towarzystwie Grace.

– Potrzebuję cię przy przenosinach Hester – powiedziała, a ja przypomniałam sobie o swojej obietnicy, że spróbujemy na nowo połączyć dwie afrykańskie słonice.

Mogłam to przełożyć, ale wówczas Nevvie zapytałaby o powód. A ja nie miałam ochoty opowiadać o zeszłej nocy.

Grace wyciągnęła ręce do Jenny. Przypomniałam sobie naszą wczorajszą rozmowę.

– Czy Gideon… – zaczęłam.

– Zdążył – padła odpowiedź.

To wystarczyło.

Poszłam za Nevvie do afrykańskiej zagrody, zerkając w stronę poddasza stodoły i zafoliowanych okien, skąd roztaczał się silny zapach farby. Czy Thomas tam jest? Czy się wścieka, że jego dzieło zostało zniszczone? Czy się załamał? A może ma to w nosie?

Czy mnie podejrzewa?

– Co się z tobą dzieje? – zapytała Nevvie. – Zadałam ci pytanie.

– Wybacz. Nie wyspałam się.

– Zdejmiesz ogrodzenie, czy chcesz po nią pojechać?

– To pierwsze – odpowiedziałam.

Gdy się okazało, że Maura jest w ciąży, ustawiliśmy płot pod napięciem, aby oddzielić ją od Hester. Prawdę powiedziawszy, gdybyś któraś uparła się go sforsować, zrobiłaby to z łatwością, ale zanim je rozdzielono, spędziły z sobą zbyt mało czasu. Były znajomymi, lecz nie przyjaciółkami. Nie darzyły się przywiązaniem. I dlatego byłam zdania, że z pomysłu Nevvie nic nie wyjdzie.

W języku tswana jest takie powiedzenie: *Go o motho, ga go lelwe*. „Gdzie wsparcie, tam nie ma smutku". Można zaobserwować, jak sprawdza się w buszu, gdy słonie opłakują śmierć członka stada. Po jakimś czasie kilka udaje się do wodopoju, a pozostałe zajmują się poszukiwaniem w krzakach pożywienia. Zaledwie jeden lub dwa osobniki – zazwyczaj córki lub młodzi synowie martwej słonicy – ociągają się z podjęciem codziennych czynności. Ale stado zawsze po nie wraca. Kupą albo wysyłając emisariusza bądź dwóch. Pomrukami oraz mową ciała słonie zachęcają te pogrążone w żałobie do drogi. A one w końcu ulegają. Lecz Hester nie była kuzynką ani siostrą Maury, jedynie inną słonicą, Maura zaś nie miała powodu, by jej słuchać. Tak jak ja nie poszłabym z obcym człowiekiem, który zaprosiłby mnie na kolację.

Gdy Nevvie odjechała quadem w poszukiwaniu Hester, odłączyłam prąd i zwinęłam drut, tworząc przesmyk w płocie. W końcu usłyszałam ryk silnika i ujrzałam słonicę, podążającą spokojnie za Nevvie. Za arbuza dałaby się pokroić, jeden zaś czekał na nią w quadzie; chciałyśmy podłożyć go bliżej Maury.

Wskoczyłam na siedzenie i pojechałyśmy do grobu słoniątka, przy którym Maura wciąż trzymała straż, przygarbiona, z trąbą przy ziemi. Nevvie zgasiła silnik, a ja zeszłam i położyłam arbuza niedaleko zbolałej matki. Jej też przywiozłyśmy przysmak, lecz nie tknęła go, w przeciwieństwie do koleżanki.

Hester nadziała arbuz na kieł; sok spłynął do pyska. Następnie owinęła go trąbą, zdjęła z rusztu i zmiażdżyła szczękami.

Maura nie raczyła na nią spojrzeć, widziałam jednak, jak sztywnieje na dźwięk chrupania.

– Nevvie – powiedziałam cicho, wsiadając na quada. – Włącz silnik.

Maura obróciła się jak błyskawica i natarła na Hester, potrząsając głową i wachlując uszami. Obłok kurzu, który wzbił się w górę, nie wróżył nic dobrego. Hester pisnęła i odrzuciła trąbę w tył, gotowa bronić swego.

– Jedź! – ponagliłam, i Nevvie ruszyła w stronę Hester, odgradzając ją od Maury.

Kiedy wyprowadzałyśmy Hester na drugą stronę ogrodzenia, Maura nie raczyła na nas spojrzeć. Odwróciła się do grobu dziecka, rozciągającego się w poprzek jak otchłań.

Spocona, z rozkołatanym sercem, odczekałam, aż Nevvie odprowadzi Hester w głąb afrykańskiej zagrody. Ponownie rozwinęłam druty i podłączyłam je do prądu.

Nevvie zjawiła się po kilku minutach, gdy już kończyłam.

– Hm – bąknęłam. – A nie mówiłam?

Korzystając, że Grace wciąż pilnuje Jenny, w drodze powrotnej wstąpiłam do Thomasa.

Kiedy wspinałam się po spiralnych schodach, z góry nie dochodził żaden dźwięk. Zastanawiałam się, czy widok białych ścian przywrócił Thomasowi równowagę. Ale gdy już dotarłam na górę i weszłam do środka, ujrzałam jedną ścianę w całości pokrytą znajomymi symbolami, drugą zaś do połowy. Thomas stał na krześle i bazgrał, aż furczało. Struchlałam.

– Thomas – powiedziałam. – Musimy porozmawiać.

Obejrzał się przez ramię, tak pochłonięty pracą, że nie usłyszał mojego przybycia. Nie sprawiał wrażenia zakłopotanego ani zdziwionego. Na jego twarzy malowało się rozczarowanie.

– To miała być niespodzianka – oznajmił. – Robiłem to dla ciebie.

– Co robiłeś?

Zszedł z krzesła.

– To teoria konsolidacji molekularnej. Dowiedziono, że do czasu chemicznego zakodowania przez mózg wspomnienia są elastyczne. Zakłóć ten proces, a zmienisz sposób, w jaki się zachowają. Dotąd odnotowano sukces tylko po natychmiastowym podaniu inhibitorów, załóżmy jednak, że wstrząs nastąpił jakiś czas temu. A gdybyśmy tak mogli cofnąć umysł do tego momentu i wtedy podać lek? Czy wstrząs poszedłby w niepamięć?

Wytrzeszczyłam oczy.

– To niemożliwe.

– Ależ tak. Jeśli cofniemy czas.

– Słucham?

Zirytował się.

– No przecież nie buduję wehikułu czasu – burknął. – To byłby obłęd.

– Obłęd – wykrztusiłam i szloch wezbrał mi w gardle.

– Nie chodzi o dosłowne nagięcie czwartego wymiaru. Można jednak zmienić percepcję jednostki, dzięki czemu wskazówki ruszyłyby wstecz. Poprzez zmienioną świadomość człowiek przeżywałby stres na nowo, tak aby lek mógł zadziałać. I wiesz co? Wypróbujemy to na Maurze.

Dźwięk tego imienia przywrócił mnie do rzeczywistości.

– Nie tkniesz Maury.

– Nawet jeśli mogę jej pomóc? Jeśli dzięki temu zapomniałaby o śmierci dziecka?

Potrząsnęłam głową.

– To tak nie działa, Thomas…

– A gdyby się udało? Pomyśl tylko o implikacjach dla człowieka! Wyobraź sobie, jak można by pomóc weteranom cierpiącym na zespół stresu pourazowego! Wszyscy doceniliby rolę rezerwatu. Dostalibyśmy pieniądze z Ośrodka Neurobiologii Uniwersytetu Nowojorskiego. Gdyby zgodzili się ze mną współpracować, zainteresowanie mediów ściągnęłoby inwestorów i śmierć słonika zwróciłaby się z nawiązką! Mógłbym nawet dostać Nobla!

Przełknęłam ślinę.

– Na jakiej podstawie sądzisz, że jesteś w stanie spowodować regresję umysłu?

– Tak mi powiedziano.

– Kto ci to powiedział?

Thomas sięgnął do tylnej kieszeni i wyjął z niej kartkę z logo rezerwatu. Widniał na niej znajomy numer.

Dzwoniłam pod niego w ubiegłym tygodniu, gdy u Gordona odrzuciło mi kartę.

„Witamy w Citibank Mastercard".

Pod numerem obsługi klienta zapisano listę niekoniecznie dokładnych anagramów frazy AKTUALNE SALDO: nasadka Anatola, lokalne nadkole, skudlona Aldonka, utkane detalu, kutas Alana, lotna Nekla, ulotka Olena, osada nastu, Tales kala, setna Leda, udka dekla, Anetka daleka, odstukana Natalka, skulana altana, skalna Kosela, utkano skandal.

Ostatnie słowa podkreślono tak mocno, że długopis niemal przedziurawił kartkę na wylot.

– Widzisz? To szyfr. Utkano skandal. – Thomas świdrował mnie wzrokiem, jakby właśnie odkrył sens życia. – Nic nie jest takie, jakim się wydaje.

Podeszłam do niego. Dzieliły nas centymetry.

– Thomas... – wyszeptałam, kładąc mu dłoń na policzku. – Kochany. Masz dosyć.

Uchwycił się mojej ręki jak deski ratunkowej. Aż dotąd nie zdawałam sobie sprawy, że dygoczę.

– A żebyś wiedziała, że mam dosyć... – wymamrotał i tak ścisnął moją dłoń, że skręciłam się z bólu. – Tego, jak we mnie wątpisz. – Widziałam wyraźnie pomarańczową obwódkę wokół tęczówki i pulsującą żyłę na skroni. – Robię to dla ciebie – wypluł.

– A ja dla ciebie! – zawołałam.

Wybiegłam z dusznego poddasza i popędziłam na dół.

College Dartmouth leżał około stu kilometrów na południe; na miejscu znajdował się nowoczesny szpital stanowy.

Traf chciał, że była to najbliższa placówka psychiatryczna. Nie wiem, co skłoniło lekarza, żeby mnie przyjąć, zwłaszcza że nie byłam umówiona, a poczekalnia pękała w szwach. Siedząc z Jenną na kolanach naprzeciwko doktora Thibodeau, pomyślałam, że chyba zlitowała się nade mną recepcjonistka. „Mąż, akurat!", stwierdziła zapewne na widok mojego wygniecionego ubrania, tłustych włosów i płaczącego dziecka. „Ta kobieta jest u kresu wytrzymałości".

Pół godziny opowiadałam lekarzowi o Thomasie i o ostatnich wydarzeniach.

– Chyba nie wytrzymał napięcia – oznajmiłam.

Wypowiedziane na głos, słowa spuchły jak balony. Wypełniły sobą całe pomieszczenie.

– Możliwe, że opisuje pani objawy manii – odparł psychiatra. – To część choroby dwubiegunowej, zwanej niegdyś zaburzeniami maniakalno-depresyjnymi. – Uśmiechnął się do mnie. – Dwubiegunowość powoduje objawy podobne do stanu po zażyciu LSD. Wrażenia, emocje i kreatywność są wyostrzone, wzloty są wyższe, a upadki to po prostu otchłań. Wie pani, jak to mówią: jeśli osoba cierpiąca na tę chorobę zrobi coś dziwnego i okaże się mieć rację, uchodzi za geniusza. Jeśli się pomyli – za wariata. – Tym razem doktor Thibodeau uśmiechnął się do Jenny, która żuła jeden z jego przycisków do papieru. – Dobra wiadomość jest taka, że można to leczyć. Podajemy pacjentom środki, które wyciszają tę huśtawkę nastrojów i ustawiają ludzi do pionu. Gdy jednak Thomas uświadomi sobie, że nie żyje rzeczywistością, lecz urojeniami, popadnie w drugą skrajność i zmarkotnieje, bo nie będzie człowiekiem, za jakiego uważał się do tej pory.

To jest nas dwoje, pomyślałam.

– Czy posunął się do przemocy?

Przypomniałam sobie, jak złapał mnie za rękę, aż chrupnęło.

– Nie – odrzekłam.

Jedna zdrada wystarczy.

– Myśli pani, że mógłby?

Spojrzałam na Jennę.

– Nie wiem.

– Musi zostać zbadany. Jeśli to choroba dwubiegunowa, być może trzeba będzie go hospitalizować.

Popatrzyłam z nadzieją.

– A więc mogę go tu przywieźć?

– Nie – odparł doktor Thibodeau. – Umieszczenie kogoś w ośrodku wbrew jego woli jest równoznaczne z pozbawieniem go praw osobistych. Nie możemy tego zrobić, dopóki pani nie skrzywdzi.

– Wobec tego co mi pozostaje?

Odwzajemnił moje spojrzenie.

– Proszę go skłonić, żeby stawił się dobrowolnie.

Dał mi swoją wizytówkę i poprosił o telefon, gdy tylko Thomas dojrzeje do decyzji.

W drodze powrotnej zachodziłam w głowę, jak namówić mojego męża do wizyty w szpitalu w Lebanon. Gdybym spróbowała mu wmówić chorobę Jenny, pojechalibyśmy do miejscowego pediatry. Nawet jeśli go przekonam, że znalazłam sponsora czy zainteresowanego jego eksperymentem neurologa, do gabinetu go nie zaciągnę. W izbie przyjęć dozna olśnienia.

Doszłam do wniosku, że najlepszym sposobem będzie

zasugerowanie mu, szczerze i prosto z mostu, że to dla niego najlepsza droga. I powiedzenie mu, że wciąż go kocham. Że nie odstąpię go na krok.

Pokrzepiona nieco dotarłam do rezerwatu, zaparkowałam pod domem i wniosłam śpiącą Jennę do środka. Położyłam ją na kanapie i poszłam zamknąć drzwi, które zostawiłam otwarte na oścież.

Gdy Thomas chwycił mnie od tyłu, krzyknęłam.

– Chcesz, żebym dostała zawału? – Odwróciwszy się, zlustrowałam jego twarz, próbując wyczytać z niej nastrój.

– Myślałem, że mnie rzuciłaś. Że zabrałaś Jennę i nie wrócisz.

Przeczesałam mu palcami włosy.

– Nigdy – zapewniłam. – Nigdy bym tego nie zrobiła.

Pocałował mnie z desperacją człowieka, który próbuje się ratować. A ja nagle uwierzyłam, że wszystko się ułoży. Że może nigdy nie będę zmuszona zadzwonić do doktora Thibodeau, że to początek powrotu Thomasa do zdrowia. Wmówiłam sobie, że potrafię dać wiarę wszystkiemu, jakże nieprawdopodobnemu, nie zdając sobie sprawy, że oto staję się taka jak on.

Co do pamięci, Thomas nie wspomniał o jednym. Pamięć to nie nagranie wideo. Jest subiektywna. To kulturowo uwarunkowany zapis tego, co się stało. Nieważne, czy jest trafny, liczy się, co znaczy dla ciebie. To, jaką wyciągniesz z niego lekcję na przyszłość.

Przez kilka miesięcy wydawało się, że sytuacja w rezerwacie wraca do normy. Maura wypuszczała się na coraz dłuższe przechadzki, wracając na grób wieczorami. Thomas pracował w gabinecie, porzuciwszy punkt widokowy, pusty i zabity deskami, zupełnie jak wymarłe miasto. Niespodziewanie przyznano dotację, o którą wystąpił jakiś czas temu, więc mogliśmy trochę odetchnąć.

Zaczęłam porównywać swoje notatki na temat Maury i jej żalu z wcześniejszymi, o innych słoniowych matkach, które spotkało to samo. Godzinami spacerowałam z Jenną jej tempem, uczyłam ją kolorów i nazw kwiatów. Kłóciłam się z Thomasem, czy to bezpieczne, czy w zagrodach nic jej nie grozi. Kochałam te sprzeczki za ich prostotę. Za normalność.

Pewnego leniwego popołudnia, gdy Grace siedziała z Jenną na zewnątrz, a powietrze ciążyło od skwaru, robiłam Dionne w indyjskiej stodole płukanie trąby. Przyzwyczajaliśmy słonie do tego zabiegu na wypadek konieczności badania pod kątem gruźlicy; napełnialiśmy strzykawkę roztworem soli, wstrzykiwaliśmy do dziurki od nosa, a następnie skłanialiśmy zwierzę do uniesienia trąby jak najwyżej. Potem podstawialiśmy worek strunowy, zbieraliśmy płyn i próbka jechała w zbiorniku do laboratorium. Część słonic tego nie znosiła, ale z Dionne szło nie najgorzej. Pracowałam spokojnie i zapewne dlatego nie zauważyłam nagłego wtargnięcia Thomasa.

Złapał mnie za kark i odciągnął od słonia, żeby nie mógł nas dosięgnąć trąbą przez kraty.

– Kto to jest Thibodeau? – wrzasnął i tak grzmotnął moją głową o metal, że świeczki stanęły mi w oczach.

Nie miałam pojęcia, o co mu chodzi.

– Thi-bo-deau – wycedził. – Musisz wiedzieć. Znalazłem jego wizytówkę w twoim portfelu. – Dusił mnie jedną ręką.

Płuca zapłonęły mi żywym ogniem. Łapałam go za palce, za nadgarstki. Podstawił mi kartonik pod nos. – Coś ci to przypomina?

Dwoiło mi się w oczach, ale rozpoznałam logo szpitala Dartmouth-Hitchcock. Wizytówka psychiatry.

– Chcesz mnie zamknąć! – oskarżał Thomas. – Próbujesz wykraść moje badania! Pewnie zadzwoniłaś na Uniwersytet Nowojorski, żeby przypisać sobie wszystkie zasługi, ale będziesz musiała obejść się smakiem, droga Alice. Bo nie znasz numeru wewnętrznego do rektora. Wszyscy się zorientują, jaka z ciebie oszustka…

Dionne ryczała i tłukła się o wzmocnione kraty boksu. Próbowałam wytłumaczyć, wykrztusić z siebie cokolwiek. Thomas jednak cisnął mną jeszcze mocniej, aż zobaczyłam wszystkie gwiazdy.

Wreszcie mogłam zaczerpnąć powietrza. Opadłam na cementową podłogę, łapiąc dech, który omal nie rozerwał mi płuc. Przetoczyłam się na bok, w samą porę, by ujrzeć, jak po ciosie Gideona głowa Thomasa leci do tyłu, a krew bucha mu z ust i nosa.

Zerwałam się i wybiegłam. Daleko nie uciekłam, bo kolana odmówiły mi posłuszeństwa, lecz ku swemu zdumieniu nie upadłam. Złapał mnie Gideon. Spojrzał na moją szyję i dotknął palcem czerwonej obwódki, pamiątki po uścisku Thomasa. Był tak delikatny, że coś we mnie pękło.

Odepchnęłam go nieoczekiwanie.

– Nie prosiłam o pomoc!

Puścił mnie, zdziwiony.

Wyminęłam go chwiejnie i ruszyłam byle dalej od miejsca, gdzie – jak wiedziałam – Grace zabrała Jennę nad wodę. Pobiegłam do domu i poszłam prosto do gabinetu Thomasa, gdzie całymi dniami prowadził księgi i uzupełniał kartoteki poszczególnych słoni.

Na biurku leżał zeszyt, w którym zapisywaliśmy cały dochód rezerwatu i wydatki. Usiadłam i przejrzałam pierwszych kilka stron, z wyszczególnionymi dostawami siana, opłatami za usługi weterynaryjne, rachunkami z laboratorium oraz fakturami za warzywa i owoce. Potem zajrzałam na koniec.

C14H19NO4C18H16N6S2C16H21NO2C3H6N2O2C189H285N55O57S.C14H19NO4C18H16N6S2C16H21NO2C3H6N2O2C189H285N55O57S. C14H19NO4C18H16N6S2C16H21NO2C3H6N2O2C189H285N55O57S.

Oparłam czoło o blat i wybuchnęłam płaczem.

Obwiązałam szyję powłóczystym niebieskim szalem i poszłam posiedzieć z Maurą przy grobie. Spędziłam tam około godziny, gdy pojawił się Thomas.

Przyszedł na piechotę. Stanął za płotem z rękami w kieszeniach.

– Chciałem ci tylko powiedzieć, że wyjeżdżam na jakiś czas – oznajmił. – Już tam byłem. Oni mi pomogą.

Nawet na niego nie spojrzałam.

– Myślę, że to dobry pomysł.

– Zostawiłem namiary w kuchni na szafce. Choć nie pozwolą ci ze mną rozmawiać. Taką mają... procedurę.

Uważałam, że dam sobie radę pod jego nieobecność. I tak prowadziliśmy rezerwat bez jego udziału. Nawet gdy nigdzie nie wyjeżdżał.

– Powiedz Jennie… – Potrząsnął głową. – Zresztą, nic jej nie mów. Tylko że ją kocham. – Postąpił krok naprzód. – Wiem, że to na nic, ale przepraszam. Nie jestem… Nie jestem teraz sobą. To żadne usprawiedliwienie, ale innego nie mam.

Nie odprowadziłam go wzrokiem. Siedziałam, oplótłszy ramionami kolana.

Sześć metrów dalej Maura podniosła gałąź z wiechciem świerkowych igieł na końcu i zaczęła nią zamiatać ziemię przed sobą.

Trwało to kilka minut, po czym oddaliła się od grobu. Uszła zaledwie parę kroków i obejrzała się na mnie. Ponownie kilka kroków i znów oczekiwanie.

Wstałam i ruszyłam za przewodniczką.

Było parno, ubranie lepiło mi się do skóry. Gardło bolało mnie tak strasznie, że nie potrafiłam wydobyć z siebie głosu. Gorący podmuch podwiewał końce szala.

Maura szła powoli, ale pewnie, aż dotarła do płotu pod napięciem. I tęsknie zapatrzyła się na widoczny w oddali staw.

Nie miałam rękawic ani narzędzi. Nie miałam niczego, żeby odciąć prąd. Ale otworzyłam skrzynkę paznokciami i odłączyłam akumulator. Użyłam całej siły, by rozmontować prowizoryczną bramę, skleconą przed kilkoma tygodniami, chociaż drut wpijał mi się w palce, a ręce miałam śliskie od krwi. Robiłam Maurze przejście.

Owszem, przeszła, ale przystanęła na brzegu stawu.

A przecież po coś tu przyszłyśmy.

– Naprzód! – wychrypiałam, po czym zrzuciłam buty i wlazłam do wody.

Była zimna, przejrzysta i cudownie orzeźwiająca. Koszula i szalik przywarły mi do skóry, szorty wydęły się na udach. Zanurkowałam. Z rozpuszczonymi włosami wynurzyłam się na powierzchnię, kopiąc i chlapiąc, żeby się utrzymać na wodzie. Potem opryskałam Maurę.

Cofnęła się o dwa kroki, napełniła wodą trąbę i wylała mi jej zawartość na głowę.

Było to tak niespodziewane i tak zamierzone działanie – tak figlarne, po tygodniach rozpaczy – że wybuchnęłam głośnym śmiechem. Nie brzmiał znajomo; był gardłowy i ochrypły. Ale wyrażał czystą radość.

Maura ostrożnie weszła do stawu, przetoczyła się na lewy bok, potem na prawy, polała sobie plecy i zafundowała mi kolejny prysznic. Zachowywała się podobnie jak stado, które pokazałam Thomasowi u wodopoju w Botswanie, gdy jeszcze myślałam, że moje życie będzie wyglądało inaczej niż to tutaj. Patrzyłam, jak Maura dokazuje i unosi się na wodzie, wypychana jak boja, wreszcie lekka po długim okresie zastoju, i stopniowo poczułam, że również dryfuję.

– Bawi się – zabrzmiał głos Gideona z drugiego brzegu. – To znaczy, że odpuszcza.

Nie zauważyłam jego nadejścia, nie wiedziałam, że jesteśmy obserwowane. Byłam mu winna przeprosiny. Fakt, nie prosiłam o pomoc, co nie oznaczało, że jej nie potrzebowałam.

Czułam się jak kretynka, jak ostatni głupek. Zostawiłam Maurę w wodzie i wyszłam, ociekając, na brzeg. Nie wiedziałam, co powiedzieć.

– Przepraszam cię – rzuciłam. – Źle się zachowałam.

– Jak się czujesz? – zapytał z troską.

– Ja... – urwałam, bo sama nie miałam pojęcia. Źle? Dobrze? Uśmiechnęłam się blado. – Mokro.

Gideon odwzajemnił uśmiech. Rozłożył ręce.

– Nie przyniosłem ręcznika.

– Nie wiedziałam, że będę pływać. Maura potrzebowała zachęty.

Przytrzymał mój wzrok.

– Albo poczucia, że ktoś ją wspiera.

Patrzyłam na niego, dopóki Maura nie opryskała nas obojga wodą. Gideon odskoczył, ale ja poczułam się jak podczas chrztu.

Jakbym zaczynała od nowa.

Wieczorem zwołałam spotkanie. Oznajmiłam Nevvie, Grace i Gideonowi, że Thomas wyjechał na rozmowy z zagranicznymi inwestorami i że musimy sobie radzić sami. Widziałam, że żadne z nich mi nie wierzy, ale udawali z litości. Jennie dałam na kolację lody (bo tak!) i położyłam ją spać w swoim łóżku.

Następnie poszłam do łazienki i zdjęłam szal, który wysechł na mnie po kąpieli z Maurą. Moją szyję okalał sznur odcisków palców. Jak pereł z południowych mórz.

Siniak to wspomnienie ciała, które ucierpiało.

Po ciemku odnalazłam pozostawioną przez Thomasa kartkę. „Morgan House", napisał na niej swoim równym, ładnym pismem. „Stowe, Vermont 802–555–6868".

Podniosłam słuchawkę i wykręciłam numer. Nie czułam potrzeby rozmowy, chciałam tylko wiedzieć, czy dotarł bezpiecznie. Czy wszystko w porządku.

„Nie ma takiego numeru. Spróbuj jeszcze raz”.

Spróbowałam. A potem usiadłam przy komputerze Thomasa i poszukałam Morgan House w Internecie. Znalazłam tylko kasyno o tej nazwie w Vegas i ośrodek dla ciężarnych nastolatek w Utah. Klinika Morgan House nie istniała.

Virgil

Spóźnimy się na cholerny samolot!

Serenity zrobiła rezerwację przez telefon. Bilety kosztowały tyle co mój czynsz. Na wieść, że nie mogę się teraz z nią rozliczyć, tylko machnęła ręką.

– Kotku – powiedziała. – Właśnie po to Pan Bóg stworzył karty kredytowe.

A potem pognaliśmy na złamanie karku autostradą na lotnisko, bo samolot mieliśmy za godzinę. Lecieliśmy bez bagażu, więc pobiegliśmy do automatów z biletami, żeby uniknąć kolejki do odprawy. Bilet Serenity wyskoczył bez problemu, wraz z kuponem na darmowy napój. Kiedy ja wstukałem swoje potwierdzenia, na ekranie mignął komunikat: „Prosimy zgłosić się do okienka".

– Jaja czy co? – mruczę, patrząc na kolejkę.

Przez głośnik wzywani są pasażerowie lotu 5660 do Nashville. Do bramki numer 12.

Serenity spogląda na prowadzące do odprawy ruchome schody.

– Polecimy następnym – mówi.

Ale kto wie, gdzie będzie wtedy Jenna. I czy nie dotrze do Gideona pierwsza. A jeśli wpadnie na to samo, co ja, że Gideon mógł maczać palce w zniknięciu, a być może nawet w śmierci jej matki? Kto wie, do czego posunie się taki typ, żeby ją uciszyć.

– Leć! – nalegam. – Najwyżej zostanę. Trzeba odnaleźć Jennę, bo jeśli dotrze do Gideona przed nami, może być kiepsko.

Serenity chyba czuje, że to nie żart, bo dosłownie frunie po schodach i znika w kolejce markotnych pasażerów pozbywających się obuwia, pasków i laptopów.

Kolejka do okienka biletowego nie posuwa się wcale. Niecierpliwie przestępuję z nogi na nogę i patrzę na zegarek. A następnie, rozjuszony jak wypuszczony z klatki tygrys, wbijam się na początek ludzkiego węża.

– Przepraszam – mówię. – Ale spóźnię się na samolot.

Spodziewam się protestów, oburzenia, przekleństw. Mam nawet gotową wymówkę, że żona na porodówce. Ale zanim ktokolwiek się odzywa, podchodzi do mnie pracownica obsługi naziemnej.

– Tak nie można, proszę pana.

– Bardzo przepraszam – rzucam. – Ale zaraz odleci mój samolot...

Wygląda na emerytkę. I faktycznie.

– Pracowałam tu, kiedy pana jeszcze nie było na świecie – mówi. – Zatem kategorycznie: zasady to zasady.

– Proszę. To nagły wypadek.

Patrzy mi w oczy.

– Nie powinno tu pana być.

Zostaje wezwany następny facet z kolejki; mam ochotę wziąć go za fraki i odsunąć. Ale patrzę na starszą kobietę i kłamstwo o żonie więźnie mi w gardle.

– Ma pani rację – słyszę własny głos. – Nie powinno. Ale muszę, bo osoba, na której mi zależy, ma kłopoty.

Uświadamiam sobie, że po raz pierwszy od lat mówię szczerze.

Bileterka wzdycha i podchodzi do pustego stanowiska, dając mi znak, abym poszedł za nią. Bierze ode mnie numer potwierdzenia i wbija go w komputer. Tak wolno, że ja zdążyłbym to zrobić z dziesięć razy.

– Pracuję tu od czterdziestu lat – oznajmia. – Ale rzadko zdarza mi się spotykać takich jak pan.

Ta kobieta mi pomaga. I robi to z czystej życzliwości, zamiast zostawić mnie na lodzie, więc gryzę się w język. Mija wieczność, ale w końcu podaje mi kartę pokładową.

– Proszę pamiętać, że w końcu pan tam trafi. Choćby nie wiadomo co...

Łapię dokument i rzucam się w stronę bramki, po dwa schodki naraz. Prawdę mówiąc, nawet nie pamiętam kontroli, wiem tylko, że pędzę korytarzem w stronę bramki numer 12, w chwili kiedy głośnik po raz ostatni wzywa pasażerów do Nashville, niczym narrator w filmie grozy. Gnam w stronę stewardesy, która już zamyka drzwi, i macham jej w przelocie kartą pokładową.

Wchodzę do samolotu, tak zdyszany, że nie mogę wydobyć z siebie głosu, i od razu, jakieś pięć rzędów dalej, dostrzegam Serenity. Padam obok niej, w chwili gdy stewardesa każe wszystkim zapiąć pasy.

– Udało ci się – mówi Serenity, niemal tak zdumiona, jak ja. Odwraca się do faceta przy okienku po lewej. – Niepotrzebnie się martwiłam.

Mężczyzna uśmiecha się sztywno i chowa nos w gazetę, jakby szczytem jego marzeń było poczytanie o najlepszych polach golfowych na Hawajach. Widać po nim, że się nasłuchał. Prawie mam ochotę go przeprosić.

Ale tylko klepię Serenity po leżącej na poręczy między nami dłoni.

– Ech, wy ludzie małej wiary…

Podróż niezupełnie mija bez przygód.

Utykamy w Baltimore z powodu burzy; śpimy na krzesłach w poczekalni. Ale przed szóstą rano dostajemy zgodę na wylot i o ósmej, zmięci i wykończeni, jesteśmy wreszcie w Nashville. Serenity wypożycza samochód, płacąc tą samą kartą kredytową co za bilety. Pyta pracownika wypożyczalni, czy wie, jak dojechać do Hohenwaldu. Facet szuka mapy, a ja siadam i próbuję nie zasnąć. Na stoliku leży egzemplarz „Sports Illustrated" oraz wysłużona książka adresowa z 2010 roku.

Rezerwatu słoni w niej nie ma, co jest w sumie logiczne, bo to przecież firma, ale na wszelki wypadek sprawdzam osobno pod „rezerwat" i pod „słonie". Nic. Za to znajduję Cartwright, G. W Brentwood.

Senność mija bez śladu. Jest prawie tak, jak mówi Serenity. Jakby wszechświat chciał mi coś powiedzieć.

Ile wynosi prawdopodobieństwo, że G. Cartwright to ten sam Gideon Cartwright, którego szukamy? To zbyt oczywisty zbieg okoliczności, ale czy po to przebyliśmy taki kawał drogi, żeby nie sprawdzić? Zwłaszcza jeśli szuka go również Jenna?

Nie ma numeru telefonu, sam adres. Ale zamiast na oślep tłuc się do Hohenwaldu, lądujemy w Brentwood, tuż za obrzeżami Nashville, pod domem, który może należeć do Gideona.

Ulica to ślepy zaułek. Nawet pasuje do sytuacji. Serenity parkuje przy krawężniku i przez chwilę oboje wpatrujemy się w dom na wzgórzu, który wygląda na niezamieszkany od dawna. Okiennice na górze wiszą pod dziwnymi kątami, całość wymaga gruntownego czyszczenia i świeżej farby. Ogród i trawnik to istny obraz nędzy i rozpaczy.

– Gideon Cartwright to niechluj – oświadcza Serenity.

– Nie będę się kłócił – odmrukuję.

– Nie sądzę, by mieszkała tu Alice Metcalf…

– Nie sądzę, by mieszkał tu ktokolwiek.

Wysiadam z samochodu i lawiruję między nierówną kostką podjazdu. Na ganku stoi zielistka w donicy, krucha i zbrązowiała. Do ściany przybito tabliczkę z godłem miasta Brentwood i spłowiałym napisem: „Ten dom jest przeklęty".

Żeby zapukać, uchylam moskitierę; zostaje mi w ręce. Opieram ją o ścianę.

– To na nic – obwieszcza Serenity. – Jeżeli nawet Gideon tu mieszkał, na pewno wyprowadził się już dawno.

Jestem skłonny przyznać jej rację, choć nie mówię tego, co chodzi mi po głowie – jeśli Gideon okaże się wspólnym mianownikiem śmierci Nevvie Ruehl, gniewu Thomasa Metcalfa i zniknięcia Alice, będzie miał dużo do stracenia, gdy napatoczy się z pytaniami ktoś taki jak Jenna. A gdyby chciał się jej pozbyć, to miejsce dałoby mu po temu wymarzoną okazję.

Pukam raz jeszcze, mocniej.

– Ja będę gadał – zapowiadam.

Nie wiem, które z nas jest bardziej zdziwione na dźwięk kroków. Drzwi otwierają się i staje przede mną rozczochrana kobieta. Włosy ma zaplecione w zmierzwiony warkocz, poplamioną bluzkę. Dwa różne buty na nogach.

– Czym mogę służyć? – pyta, ale nie patrzy mi w oczy.

– Przepraszam, że pani przeszkadzam... Szukamy Gideona Cartwrighta.

Mój detektywistyczny umysł buzuje na pełnych obrotach. Rejestruję wszystko za jej plecami. Rozległy pokój bez śladu mebli. Pajęczyny we wszystkich framugach. Nadgryzioną przez mole wykładzinę oraz gazety i pocztę, rozrzucone na podłodze.

– Gideona? – powtarza i potrząsa głową. – Od lat go nie widziałam. – Śmieje się i stuka laską o próg. Zauważam białą końcówkę. – Tak jak w sumie nikogo.

Jest niewidoma.

Gdyby Gideon mieszkał tutaj i miał coś do ukrycia, byłaby współlokatorką jak znalazł.

Mam wielką ochotę wejść do środka i sprawdzić, czy Jenna nie siedzi przypadkiem uwięziona w piwnicy albo w betonowej celi na zakratowanym podwórku.

– Ale to dom Gideona Cartwrighta, tak? – naciskam.

Zanim wedrę się bez nakazu, chcę przynajmniej mieć pretekst.

– Nie – odpowiada kobieta. – Należy do Grace. Mojej córki.

„Cartwright, G.".

Serenity wytrzeszcza na mnie oczy. Łapię ją za rękę i ściskam, zanim coś chlapnie.

– Przepraszam, nie dosłyszałam pańskiego nazwiska. – Kobieta marszczy brwi.

– Bo się nie przedstawiłem – przyznaję. – Ale dziwię się, że nie poznałaś mnie po głosie. – Sięgam po jej dłoń. – To ja, Nevvie. Thomas Metcalf.

Sądząc po minie, Serenity połknęła język. Co nie byłoby takie złe.

– Thomas… – wykrztusza kobieta. – Tyle lat!

Serenity trąca mnie łokciem. „Co ty wyprawiasz?", pyta bezgłośnie.

Sęk w tym, że nie mam pojęcia. Rozmawiam z kobietą, którą na moich oczach zapakowano do worka i która najwyraźniej mieszka z córką, rzekomą samobójczynią. W dodatku podaję się za jej byłego szefa, któremu dziesięć lat temu padło na mózg i być może się na nią rzucił.

Nevvie unosi rękę i maca mnie po twarzy. Wodzi palcami po nosie, ustach, kościach policzkowych.

– Wiedziałam, że kiedyś po nas przyjdziesz…

Odsuwam się, zanim odkryje, że nie jestem tym, za kogo się podaję.

– No jasne – mówię. – Przecież jesteśmy rodziną.

– Wejdź, proszę. Grace niedługo wróci, ale na razie możemy…

– Chętnie – odpowiadam.

Wchodzimy za Nevvie do środka. Wszystkie okna są pozamykane, powietrze stoi w miejscu.

– Czy mógłbym napić się wody? – pytam.

– Żaden problem – odpowiada Nevvie.

Prowadzi mnie do przestronnego salonu ze sklepionym sufitem; siedziska i stoły są okryte prześcieradłami. Pozbawiona przykrycia jest jedna kanapa. Serenity siada na niej, a ja zaglądam pod prześcieradła w poszukiwaniu biurka albo sekretarzyka. Czegokolwiek, co pozwoliłoby mi zrozumieć.

– O co tu chodzi, do licha? – syczy Serenity, gdy Nevvie znika w kuchni. – Grace niedługo wróci? Myślałam, że ona nie żyje. Tak samo jak Nevvie!

– Też tak sądziłem – przyznaję. – A już na pewno widziałem ciało.

– Na pewno jej?

Tego nie wiem. Kiedy dotarłem na miejsce, Gideon trzymał ofiarę na kolanach. Pamiętam czaszkę, pękniętą jak melon, włosy przesiąknięte krwią. Ale chyba nie podszedłem na tyle blisko, aby przyjrzeć się twarzy. A nawet gdybym to zrobił, nie byłbym w stanie określić, czy to Nevvie Ruehl, ponieważ nigdy nie widziałem jej zdjęcia. Uwierzyłem na słowo Thomasowi, który chyba potrafił rozpoznać swoją pracownicę?

– Kto wezwał wtedy policję? – pyta Serenity.

– Thomas.

– Może próbował wam wmówić, że Nevvie nie żyje?

Potrząsam głową.

– Gdyby to on zaatakował ją w zagrodzie, nie zachowywałaby się teraz tak swobodnie. A już na pewno nie zaprosiłaby nas do domu.

– Chyba że chce nas otruć.

– To nie pij – proponuję. – Zwłoki znalazł Gideon. Albo się pomylił, w co nie chce mi się wierzyć, albo chciał wmówić wszystkim wokół, że to właśnie Nevvie.

– No chyba nie urwała się z kostnicy... – stwierdza Serenity.

Napotykam jej wzrok. I nie muszę dodawać niczego. Jedną ofiarę wywieziono w worku. Jedną znaleziono nieprzytomną, z urazem głowy, który mógł z opóźnieniem spowodować ślepotę.

Nevvie wraca do pokoju z tacą, na której stoi karafka z wodą i dwie szklanki.

– Pomogę. – Biorę od niej tacę i stawiam na przykrytym stole. Podnoszę karafkę i nalewam.

Gdzieś tutaj jest zegar; słyszę tykanie, ale nie potrafię go zlokalizować. Pewnie gnije pod którymś z prześcieradeł. Mam wrażenie, że cały pokój wypełniają duchy starych mebli.

– Jak długo tu mieszkasz? – pytam.

– Straciłam rachubę. Grace się mną zajęła, no wiesz, po wypadku. Nie wiem, co zrobiłabym bez niej.

– Po wypadku?

– No, w rezerwacie. Gdy straciłam wzrok. Po takim uderzeniu w głowę pewnie mogło być gorzej. Miałam szczęście. Podobno. – Nevvie opada na fotel, nie zwracając uwagi na prześcieradło. – Niczego nie pamiętam; może to i dobrze. Grace wyjaśni ci wszystko po powrocie. – Zerka w moją stronę. – Nigdy nie winiłam ciebie ani Maury, Thomasie. Mam nadzieję, że wiesz.

– Jakiej Maury? – wtrąca Serenity.

Do tej pory w obecności Nevvie milczała. Teraz gospodyni zwraca głowę w jej stronę z niepewnym uśmiechem.

– Wybaczcie. Nie zdawałam sobie sprawy, że z kimś przyszedłeś, Thomasie.

Zerkam spanikowany na Serenity. Muszę ją przedstawić w sposób, który pasuje do mojej bajeczki.

– Nie, nie, to ja przepraszam – mówię. – Pamiętasz Alice, moją żonę?

Szklanka wyślizguje się z rąk Nevvie i upada na podłogę. Klękam i wycieram wodę jednym z prześcieradeł.

Ale idzie mi zbyt wolno. Szmata nasiąka, kałuża rośnie. Mam już mokre spodnie, z kałuży robi się jezioro. Stopy Nevvie, wraz z butami nie do pary, giną pod wodą.

Serenity rozgląda się po pokoju.

– Jezu miłosierny...

Tapeta płacze. Z sufitu kapie woda. Patrzę na Nevvie i widzę, że zastygła na krześle, uczepiona oburącz poręczy, z twarzą zalaną łzami – swoimi i domu.

Nie mogę się ruszyć. Nie wiem, co się dzieje, do jasnej cholery! Widzę szparę na suficie, która się powiększa, jakby zaraz miał odpaść tynk.

Serenity łapie mnie za ramię.

– Uciekaj! – krzyczy.

Pędzę za nią do wyjścia. Rozbryzguję nogami kałuże, które utworzyły się na drewnianej podłodze. Zdyszani, zatrzymujemy się dopiero na krawężniku.

– Chyba zgubiłam cholerną treskę! – oświadcza Serenity, poklepując tył głowy. Jej mokre różowe włosy przypominają zakrwawioną czaszkę stratowanej ofiary.

Pochylam się, łapczywie chwytając powietrze.

Dom na wzgórzu robi równie odpychające wrażenie, co na początku. Jedyną oznaką naszej wizyty są mokre ślady na ścieżce.

Które wyparowują, jakby ich nigdy nie było.

Alice

Dwa miesiące to długa nieobecność. W ciągu dwóch miesięcy wiele może się zdarzyć.

Nie wiedziałam, dokąd wyjechał Thomas, i nie byłam pewna, czy chcę wiedzieć. Nie wiedziałam, czy wróci. Tyle że on nie zostawił wyłącznie Jenny i mnie, zostawił siedem słoni i personel. Co oznaczało, że ktoś musi to wszystko ogarnąć.

W dwa miesiące można odzyskać pewność siebie.

Dwa miesiące wystarczą, by odkryć, że jest się nie tylko naukowcem, ale i niezłym przedsiębiorcą.

W dwa miesiące dziecko potrafi się rozgadać, tworzyć poplątane zdania i kuć sylaby, nazywając świat, który jawi mu się tak samo nowy jak tobie.

W dwa miesiące można zacząć od początku.

Gideon został moją prawą ręką. Braliśmy wprawdzie pod uwagę zatrudnienie kolejnej osoby, ale zabrakło środków.

– Damy radę – zapewniał. – Jeżeli pogodzisz badania z pracą administracyjną, ja wezmę na siebie brudną robotę.

I często pracował po osiemnaście godzin na dobę.

Któregoś wieczoru po kolacji wzięłam Jennę i poszłam tam, gdzie naprawiał ogrodzenie. Podniosłam szczypce i zabrałam się do roboty.

– Nie musisz – powiedział.

– Ty też – ucięłam.

I tak się utarło – po szóstej wieczorem wspólnie odbębnialiśmy coś z niekończącej się listy obowiązków. Zabieraliśmy z sobą Jennę, która zrywała kwiaty i uganiała się za kicającymi w wysokiej trawie zającami.

Jakimś cudem wpadliśmy w nałóg.

Jakimś cudem wpadliśmy po uszy.

Maura i Hester znów przebywały razem w zagrodzie afrykańskiej; nawiązały komitywę i stały się prawie nierozłączne. Maura rządziła zdecydowanie – gdy rzucała wyzwanie, młodsza słonica odwracała się do niej zadem na znak uległości. Od wieczornej kąpieli w stawie zaledwie raz zauważyłam, że wraca na grób syna. Pogodziła się ze stratą, mogła żyć dalej.

Codziennie na obserwację słoni zabierałam z sobą Jennę, chociaż wiedziałam, że Thomas nie pochwala takiego postępowania. Ale Thomasa nie było, stracił prawo głosu. A mała była urodzoną badaczką. Zbierała kamyki, kwiatki i trawę, po czym układała wszystko na kupkach. Gideon przeważnie znajdował coś do roboty w pobliżu, aby choć chwilę z nami posiedzieć i odpocząć. Zaczęłam przynosić dla niego prowiant i więcej mrożonej herbaty.

Rozmawialiśmy o Botswanie, o słoniach, które tam znałam, o tym, jak różniły się od tutejszych. Opowiadaliśmy sobie historie zasłyszane od ludzi, którzy przywozili je do rezerwatu – o zwierzętach bitych albo skuwanych podczas tresury. Kiedyś usłyszałam od niego o Lilly, której noga nigdy dobrze nie zrosła się po złamaniu.

– Wcześniej była w innym cyrku. Statek, którym płynęła, cumował w Nowej Szkocji, kiedy wybuchł pożar. Zatonął, niektóre zwierzęta zginęły. Lilly przeżyła, ale z oparzeniami drugiego stopnia na nogach i grzbiecie.

Lilly, którą zajmowałam się od blisko dwóch lat, ucierpiała bardziej, niż sobie wyobrażałam.

– To niesamowite – powiedziałam – że nie mają nam za złe krzywd, które wyrządzili im inni ludzie.

– Myślę, że wybaczają. – Gideon spojrzał na Maurę. Opadły mu kąciki ust. – Mam taką nadzieję... Myślisz, że pamięta, jak zabierałem jej dziecko?

– Pamięta – odparłam prosto z mostu. – Ale przestała chować urazę.

Gideon zrobił minę, jakby chciał odpowiedzieć, lecz nagle zamarł, po czym zerwał się i puścił biegiem.

Jenna, która doskonale wiedziała, że nie wolno jej podchodzić do słoni, która zawsze słuchała poleceń, stała jak zahipnotyzowana pół metra od Maury.

Popatrzyła na mnie z uśmiechem.

– Słonik! – oznajmiła.

Maura wyciągnęła trąbę. Dmuchnęła na cienkie warkoczyki.

Była to chwila czarodziejska, a przy tym mrożąca krew w żyłach. Dzieci i słonie są nieprzewidywalne. Jeden nagły ruch i byłoby po Jennie.

Wstałam. Zaschło mi w gardle.

Gideon już tam był. Skradał się, żeby nie spłoszyć Maury. Porwał Jennę w ramiona, jakby to była zabawa.

– Idziemy do mamy – oświadczył, oglądając się przez ramię na słonicę.

Wtedy Jenna zaczęła wrzeszczeć.

– Słonik! – ryknęła. – Ja chcę do słonika!

Kopnęła Gideona w brzuch, wijąc się jak ryba na wędce. Dostała szału. Hałas spłoszył Maurę, która umknęła do lasu z głośnym trąbieniem.

– Jenna... – wymamrotałam. – Nie wolno podchodzić do zwierząt! Przecież wiesz!

Strach w moim głosie tylko pogorszył sytuację.

Gideon stęknął, gdy mały bucik trafił go w krocze.

– Bardzo cię przepraszam... – zaczęłam i wyciągnęłam ręce, ale on się odwrócił.

Kołysał Jennę i podrzucał ją w ramionach, dopóki wrzask nie ucichł, a szloch nie zmienił się w czkawkę. Mała zacisnęła piąstkę na brzegu jego czerwonej koszulki i zaczęła o nią pocierać policzek. Tak jak przed zaśnięciem robiła z kocykiem.

Kilka minut później Gideon ułożył moje śpiące dziecko na trawie. Jenna miała rozpalone policzki i rozchylone usta. Przykucnęłam obok. Wyglądała jak porcelanowa laleczka, jak utkana z księżycowej poświaty.

– Była zmęczona – powiedziałam.

– Przerażona – uściślił, ponownie siadając obok mnie. – Po fakcie.

– No tak. – Spojrzałam na niego. – Dziękuję.

Zapatrzył się na drzewa, wśród których znikła Maura.

– Uciekła?

Potwierdziłam.

– Też się przestraszyła po fakcie – stwierdziłam. – Czy wiesz, że przez tyle lat pracy nie widziałam, żeby słoniowa mama straciła cierpliwość do dziecka? Choćby ją zadręczało. – Zdjęłam wstążkę z warkoczyka Jenny, która rozwiązała się podczas napadu złości. – Niestety, nie mogę powiedzieć tego o sobie.

– Dobrze, że mała cię ma.

Uśmiechnęłam się z przekąsem.

– Zwłaszcza że tylko ja jej zostałam.

– Nie – zaoponował. – Obserwuję was przecież. Jesteś dobrą matką.

Wzruszyłam ramionami, chcąc go zbyć, ale komplement znaczył zbyt wiele.

– Ty też byłbyś dobrym ojcem – rzuciłam, niewiele myśląc.

Podniósł jeden z mleczy, które Jenna wyrwała i odłożyła na bok, zanim podeszła do Maury. Naciął paznokciem łodyżkę i przewlókł przez nią drugą.

– Sądziłem, że do tej pory już będę.

Zacisnęłam usta. Nie miałam prawa tego komentować.

Gideon nie przestawał przewlekać chwastów.

– Zastanawiałaś się kiedyś, czy zakochujemy się w danej osobie, czy w wymyślonym przez nas wizerunku?

Czy się zastanawiałam? Myślę, że smutek i miłość nie pozwalają na perspektywę. Jakąż mogłaby być, gdy ktoś staje się dla nas centrum wszechświata? Bo przepadł lub się odnalazł.

Gideon założył Jennie wianek na głowę, ale ozdoba przekrzywiła się na warkoczyku i spadła jej na czoło. Mała poruszyła się we śnie.

– Czasem myślę, że nie ma czegoś takiego jak zakochanie. Wyłącznie strach przed utratą kogoś.

Wiał wietrzyk, niosąc woń dzikich jabłek i trawy, ziemisty zapach nawozu i słoniowej skóry, a także brzoskwiniowego soku, który kapnął na sukienkę Jenny.

– Martwisz się? – spytał Gideon. – Co będzie, jeśli nie wróci?

Nie po raz pierwszy rozmawialiśmy o wyjeździe Thomasa. Opowiadaliśmy sobie, jak poznaliśmy naszych małżonków, lecz na tym się kończyło. Na szczycie możliwości, na etapie, kiedy w związku jeszcze wszystko się układa.

Zadarłam podbródek i spojrzałam Gideonowi prosto w oczy.

– Martwię się, co będzie, jeśli wróci.

To była kolka. Dość częsta u słoni, zwłaszcza karmionych zepsutym sianem bądź tych, którym nagle i radykalnie zmieniono jadłospis. Syrah nie dotyczyła żadna z tych możliwości, a jednak leżała teraz na boku, opuchnięta i otępiała. Odmawiała wody i pożywienia. Burczało jej w brzuchu. Gertie, która nie odstępowała jej na krok, siedziała obok i wyła.

Grace była u mnie, pilnowała Jenny. Siedziała z nią przez całą noc, żebyśmy mogli z Gideonem czuwać przy słoniu. Gideon zaoferował się, że zrobi to sam, ale zaprotestowałam. Nie mogło mnie tam zabraknąć.

Staliśmy z założonymi rękami, patrząc, jak Syrah bada weterynarz.

– Powie nam to, co już wiemy – szepnął Gideon.

– Owszem. I zapisze lekarstwo.

Potrząsnął głową.

– A co zastawisz, żeby mu zapłacić?

Miał rację. Z pieniędzmi było tak krucho, że musielibyśmy uszczknąć z puli na bieżące wydatki.

– Coś wymyślę – odburknęłam z urazą.

Patrzyliśmy, jak weterynarz podaje Syrah lek przeciwzapalny – fluniksynę – i środek zwiotczający mięśnie. Gertie leżała skulona obok na sianie i skomlała.

– Miejmy nadzieję, że się wypróżni – oznajmił lekarz. – Na razie dawajcie jej dużo wody.

Ale Syrah nie chciała pić. Ilekroć podchodziliśmy do niej z wiadrem, czy to podgrzanej, czy chłodnej wody, prychała i próbowała odwrócić głowę. Po kilku godzinach takiej mordęgi byliśmy z Gideonem wykończeni psychicznie. Podany lek nie zadziałał.

Tak udręczone wielkie i majestatyczne zwierzę to widok przygnębiający. Nasunęło mi skojarzenie ze słoniami z buszu, postrzelonymi przez miejscowych lub zranionymi przez sidła. Wiedziałam, że kolka to nie przelewki. Może doprowadzić do wstrząsu, a ten z kolei do śmierci.

Uklękłam obok Syrah, pomacałam stwardniały brzuch.

– Czy to się już zdarzało?

– Nie u niej – odparł Gideon. – Ale widywałem takie przypadki. – Widziałam, że się waha, rozważa jakąś myśl. – Masz może oliwkę niemowlęcą?

– Używam do kąpieli – odrzekłam. – A co?

– Gdzie jest?

– Jeśli coś zostało, to pod umywalką w łazience.

Wstał i wyszedł.

– A ty dokąd? – zawołałam, ale nie poszłam za nim. Nie chciałam zostawić Syrah.

Wrócił po dziesięciu minutach. Przyniósł dwie butelki z oliwką i biszkopt z mojej lodówki. Podążyłam za nim do kuchni, gdzie przygotowywaliśmy posiłki dla zwierząt. Wyjął ciasto z opakowania.

– Nie jestem głodna – powiedziałam.

– To nie dla ciebie. – Gideon postawił ciasto na blacie i zaczął je dźgać nożem.

– Chyba już ma dosyć – zauważyłam.

Otworzył butelkę i wylał oliwkę na biszkopt. Spłynęła do dziur i wsiąkła natychmiast.

– W cyrku słonie też miewały czasem kolkę. Weterynarz kazał nam podawać olej. Żeby pobudzić to i owo.

– Nasz weterynarz nie mówił…

– Alice. – Gideon znieruchomiał. – Ufasz mi?

Spojrzałam na tego mężczyznę, który harował od tygodni, walcząc ramię w ramię ze mną o przetrwanie rezerwatu. Który mnie uratował. Mnie i moją córkę.

Czytałam kiedyś u dentysty, w jakimś durnym czasopiśmie dla kobiet, że gdy ktoś wpadnie nam w oko, reagujemy rozszerzeniem źrenic. A nas samych ciągnie do ludzi, którzy na nasz widok odpowiadają tym samym. Koło się zamyka – pragniemy ludzi, którzy pragną nas. Tęczówki Gideona zaś były niemal tej samej barwy, co jego źrenice. Powstało złudzenie optyczne – czarna dziura, skok w przepaść. Zastanowiłam się, jak wyglądają moje.

– Tak – odparłam.

Polecił mi przynieść wiadro z wodą do boksu, gdzie Syrah wciąż leżała na boku. Jej brzuch wznosił się i opadał z wysiłkiem. Gertie podniosła się czujnie.

– Cześć, piękna – powiedział Gideon, klękając przed słonicą. Pokazał jej ciasto. – Syrah jest łasuchem – dorzucił pod moim adresem.

Syrah powąchała biszkopt i ostrożnie obmacała go trąbą. Gideon połamał ciasto na mniejsze kawałki. Wrzucał je do pyska Syrah. Gertie obwąchiwała mu palce.

Po chwili Syrah zgarnęła resztę smakołyku i połknęła go w całości.

– Woda! – zakomenderował Gideon.

Podstawiliśmy wiadro, by mogła go dosięgnąć, i patrzyliśmy, jak je osusza. Gideon pochylił się nad nią i ją pogłaskał, nie przestając mówić, jaka jest kochana.

Zapragnęłam, żeby i mnie dotknął w ten sposób.

Myśl była tak nagła, że aż się zachwiałam.

– Muszę iść. Muszę wracać do Jenny – wyjąkałam.

Gideon podniósł wzrok.

– Na pewno śpią obie z Grace.

– Muszę…

Nie dokończyłam. Paliła mnie twarz, więc przycisnęłam dłonie do policzków. Odwróciłam się i wybiegłam.

Gideon miał rację. Grace i Jenna leżały przytulone na wersalce; Grace trzymała Jennę za rączkę. Aż mnie zemdliło na myśl o własnej podłości.

Grace drgnęła i usiadła ostrożnie, żeby nie obudzić małej.

– Jak tam Syrah? Co się stało?

Wzięłam Jennę na ręce. Ocknęła się na chwilę, ale zaraz odpłynęła ponownie. Nie chciałam jej budzić, ale musiałam przypomnieć sobie, kim jestem. I czym.

Matką. Żoną.

– Powinnaś mu powiedzieć – rzuciłam do Grace. – Że nie możesz mieć dzieci.

Zmrużyła oczy. Od pierwszej rozmowy nie wracałyśmy do tematu. Teraz przestraszyła się, że coś przy nim palnęłam – widziałam to w jej oczach – ale nie o to chodziło. Chciałam, żeby odbyli tę rozmowę, aby Gideon zrozumiał, że Grace w pełni mu ufa. Aby mogli poczynić plany na przyszłość, pomyśleć o adopcji albo zastępczej matce. Pragnęłam, żeby połączyła ich więź tak silna, bym ja – choćby przypadkowo – nie znalazła szczeliny w murze ich małżeństwa i nie zajrzała do środka.

– Powinnaś mu powiedzieć – powtórzyłam. – Bo na to zasługuje.

Następnego ranka stały się dwa cuda. Syrah poczuła się lepiej i pomaszerowała za podskakującą Gertie do zagrody. Straż pożarna zaś podrzuciła nam prezent – używany wąż zastąpiła nowym.

Gideon, który spał jeszcze krócej niż ja, był w wyśmienitym humorze. Jeśli Grace poszła za moją radą i wyznała mu prawdę, przyjął ją bez mrugnięcia okiem. A może po prostu cieszył się, że Syrah wyzdrowiała? Tak czy inaczej, moja nagła nocna ucieczka chyba nie zbiła go z tropu.

Przerzucił wąż przez ramię.

– Dziewczęta będą zachwycone – oznajmił. – Chodźmy wypróbować.

– Mam milion innych rzeczy do roboty – odparłam. – Ty tak samo.

Byłam mało uprzejma. Lecz to stworzyło między nami dystans. Tak było bezpieczniej.

Weterynarz, który przyszedł zbadać Syrah, stwierdził, że słonica jest zdrowa.

Zamknęłam się w gabinecie, by sprawdzić rachunki i obmyślić, jak by tu przelać z pustego w próżne i zapłacić lekarzowi. Jenna siedziała na podłodze, kolorując kredkami zdjęcia w starych czasopismach. Nevvie zabrała jedną z ciężarówek do warsztatu. Grace sprzątała stodołę afrykańską.

Straciłam poczucie czasu. Ocknęłam się, dopiero gdy Jenna pociągnęła mnie za spodnie i oznajmiła, że jest głodna. Zrobiłam jej kanapkę z masłem orzechowym i dżemem, i pokroiłam na mniejsze kawałki, w sam raz dla jej rączek. Skórki odkroiłam i schowałam dla Maury.

A potem dobiegło mnie coś, co brzmiało jak przedśmiertne rzężenie.

Złapałam Jennę i pognałam w stronę stodoły afrykańskiej, skąd dochodził odgłos. Myśli przelatywały mi przez głowę. Maura pobiła się z Hester. Maura jest ranna. Któraś słonica zrobiła krzywdę Grace.

Któraś zrobiła krzywdę Gideonowi!

Lecz gdy otworzyłam drzwi, ujrzałam Hester i Maurę w boksach z rozsuniętymi kratami. Obie pląsały, dokazywały i prychały w sztucznym deszczu ze strażackiego węża. Gideon je polewał, a one kręciły się w kółko i piszczały.

Nie umierały. Miały przednią zabawę.

– Co ty wyprawiasz? – krzyknęłam.

Jenna zaczęła się wyrywać, więc postawiłam ją na posadzce. Natychmiast zaczęła skakać po kałużach.

Gideon uśmiechnął się z zadowoleniem, nie przestając wymachiwać wężem tam i z powrotem.

– Urozmaicam im egzystencję – oznajmił. – Popatrz na Maurę. Widziałaś, żeby kiedyś tak szalała?

Miał rację. Maura jakby zapomniała o bólu. Potrząsała głową, tupała pod natryskiem i wydawała z siebie dzikie odgłosy, za każdym razem zadzierając trąbę.

– A piec naprawiony? – spytałam. – A wymieniłeś olej w quadzie? Zdjąłeś płot w afrykańskiej zagrodzie i wykarczowałeś północno-zachodnie pole? – recytowałam listę zaległości.

Gideon zakręcił wodę. Słonice zatrąbiły i odwróciły się zgodnie. Wyczekiwały z nadzieją.

– Tak myślałam – oświadczyłam. – Jenna, kochanie, idziemy.

Ruszyłam w stronę córki, ale ona uciekła, rozpryskując kolejną kałużę.

Gideon zacisnął usta.

– Hej, szefowo! – zawołał.

Zaczekał, aż się odwrócę, odkręcił kran i woda z węża chlapnęła prosto na mój mostek.

Była lodowata i pod takim ciśnieniem, że aż się zachwiałam. Odgarnęłam z twarzy mokre włosy i spojrzałam na przemoczone ubranie. Gideon zmienił kierunek strumienia i polał słonie. Uśmiechnął się pod nosem.

– Tobie też należy się trochę luzu – stwierdził.

Rzuciłam się do węża. Gideon był większy ode mnie, ale ja byłam szybsza. Polewałam bez litości, dopóki nie zasłonił twarzy rękami.

– No dobra! – wykrztusił ze śmiechem. – Dobra! Poddaję się!

– Sam zacząłeś – przypomniałam, gdy próbował wyrwać mi wąż, który wił się między nami jak żywy.

Śliski i przemoczony Gideon w końcu zamknął mnie w uścisku i unieruchomił mi ręce. Wąż upadł na posadzkę – woda polała się nam na nogi – zwinął się w półokrąg i znieruchomiał, kierując strugę na słonie.

Śmiałam się tak żywiołowo, że zabrakło mi tchu.

– Dobrze, już dobrze, wygrałeś! Puszczaj! – wykrztusiłam.

Byłam na wpół oślepiona, włosy kleiły mi się do twarzy. Gideon odgarnął je i zobaczyłam jego uśmiech. Miał zęby białe jak śnieg. Nie potrafiłam oderwać oczu od jego ust.

– Wykluczone! – odparł.

Pocałował mnie.

Wstrząs był jeszcze większy niż pierwsze chluśnięcie wody. Zastygłam na sekundę, po czym objęłam go w pasie i przejechałam dłońmi po mokrej skórze na plecach. Wodziłam palcami po krajobrazie jego ramion, dolinach złączeń mięśni. Piłam z niego, jakby chodziło o moje życie.

– Mokra – powiedziała Jenna. – Mama mokra.

Stała pod nami i poklepywała nas po nogach. Zupełnie zapomniałam o jej obecności.

Jakbym miała za mało powodów do wstydu!

Po raz drugi uciekłam od Gideona, jakby się paliło. Bo, poniekąd, tak właśnie było.

Przez następne dwa tygodnie unikałam go, a on przekazywał mi wiadomości przez Grace i Nevvie. Byle tylko nie znaleźć się sam na sam. Zostawiałam mu kartki w kuchni, listy rzeczy do zrobienia. Zamiast spotykać się z nim pod koniec dnia, siadałam z Jenną na podłodze. Układałyśmy układanki, klocki i bawiłyśmy się pluszowymi zwierzątkami.

Któregoś wieczoru Gideon zadzwonił do mnie ze stodoły z sianem.

– Doktor Metcalf – powiedział. – Mamy problem.

Nie pamiętałam, kiedy ostatnio nazwał mnie „doktor Metcalf". Albo była to reakcja na mój chłód, albo faktycznie coś się stało. Posadziłam Jennę przed sobą na quadzie i pojechałam do szopy indyjskiej; wiedziałam, że Grace przygotowuje tam posiłki.

– Popilnujesz małej? – zapytałam. – Gideon mówił, że jest coś ważnego.

Grace sięgnęła po wiadro i odwróciła je do góry dnem.

– Chodź, kwiatuszku – powiedziała. – Widzisz te jabłka? Czy mogłabyś mi je podawać po jednym? – Obejrzała się na mnie przez ramię. – Damy sobie radę.

Pojechałam do stodoły, gdzie zastałam Gideona z Clyde'em, który dostarczał nam siano. Był naszym zaufanym dostawcą; inni rolnicy nierzadko próbowali nam wcisnąć spleśniałą paszę, no bo skoro dla słoni, to co za różnica? Clyde stał z założonymi rękami, Gideon opierał nogę o belę siana. Przyczepa została wyładowana tylko do połowy.

– Co się stało? – zapytałam.

– Clyde mówi, że nie przyjmie czeku, bo ostatni był bez pokrycia. A ponieważ nie mam gotówki, nie pozwolił mi wyładować reszty siana – oznajmił Gideon. – Może ty coś wymyślisz.

Czek był bez pokrycia, ponieważ nie mieliśmy pieniędzy. Nie mieliśmy pieniędzy, bo zapłaciłam za owoce i warzywa. Jeśli wypiszę kolejny czek, też będzie bez pokrycia. Resztę środków na koncie przeznaczyłam na opłacenie weterynarza.

Nie miałam pojęcia, za co w przyszłym tygodniu wyżywię córkę, a co dopiero zwierzęta.

– Clyde… – zaczęłam. – Przechodzimy trudny okres.

– Jak cały kraj.

– Przecież mamy umowę – brnęłam. – Współpracujesz z moim mężem od lat, prawda?

– Tak, i zawsze mi płacił. – Clyde zmarszczył brwi. – Nie dam wam siana za darmo.

– Wiem. A ja nie mogę dopuścić, żeby słonie umarły z głodu.

Czułam, że ziemia usuwa mi się spod nóg. Jeszcze chwila, a runę w przepaść. Musiałam zdobyć pieniądze, ale brakowało mi na to czasu. Moje badania leżały odłogiem, nie tknęłam ich od tygodni. Nie miałam chwili na jakiekolwiek działania, które mogłyby zaprocentować w przyszłości.

Procent.

Spojrzałam na Clyde'a.

– Jeśli dasz mi towar teraz i odroczysz płatność do przyszłego miesiąca, zapłacę ci dziesięć procent więcej.

– Czemu miałbym się zgodzić?

– Bo czy ci się to podoba, czy nie, Clyde, łączy nas długoletnia współpraca. Chyba zasługujemy na odrobinę zaufania.

Nie zasługiwaliśmy na nic. Ale miałam nadzieję, że Clyde nie zechce być gwoździem do naszej trumny.

– Dwadzieścia procent – oznajmił.

Przybiłam. A potem wskoczyłam na przyczepę i wzięłam się do rozładunku.

Godzinę później Clyde odjechał, a ja przysiadłam na skraju beli. Gideon wciąż pracował, układając bele jedną na drugiej, unosząc je wyżej, niż ja byłam w stanie.

– To co? – zapytałam. – Masz zamiar udawać, że mnie tu nie ma?

Stał do mnie tyłem.

– Nauczyłem się od mistrzyni.

– A co miałam robić? Może mi powiesz? Bo naprawdę chciałabym to usłyszeć.

Odwrócił się twarzą do mnie, z dłońmi lekko wspartymi na biodrach. Był spocony. Strzępy sieczki i siana kleiły mu się do ramion.

– Mam dosyć bycia twoim chłopcem na posyłki. Zwróć orchidee. Zdobądź siano za darmola. Przemień cholerną wodę w wino. I co jeszcze, Alice?

– Miałam nie zapłacić weterynarzowi, gdy Syrah była chora?

– Nie wiem – odburknął szorstko. – Nic mnie to nie obchodzi.

Wstałam, ale mnie wyminął.

– A właśnie, że obchodzi! – zawołałam. Pobiegłam za nim, ocierając rękami oczy. – Ja się o to nie prosiłam, wiesz? Nie chciałam prowadzić rezerwatu. Ani zawracać sobie głowy chorymi zwierzętami, wypłacaniem pensji i bankructwem!

Gideon przystanął w progu, na tle światła.

– No to czego właściwie chcesz, Alice?

Kiedy ostatnio zadano mi to pytanie?

– Chcę być badaczem – odpowiedziałam. – Chcę pokazać ludziom, że słonie to myślące, czujące stworzenia.

Podszedł bliżej. Aż nie widziałam już nic oprócz niego.

– I?

– Chcę, żeby Jenna była szczęśliwa...

Zrobił jeszcze jeden krok. Stał tak blisko, że jego oddech owiewał moją twarz. Dostałam gęsiej skórki.

– I?

Stałam już oko w oko z szarżującym słoniem. Ryzykowałam wiarygodność w imię podszeptu intuicji. Wywróciłam do góry nogami swoje życie i zaczęłam od nowa. Lecz to wyznanie prawdy kosztowało mnie więcej odwagi niż kiedykolwiek.

– Chcę być szczęśliwa i ja – wyszeptałam.

Opadliśmy na usłaną sianem posadzkę. Poczułam jego ręce we włosach i pod ubraniem. Jego oddech stał się moim oddechem, a nasze ciała krajobrazami, mapami wypalonymi we wnętrzach naszych dłoni, tam, gdzie się dotykaliśmy. Zrozumiałam dlaczego, gdy się we mnie poruszał; odtąd już zawsze mieliśmy odnajdywać do siebie drogę.

Potem, gdy siano zaczęło drapać mnie w plecy i spostrzegłam, że leżę w skotłowanym ubraniu, chciałam coś powiedzieć.

– Nie. – Gideon położył mi palec na ustach. – Nie mów. – Przewrócił się na plecy.

Położyłam dłoń w zagłębieniu jego łokcia. Słyszałam każde uderzenie jego serca.

– Kiedy byłem mały... – zaczął. – Wujek kupił mi figurkę z *Gwiezdnych wojen*. W pudełku, podpisaną przez George'a Lucasa. Miałem, nie wiem, sześć albo siedem lat. Wujek radził, żebym nie wyciągał jej z opakowania, bo z czasem może zyskać na wartości.

Żeby na niego spojrzeć, musiałam zadrzeć podbródek.

– I co, wyjąłeś?

– No ba!

Parsknęłam śmiechem.

– A już myślałam, że masz ją gdzieś zachomikowaną na półce. I opylisz, żeby zapłacić za zboże.

– Wybacz. Byłem mały. Lalka w pudełku to żadna frajda dla smarkacza. – Uśmiech Gideona przygasł. – Wyciągałem ją z pudełka tak, żeby nikt nic nie zauważył. Trzeba było się dobrze przyjrzeć. Bawiłem się tym Lukiem Skywalkerem dzień w dzień. Jezu, brałem go do szkoły! I do wanny. Spałem z nim. Uwielbiałem tę zabawkę. Fakt, pewnie stracił na wartości, ale był moim najcenniejszym skarbem.

Wiedziałam, o co mu chodzi. Nietknięty egzemplarz rzeczywiście mógłby być coś wart, ale tamte kradzione chwile były bezcenne.

Gideon uśmiechnął się pod nosem.

– Cieszę się, że zdjąłem cię z półki, Alice.

Trzepnęłam go po ramieniu.

– Mówisz, jakbym nie miała nic do powiedzenia!

– Uderz w stół...

Przygniotłam go swoim ciężarem.

– Przestań gadać.

Pocałował mnie.

– Już myślałem, że nigdy o to nie poprosisz – odparł i objął mnie znowu.

Kiedy wyszliśmy ze stodoły, na niebie mrugały gwiazdy. Wciąż miałam słomę we włosach i zapiaszczone nogi. Gideon wyglądał niewiele lepiej. Wsiadł na quada, ja za nim, z policzkiem przyciśniętym do jego pleców. Czułam na jego skórze swój zapach.

– Co powiemy? – zapytałam.

Obejrzał się przez ramię.

– Nic – odparł i włączył silnik.

Najpierw zatrzymał się przy swoim domu i zsiadł. Światła się nie paliły, Grace wciąż była z Jenną. Nie odważył się dotknąć mnie tam, na widoku, ale utkwił we mnie wzrok.

– Jutro? – zapytał.

Mogło to znaczyć cokolwiek. Mogliśmy się umawiać na przeniesienie słoni, sprzątanie boksów, wymianę świec w ciężarówce. Ale tak naprawdę chciał wiedzieć, czy będę go unikać, tak jak ostatnio. Czy to się powtórzy.

– Jutro – powtórzyłam.

Po chwili dotarłam do siebie. Zaparkowałam quada i zeszłam, próbując doprowadzić się do porządku. Grace wiedziała, że byłam w szopie, ale nie wyglądałam na kogoś, kto tylko rozładowywał siano. Wyglądałam, jakbym stoczyła walkę. Przejechałam ręką po ustach, ścierając z nich pocałunek Gideona. Pozostawiłam wyłącznie wymówki.

Kiedy otworzyłam drzwi, Grace była w dużym pokoju. Podobnie jak Jenna. A z Jenną w ramionach i uśmiechem, który rozjaśniłby galaktykę, stał Thomas. Na mój widok podał małą Grace i sięgnął po zawiniątko na stoliku. Wręczył mi roślinę rozłożystymi korzeniami ku górze. Jak przed dwoma laty na lotnisku w Bostonie.

– Niespodzianka – oznajmił.

Jenna

Rezerwat dla słoni w Tennessee ma swój sklepik w śródmieściu, z wielkimi zdjęciami na ścianach, przedstawiającymi ich wszystkie zwierzęta i krótkim opisem każdego. Dziwnie jest oglądać na nich słonie z rezerwatu w Nowej Anglii.

Najdłużej stoję przed fotografią Maury, ulubionej słonicy matki. Tak się w nią wpatruję, że rozmazuje mi się przed oczami.

Jest tu i cały stół książek, które można kupić, bombki choinkowe i zakładki. Kosz z pluszowymi słonikami. Leci filmik, na którym kilka słoni indyjskich gra jak swingujący zespół nowoorleański. Na drugim dwa słonie pławią się w strumieniu wody z węża strażackiego, jak dzieci, gdy latem włącza się hydranty. Na trzecim ekranie, mniejszym, ktoś objaśnia zasady bezpiecznego kontaktu. Zamiast ankusa* czy negatywnego wzmacniania, które niegdyś stanowiły słoniową codzienność, opiekunowie stosują w tresurze wzmacnianie pozytywne. Między człowiekiem a słoniem zawsze istnieje bariera, nie tylko bezpieczeństwa.

* Rodzaj ościenia, którego kornak używa do wymuszania na słoniu posłuszeństwa (przyp. tłum.).

Chodzi również o spokój zwierzęcia, które może odejść w każdej chwili, jeśli nie ma ochoty współpracować. Ta metoda stosowana jest od 2010 roku i bardzo pomaga, jak wynika z filmu, w przypadku słoni, które straciły zaufanie do człowieka w wyniku wolnego kontaktu.

Wolny kontakt. Następuje wówczas, gdy człowiek wchodzi do zagrody, jak robiła to matka i nasi opiekunowie. Ciekawe, czy do zmiany przyczyniły się śmierć w naszym rezerwacie i burza, jaką wywołała?

W sklepiku oprócz mnie są tylko dwie osoby. Obie z saszetkami na biodrach i w turystycznych sandałach.

– Właściwie nie oprowadzamy – tłumaczy pracownik. – W myśl naszej filozofii słonie mają żyć własnym życiem, a nie na widoku.

Turyści kiwają głowami, bo nie wypada inaczej, ale widzę, że są rozczarowani.

Ja szukam mapy. Centrum Hohenwaldu to dwie ulice na krzyż; wokół ani widu ponad tysiąca hektarów rezerwatu. Ani śladu słoni, chyba że wszystkie poszły do sąsiedniego supermarketu.

Wymykam się przed turystami, po czym idę na tyły budynku, na mały parking dla pracowników. Stoją tam trzy samochody i dwie furgonetki. Na żadnym z pojazdów nie ma jakichkolwiek symboli; mogą należeć do kogokolwiek. Mimo to zaglądam do środka przez szyby, chcąc dowiedzieć się czegoś o właścicielach.

Jeden należy do jakiejś mamy – na podłodze walają się kubki z dzióbkiem i cheeriosy.

Właścicielami dwóch są faceci. Puchate kości do gry na wstecznym lusterku, katalogi myśliwskie.

Ale przy pierwszej furgonetce bingo! Obok fotela kierowcy widzę plik papierów z logo rezerwatu dla słoni. Na platformie leży rozrzucone siano, i całe szczęście, bo na rozgrzanej blasze chybabym się usmażyła. Kładę się plackiem. Ostatnio to mój ulubiony sposób transportu.

Niecałą godzinę później podjeżdżam do wysokiej, otwieranej elektronicznie bramy. Kierowca – kobieta – wstukuje kod i brama się otwiera. Jedziemy jeszcze jakieś trzydzieści metrów i przystajemy pod drugą bramą. Sytuacja się powtarza.

Po drodze próbuję rozeznać się w topografii. Zewnętrzne ogrodzenie to tradycyjny metalowy płot, ale od wewnątrz teren jest opasany zagrodą ze stalowych rurek i drutu. Nie pamiętam, jak wyglądał nasz rezerwat, lecz w tym tutaj panuje nienaganny porządek. Teren ciągnie się, jak okiem sięgnąć – lasy i wzgórza, stawy i pastwiska, usiane kilkoma wielkimi szopami. Od zieleni aż bolą oczy.

Gdy furgonetka przystaje przed jedną z szop, przywieram do platformy w nadziei, że nikt nie zauważy pasażera na gapę. Słyszę trzaśnięcie drzwiami i kroki, a następnie wesołe trąbienie, kiedy opiekunka wchodzi do środka.

Wyskakuję z furgonetki jak błyskawica. Przywieram do ściany i sunę wzdłuż ogrodzenia, aż przed oczami staje mi pierwszy słoń.

Afrykański. Nie jestem znawcą, jak mama, lecz na tyle się znam. Stąd nie widzę, czy to samica czy samiec, ale słoń jest ogromny. Zwłaszcza z tej odległości, gdy dzieli nas tylko kawałek stali.

À propos stali – słoń ma na ciosach metal. Jakby ich końce unurzano w złocie.

Nagle potrząsa głową i macha uszami, wzbijając chmurę czerwonego pyłu. Tego się nie spodziewałam; zaskoczona lecę do tyłu. Kaszlę.

– Kto cię tu wpuścił? – pyta z pretensją czyjś głos.

Odwracam się i widzę nad sobą wysokiego mężczyznę. Włosy ma ogolone prawie przy skórze w mahoniowym odcieniu, a zęby, dla kontrastu, niemal fosforyzujące bielą. Już myślę, że złapie mnie za kołnierz i wywlecze za bramę albo zawoła ochronę, ale on tylko gapi się na mnie jak sroka w gnat.

– Wyglądasz zupełnie jak ona... – szepcze.

Nie wierzyłam, że znalezienie Gideona będzie takie łatwe, ale może po takiej podróży zasłużyłam na jakiś kosmiczny przełom?

– Mam na imię Jenna.

– Wiem. – Gideon się rozgląda. – Gdzie ona jest? Gdzie Alice?

Nadzieja to balon zawsze tuż przed spuszczeniem powietrza.

– Miałam nadzieję, że będzie tutaj.

– Chcesz powiedzieć, że z tobą nie przyjechała?

Zawód na jego twarzy. Jakbym patrzyła w lustro.

– Czyli nie wiesz, gdzie jest? – pytam.

Miękną mi kolana. Przejechałam taki kawał na darmo.

– Po przyjeździe policji próbowałem ją kryć. Nie wiedziałem, co się tam stało, ale Nevvie nie żyła, a Alice znikła. Więc powiedziałem gliniarzom, że cię zabrała i uciekła – mówi Gideon. – Planowała tak od początku.

Omal nie podskakuję ze szczęścia. Chciała mnie zabrać, chciała mnie zabrać, chciała mnie zabrać! Tylko coś nie wypaliło, a plan wziął w łeb. A Gideon, który miał być kluczem do rozwiązania zagadki, wiedział tyle co ja.

– To pan nie był częścią tego planu?

Patrzy na mnie. Próbuje wysondować, co wiem o jego związku z moją matką.

– Tak mi się wydawało, ale ona zerwała ze mną kontakt. Znikła. Najwidoczniej byłem zaledwie środkiem na drodze do celu – mówi Gideon. – Kochała mnie. Ale ciebie o wiele bardziej.

Zapominam, gdzie jestem, dopóki słoń przed nami nie podnosi trąby i nie trąbi. Słońce grzeje niemiłosiernie. Kręci mi się w głowie, jakbym od wielu dni dryfowała na oceanie i właśnie wypuściła ostatnią racę, a łódź ratunkowa okazała się złudzeniem. Słoń ze złoconymi kłami nasuwa wspomnienie konika z karuzeli, której bałam się w dzieciństwie. Nawet nie wiem, gdzie i kiedy rodzice brali mnie do wesołego miasteczka, ale te straszliwe rumaki o rozwianych grzywach i obnażonych zębach doprowadzały mnie do płaczu.

Teraz też mam ochotę popłakać.

Gideon nie odrywa ode mnie wzroku, jakby chciał zajrzeć mi pod skórę albo przewiercić oczami mózg.

– Musisz kogoś poznać – mówi i rusza wzdłuż płotu.

Może to próba? Może chce zobaczyć, czy się naprawdę załamię, zanim zabierze mnie do matki? Nie dopuszczam do siebie nadziei, ale przyśpieszam kroku. Co jeśli, co jeśli, co jeśli...?

Pokonujemy chyba dwadzieścia kilometrów w tym skwarze. Kiedy wreszcie wchodzimy na wzgórze i widzimy na szczycie drugiego słonia, moją koszulkę można wyżymać. Od razu widzę, że to Maura. Gdy delikatnie kładzie trąbę na ogrodzeniu, stulając ją i rozchylając jak pąk, wiem, że pamięta mnie tak, jak ja ją. W wymiarze podskórnym.

Matki tu nie ma.

Słoń spogląda ciemnymi oczami spod ciężkich powiek. Słońce podświetla wachlarze uszu; widzę pod skórą mapę żył, czuję bijący od słonicy żar. Maura wygląda jak pradawny stwór. Akordeonowe fałdy rozwijają się ku górze, trąba sięga ponad ogrodzeniem w moją stronę. Dostaję podmuch w twarz. Czuję zapach lata i słomy.

– Dlatego zostałem – mówi Gideon. – Sądziłem, że któregoś dnia Alice wróci do Maury. – Trąba oplata się wokół jego ramienia. – Po przyjeździe nie miała lekko. Nie chciała wychodzić z szopy. Stała w boksie, wciśnięta w kąt.

Myślę o długich wpisach w dzienniku matki.

– Sądzi pan, że czuła się winna za tamto?

– Możliwe – odpowiada Gideon. – Może bała się kary? A może też tęskniła za twoją mamą…

Pomruk słonicy brzmi jak odgłos zapuszczanego silnika. Powietrze wokół wibruje.

Maura podnosi świerkowy pieniek. Szoruje kłem wzdłuż krawędzi, a następnie o twarde ogrodzenie. Ponownie zdrapuje korę, po czym upuszcza pieniek i toczy go stopą.

– Co ona robi?

– Bawi się. Ścinamy dla niej drzewka, żeby mogła zedrzeć korę.

Po około dziesięciu minutach Maura unosi pień jak wykałaczkę. Na wysokość płotu.

– Jenno! – woła Gideon. – Przesuń się!

Przewraca mnie. Lądujemy kawałek od miejsca, gdzie spada pieniek – dokładnie tam, gdzie stałam.

Czuję na barkach ciepły dotyk rąk Gideona.

– W porządku? – Uśmiecha się i pomaga mi wstać. – Ostatni raz brałem cię na ręce, gdy miałaś sześćdziesiąt centymetrów wzrostu.

Odsuwam się od niego i przykucam nad „prezentem" od Maury. Pieniek ma prawie metr długości i ze dwadzieścia pięć centymetrów w obwodzie. To nie byle co. Kły słonicy wyżłobiły na nim wzory, krzyżujące się linie i rowki, bez ładu i składu.

Dopóki człowiek nie przypatrzy się dokładnie.

Wodzę po nich palcami.

Przy odrobinie wyobraźni widać U i S. A te kreski oplatają drewno zupełnie jak W. Po drugiej stronie półokrąg uwiązł między dwiema pionowymi kreskami: I–D–I.

„Kochanie", w języku xhosa.

Może i Gideon uważa, że mama nigdy nie wróci, ale ja zaczynam czuć jej obecność.

Burczy mi w brzuchu. Wypisz, wymaluj jak pomruk Maury.

– Jesteś głodna – stwierdza Gideon.

– Dam radę.

– Nakarmię cię – nalega. – Wiem, że tego oczekiwałaby Alice.

– Jak pan uważa – mówię.

Wracamy do szopy, pod którą zajechałam. Gideon jeździ dużą, czarną furgonetką; musi zdjąć z siedzenia skrzynkę z narzędziami, żebym mogła usiąść.

Po drodze czuję na sobie jego ukradkowe spojrzenia. Jakby chciał wyryć sobie w pamięci moją twarz czy coś w tym rodzaju. Dopiero spostrzegam, że ma na sobie czerwoną koszulkę i bojówki z rezerwatu z Nowej Anglii. Tu, w Hohenwaldzie, wszyscy chodzą ubrani w khaki.

Coś mi się nie zgadza.

– Od kiedy pan tu pracuje? – pytam.

– Ach – mówi. – Od lat.

Jakim cudem wpadłam na niego na takiej połaci?

Może się o to postarał?

A jeśli to nie ja znalazłam Gideona Cartwrighta, tylko on mnie?

Myślę jak Virgil, co nie jest wcale takie złe, bo instynkt samozachowawczy najwyraźniej działa. Jasne, chciałam odszukać Gideona, ale tracę pewność, czy to był dobry pomysł. Czuję przypływ strachu, jakby ktoś mnie ukłuł szpilką w bok. I po raz pierwszy nachodzi mnie refleksja, że być może ten facet ma coś wspólnego ze zniknięciem mamy.

– Pamiętasz tamtą noc? – pyta.

Jakby czytał mi w głowie.

Wyobrażam sobie, jak wiezie mamę ze szpitala. Jak przystaje na poboczu i zaciska jej ręce na szyi. Wyobrażam sobie, że robi to samo ze mną.

Zmuszam się, by opanować drżenie głosu. Zastanawiam się, co zrobiłby Virgil, gdyby chciał pociągnąć podejrzanego za język.

– Nie. Byłam mała. Pewnie spałam. – Patrzę na Gideona. – A pan?

– Niestety, tak. Choć wolałbym zapomnieć.

Dojeżdżamy do miasteczka. Osiedla ustępują miejsca sklepom i stacjom benzynowym.

– Dlaczego? – wypalam. – Bo to pan ją zabił?

Gideon skręca ostro i hamuje. Ma minę, jakbym dała mu w twarz.

– Jenno, kochałem twoją matkę – przysięga. – Próbowałem ją chronić. Chciałem się z nią ożenić, zaopiekować tobą. I dzieckiem.

Znienacka w samochodzie brakuje tlenu. Jakby ktoś założył mi worek na głowę.

Może się przesłyszałam. Może powiedział: „tobą, dzieckiem"? Ale nie.

Gideon powoli zatrzymuje auto i wbija wzrok w kolana.

– Nie wiedziałaś... – mamrocze.

Jednym ruchem rozpinam pas i otwieram drzwi. Rzucam się do ucieczki.

Słyszę za sobą trzask zamykanych drzwiczek. Gideon biegnie za mną.

Wpadam do pierwszego napotkanego budynku, baru mlecznego, mijam kelnerkę i biegnę na tyły, gdzie zwykle znajdują się łazienki. Zamykam się od środka, włażę na umywalkę i otwieram okienko. Słyszę głosy zza drzwi; Gideon błaga, żeby ktoś wszedł i mnie do niego przyprowadził.

Przeciskam się przez okno, spadam na pokrywę kontenera do śmieci i ruszam pędem przed siebie.

Biegnę przez las, zatrzymuję się dopiero na obrzeżach miasta. I po raz pierwszy od półtorej doby włączam komórkę.

Mam zasięg, trzy kreski. Czterdzieści trzy wiadomości od babci. Ale nie zwracam na nie uwagi. Wybieram numer Serenity.

Podnosi po trzecim sygnale, za co jestem tak wdzięczna, że wybucham płaczem.

– Proszę… – mówię. – Potrzebuję pomocy.

Alice

Siedziałam na poddaszu szopy afrykańskiej i zastanawiałam się – nie pierwszy raz – czy nie zwariowałam.

Od powrotu Thomasa minęło pięć miesięcy. Gideon znów zamalował ściany. Na podłodze walały się szmaty, a wokół stały puszki po farbie. Poza tym było pusto. Żadnych śladów odstępstwa od rzeczywistości, które pochłonęło mojego męża bez reszty. Czasem sobie wmawiałam, że wszystko było tylko złudzeniem.

Dzisiaj lało. Jenna nie mogła doczekać się pójścia do przedszkola w nowych kaloszach w biedronkowy wzorek, prezencie na drugie urodziny od Grace i Gideona. Z uwagi na pogodę słonice postanowiły zostać w boksach. Nevvie i Grace adresowały koperty w ramach akcji poszukiwania sponsorów. Thomas wracał z Nowego Jorku, gdzie był na spotkaniu z przedstawicielami Tusk*.

Nigdy mi nie zdradził, dokąd pojechał na leczenie, tyle tylko że do innego stanu i że pierwszy ośrodek, do którego chciał się zgłosić, okazał się nieczynny. Nie wiedziałam, czy mu wierzyć, lecz zachowywał się całkiem normalnie,

* Tusk Trust – założona w 1990 roku organizacja na rzecz ochrony afrykańskiej przyrody, w tym słoni (przyp. tłum.).

więc zachowałam wątpliwości dla siebie. Nie prosiłam go o przedstawienie rachunków ani nie kwestionowałam jego słów. W końcu ostatnim razem omal mnie nie udusił.

Wrócił z terapii uzbrojony w nowe lekarstwo oraz czeki od trzech prywatnych inwestorów (zastanawiałam się, czy oni również przebywali na leczeniu, ale nie wnikałam w temat, dopóki czeki miały pokrycie). I przejął rządy nad rezerwatem, jakby nigdzie nie wyjeżdżał. Tutaj poszło gładko, czego nie można było powiedzieć o naszym małżeństwie. Od miesięcy nie miał wprawdzie żadnych ataków ani depresji, ale mu nie ufałam, z czego zdawał sobie sprawę. Byliśmy nachodzącymi na siebie okręgami z diagramu Venna, z Jenną w punkcie przecięcia. Thomas godzinami przesiadywał w biurze, a ja zachodziłam w głowę, czy ukrywa przede mną te same bzdury, co przedtem. W pytaniach o samopoczucie węszył podstęp; zaczął się zamykać na klucz. To było błędne koło.

Marzyłam, żeby odejść. Zabrać Jennę i uciec. Odebrać ją z przedszkola i pojechać przed siebie. Czasem zdobywałam się na odwagę, żeby wypowiedzieć to na głos do Gideona, w trakcie kradzionych chwil.

Nie, nie zrobiłam tego, przypuszczałam bowiem, że Thomas wie o naszym romansie. I nie miałam pojęcia, które z nas sąd uzna w takim przypadku za bardziej właściwe do sprawowania opieki nad dzieckiem – niezrównoważonego psychicznie ojca czy matkę, która go zdradziła.

Od miesięcy nie sypiałam z Thomasem. O wpół do ósmej, kiedy Jenna szła spać, nalewałam sobie kieliszek wina i czytałam na wersalce, dopóki nie zasnęłam. Ograniczaliśmy się do uprzejmej rozmowy przy córce i dzikich awantur podczas jej snu. Nadal zabierałam Jennę do zagrody; zapamiętała wcześniejszą nauczkę. A poza tym – jak wychować dziecko wśród słoni, jeżeli nie jest z nimi oswojone? Thomas wciąż uważał, że szukam guza, ale dla mnie lepsze było wszystko, byleby nie zostawiać z nim małej. Któregoś wieczoru, po tym jak znów zabrałam Jennę z sobą, ścisnął mnie tak mocno, że narobił mi siniaków na ramionach.

– Jaki sędzia uznałby cię za dobrą matkę? – wysyczał.

A ja nagle zrozumiałam, że nie chodzi mu wyłącznie o obecność Jenny w zagrodzie. I że nie tylko ja myślę o uzyskaniu nad nią opieki.

Przedszkole było pomysłem Grace. Jenna miała już prawie dwa i pół roku, nie mogła obcować tylko z dorosłymi i słoniami. Uchwyciłam się tego pomysłu, gdyż dawał mi trzy godziny w ciągu dnia, podczas których nie musiałam się martwić, że Jenna została z ojcem.

Gdybyście mnie zapytali, kim wówczas byłam, nie znalazłabym odpowiedzi. Matką, która podrzucała Jennę do miasta ze śniadaniówką pełną marchewek i cząstek jabłka? Badaczką, która rozsyłała pracę o smutku Maury do wydawnictw branżowych, modląc się nad każdym transferowanym plikiem? Żoną w małej czarnej, która stała obok Thomasa na bostońskim zjeździe i energicznie biła brawo, ilekroć przemawiał do mikrofonu? Kobietą, która rozkwitała w ramionach kochanka, jak gdyby był jedyną jej ostoją na tym świecie?

Przez trzy czwarte swojego życia czułam się jak na scenie, z której czasem mogłam zejść i przestać udawać. Ale kiedy schodziłam, chciałam być tylko z Gideonem.

Oszukiwałam samą siebie. Raniłam ludzi, którzy nie mieli o tym pojęcia. I brakowało mi sił, żeby się powstrzymać.

Ale rezerwat to bardzo ruchliwe miejsce; prywatności tam jak na lekarstwo. Zwłaszcza gdy ma się romans pod bokiem żony kochanka i własnego męża. Cóż, dochodziło do pośpiesznych zbliżeń pod gołym niebem i jednego za drzwiami szopy afrykańskiej, tak nagłego, że graliśmy w rosyjską ruletkę, przedkładając bliskość nad zabezpieczenie. Być może to właśnie desperacja, a nie ironia sytuacji, pchnęła mnie do znalezienia bezpiecznego zacisza dla naszych żądz – gdzie Thomas już się nie zapuszczał, a Nevvie i Grace nie zaglądały nigdy.

Drzwi się otworzyły, a ja, jak zawsze, wstrzymałam oddech. Na wszelki wypadek.

Gideon w deszczu złożył parasol. Oparł go o metalową balustradę spiralnych schodów i wszedł na poddasze.

W międzyczasie rozłożyłam na podłodze koc.

– Istne oberwanie chmury! – parsknął.

Wstałam i zaczęłam rozpinać mu koszulę.

– W takim razie lepiej zdjąć z ciebie tę przemoczoną odzież – oznajmiłam.

– Ile? – zapytał.

– Dwadzieścia minut – odpowiedziałam.

Na tyle mogłam zniknąć bez wzbudzania podejrzeń. A Gideon nie narzekał i na szczęście nie próbował mnie zatrzymywać. Mieliśmy ograniczone pole manewru. Lepsza była namiastka wolności niż nic.

Przywarłam do niego i oparłam mu głowę na piersi. Przymknęłam oczy, kiedy mnie pocałował i uniósł, bym oplotła mu nogami biodra. Przez folię w oknach, w które nigdy nie wstawiono szyb, widziałam obmywające świat strugi deszczu.

Nie wiem, jak długo Grace stała w progu, na szczycie schodów, patrząc na nas. Trzymała w ręce opuszczoną parasolkę, która nie na wiele jej się zdała.

Zadzwoniono z przedszkola. Jenna ma gorączkę, wymiotuje. Czy ktoś może ją odebrać?

Grace pojechałaby sama, uznała jednak, że powinnam wiedzieć. Nie znalazła mnie w szopie, gdzie się rzekomo udałam. I wtedy zobaczyła czerwony parasol Gideona. Przyszło jej do głowy, że być może on wie, gdzie jestem.

Szlochałam. Przepraszałam. Błagałam, by wybaczyła Gideonowi i zataiła to przed Thomasem.

Oddałam Gideona.

I ponownie uciekłam w badania, gdyż nie mogłam pracować z żadnym z nich. Nevvie ze mną nie rozmawiała, Grace nie mogła, bo wybuchała płaczem. A Gideon wiedział swoje. Wstrzymywałam oddech, pewna, że lada dzień cała trójka złoży wypowiedzenia, aż w końcu zrozumiałam, że tego nie zrobią. Gdzie zatrudniliby się wszyscy do opieki nad słoniami? Rezerwat był ich domem, może nawet bardziej niż moim.

Zaczęłam planować ucieczkę. Czytałam o rodzicach, którzy porywali własne dzieci, farbowali im włosy i przemycali za granicę pod fałszywym nazwiskiem. Jenna jest mała, zapomni o dotychczasowym życiu. A ja? No cóż… Ja znajdę sobie inne zajęcie.

Przestanę publikować. Nie mogłabym i tak, bo Thomas by mnie wytropił i zabrał Jennę. Lecz skoro anonimowość gwarantuje bezpieczeństwo, to chyba warto?

Spakowałam nasze rzeczy i odkładałam po kilka dolarów to z tego, to z owego, aż uzbierało się kilka setek w pokrowcu od komputera. Liczyłam, że na początek wystarczy.

Rankiem w dniu planowanej ucieczki wielokrotnie powtórzyłam w myślach zaplanowany scenariusz.

Ubiorę Jennę w jej ulubione ogrodniczki i różowe trampki. Dostanie gofra, bo za nimi przepada, pokrojonego w paski, które będzie mogła moczyć w syropie klonowym. Jak zwykle pozwolę jej wziąć do samochodu ulubionego pluszaka.

Ale nie pojedziemy do przedszkola. Miniemy budynek, wjedziemy na autostradę i znikniemy, zanim ktokolwiek się spostrzeże.

Obracałam w myślach mój plan, lecz było to, zanim Gideon wpadł do domu z listem w dłoni oraz pytaniem, czy widziałam Grace. Wzrokiem błagał o potwierdzenie.

Napisała list odręcznie. Że będzie za późno, kiedy Gideon go znajdzie. Potem dowiedziałam się, że zobaczył go w łazience po przebudzeniu. Kartka leżała przysypana kamykami, być może takimi samymi jak te, które Grace poupychała po kieszeniach, zanim położyła się na dnie rzeki Connecticut.

Niecałe pięć kilometrów od miejsca, gdzie jej mąż spał snem sprawiedliwego.

Serenity

Poltergeist to jedno z tych niemieckich słów – podobnie jak *zeitgeist* i *schadenfreude* – o których każdy myśli, że je zna, lecz tylko niewielu wie, co znaczą naprawdę. W dosłownym tłumaczeniu to „hałaśliwy duch", i tak jest w rzeczywistości. To istny awanturnik świata nadprzyrodzonego. Przyczepia się do nastolatek, które interesują się magią bądź miewają dzikie huśtawki nastrojów; jedno i drugie przyciąga złą energię. To nierzadko duch skrzywdzonej kobiety lub zdradzonego mężczyzny, kogoś, kto nie zdążył odegrać się za życia. Niegdyś mówiłam klientom, że poltergeist jest zwyczajnie wkurzony. Owa frustracja przejawia się w gryzieniu albo szczypaniu domowników, waleniu o szafki bądź trzaskaniu drzwiami. Fruwają naczynia, na przemian zamykają się i otwierają okiennice. W niektórych przypadkach towarzyszą temu żywioły, na przykład wiatr, który zrywa obrazy ze ścian, albo pełgający po wykładzinie ogień.

Albo powódź.

Virgil, próbując to przetrawić, ociera oczy brzegiem koszuli.

– Zatem uważasz, że zostaliśmy wykurzeni przez zjawę...

– Przez poltergeista – zaznaczam. – Ale na jedno wychodzi.

– I myślisz, że to Grace?

– To miałoby sens. Utopiła się, bo mąż ją zdradzał. Jeśli już ktoś wrócił i straszy pod postacią potopu, to na pewno ona.

Virgil kiwa głową.

– Nevvie zachowywała się tak, jakby jej córka wciąż żyła.

– Zasadniczo – mówię – powiedziała, że Grace niedługo wróci. Nie uściśliła, pod jaką postacią.

– Nawet jeśli to nie mój skołowany mózg robi mi kawały po nieprzespanej nocy, i tak trudno mi w to uwierzyć – przyznaje Virgil. – Przywykłem do namacalnych dowodów.

Wyciągam rękę i wyżymam jego koszulę.

– Aha – mruczę z przekąsem. – A jak byś nazwał *to*?

– Czyli co? Gideon finguje śmierć Nevvie, która wraca do Tennessee, do domu zamieszkanego niegdyś przez jej córkę. – Potrząsa głową. – Po co?

Nie umiem odpowiedzieć na to pytanie. Ale nie muszę, bo właśnie dzwoni mój telefon.

Wygrzebuję go z torebki. Znam ten numer.

– Proszę... – mówi Jenna. – Potrzebuję pomocy.

– Wolniej! – prosi Virgil po raz piąty z rzędu.

Jenna przełyka ślinę. Oczy ma czerwone od płaczu i leci jej z nosa. Szukam chusteczek, ale znajduję tylko ściereczkę do okularów przeciwsłonecznych. Podaję ją małej.

Z grubsza określiła swoją lokalizację, jak przystało na nastolatkę. „Miniecie Walmarta i to będzie gdzieś na lewo. I lodziarnię, zakręt na pewno jest za lodziarnią". Cud, że w ogóle ją znaleźliśmy. Siedziała na drzewie, pomiędzy ogrodzeniem stacji benzynowej a śmietnikiem.

– Jenna, do jasnej cholery, gdzie jesteś? – wrzasnął wreszcie Virgil.

Dopiero na dźwięk jego głosu zza liści i gałęzi wyłoniła się jej twarz, mały księżyc na zielonym polu gwiazd. Zaczęła złazić na dół, ale straciła równowagę i spadła prosto w ramiona Virgila.

– Trzymam cię – oznajmił. I jak dotąd nie puścił.

– Znalazłam Gideona... – relacjonuje Jenna łamiącym się głosem.

– Gdzie?

– W rezerwacie.

Znowu zaczyna płakać.

– Najpierw pomyślałam, że może zrobił krzywdę mamie – dodaje.

Widzę, jak palce Virgila zaciskają się na jej ramieniu.

– Tknął cię? – pyta.

Jestem przekonana, że w razie odpowiedzi twierdzącej udusiłby Gideona gołymi rękami.

Mała potrząsa głową.

– To było tylko... przeczucie.

– To dobrze, że słuchasz intuicji, kotku – rzucam.

– Ale twierdził, że nie widział mamy po tym, jak zabrano ją do szpitala.

Virgil zaciska zęby.

– A może łże jak pies?

Oczy Jenny ponownie napełniają się łzami. A ja myślę o Nevvie i jej płaczącym pokoju.

– Wspomniał, że mama spodziewała się dziecka. Jego dziecka.

– Wiem, że trochę wyszłam z wprawy… – mruczę. – Ale tego nie oczekiwałam.

Virgil wypuszcza ramię Jenny i zaczyna chodzić. Tam i z powrotem.

– To mógł być motyw. – Zaczyna coś mamrotać pod nosem, układając sobie w głowie jakąś kolejność. Patrzę, jak liczy na palcach, jak coś mu nie pasuje, zaczyna od nowa. Jak zrezygnowany zwraca się do Jenny. – Musisz o czymś wiedzieć – mówi. – Gdy ty byłaś z Gideonem w rezerwacie, Serenity i ja złożyliśmy wizytę Nevvie Ruehl.

Jenna podrywa głowę.

– Nevvie Ruehl nie żyje!

– A jednak – zapewnia ją Virgil. – Komuś zależało, żebyśmy tak myśleli.

– Mojemu ojcu?

– To nie on znalazł stratowane ciało, tylko Gideon. I Gideon siedział przy niej, kiedy przyjechała policja.

Jenna wyciera oczy.

– Ale k t o ś wtedy zginął.

Patrzę w ziemię i czekam, aż skojarzy fakty.

Robi to, choć inaczej, niż się spodziewam.

– Gideon tego nie zrobił – oświadcza. – Początkowo też tak sądziłam. Ale ona była w ciąży.

Virgil podchodzi bliżej.

– No właśnie – mówi. – I dlatego to nie Gideon ją zabił.

Przed odjazdem Virgil musi odwiedzić toaletę na stacji. Zostaję sama z Jenną. Mała wciąż ma czerwone oczy.

– Jeśli moja mama... nie żyje – zawiesza głos. – Czy ona na mnie zaczeka?

Ludzie lubią myśleć, że po śmierci dołączą do bliskiej osoby. Ale wieczność ma wiele warstw. Takie spotkanie jest jak szansa, że na kogoś wpadniesz, bo mieszkacie na tej samej planecie.

Ale Jenna dość nasłuchała się dzisiaj złych wiadomości.

– Kotku, możliwe, że jest przy tobie nawet teraz.

– Nie rozumiem...

– Świat nadprzyrodzony jest odzwierciedleniem rzeczywistego. Tego, który znamy. Możesz wejść do babcinej kuchni, a mama parzy tam kawę. Możesz ścielić łóżko, a ona wejdzie przez otwarte drzwi. Od czasu do czasu granice się zacierają, bo zamieszkujecie tę samą przestrzeń. Jesteście jak ocet i oliwa w tym samym pojemniku.

– Czyli nie odzyskam jej nigdy... – mówi załamana Jenna.

Mogłabym ją okłamać. Mogłabym powiedzieć to, co chcą usłyszeć wszyscy. Ale tego nie robię.

– Nie – oświadczam. – Nie odzyskasz.

– A co będzie z moim tatą?

Nie mam co do tego pewności. Nie wiem, czy Virgil spróbuje dowieść, że Thomas zabił żonę. I czy – jeśli ten człowiek jest niepoczytalny – w ogóle dojdzie do procesu.

Jenna przysiada na piknikowym stole i podciąga kolana pod brodę.

– Miałam kiedyś koleżankę, Chatham, po uszy zakochaną w Paryżu. Chciała studiować na Sorbonie, spacerować po Polach Elizejskich, przesiadywać w kawiarniach, patrzeć na chude elegantki i tak dalej. Kiedy miała dwanaście lat, jej ciocia pojechała tam w delegację i wzięła ją z sobą. Po jej powrocie zapytałam, czy faktycznie Paryż jest tak boski, jak mówią. I wiesz, co odpowiedziała? „Miasto jak miasto". – Jenna wzrusza ramionami. – Nie sądziłam, że kiedyś poczuję to samo…

– W Tennessee?

– Nie. Chyba na końcu. – Patrzy na mnie, łzy wzbierają jej w oczach. – Świadomość, że chciała mnie zabrać, niczego mi nie ułatwia, wiesz? Nic się nie zmieniło. Tu jej nie ma. A ja jestem. I wciąż mam pustkę w sercu.

Otaczam ją ramieniem.

– Koniec podróży to nie byle co – zapewniam. – Ale nigdzie nie jest powiedziane, że stamtąd trzeba zawrócić.

Wyciera oczy.

– Jeśli się okaże, że Virgil ma rację… Chcę zobaczyć tatę, zanim pójdzie do więzienia.

– Nie wiemy, czy…

– To nie była jego wina. Nie wiedział, co robi.

Mała mówi to z przekonaniem świadczącym, że niekoniecznie wierzy we własne słowa. Ale usilnie tego pragnie.

Przysuwam ją bliżej siebie. Niech się wypłacze.

– Serenity – mówi głosem stłumionym przez moją bluzkę. – Czy pozwolisz mi z nią porozmawiać, jeżeli będę musiała?

Ludzie nie umierają bez powodu. W czasach kiedy miałam łączność z tamtym światem, zgadzałam się na góra dwie rozmowy dla jednego klienta. Pragnęłam pomagać zrozpaczonym ludziom, a nie robić za radiostację.

Kiedy byłam w tym dobra, kiedy miałam Desmonda i Lucindę do obrony przed duchami, które robiły sobie ze mnie głośnik, potrafiłam otoczyć się murem. Dzięki temu nie budził mnie w nocy chór duchów żądnych przekazania wieści żyjącym. I mogłam korzystać z daru na moich warunkach i niczyich innych.

Dziś jednak chętnie zamieniłabym tamtą prywatność na możliwość kontaktu. I nigdy nie oszukałabym Jenny. Bo ona na to nie zasługuje, zatem nie mogę spełnić jej prośby.

Patrzę jej prosto w oczy.

– No jasne! – zapewniam.

***

Było do przewidzenia, że droga powrotna będzie długa, męcząca i cicha. Jenna jest nieletnia, więc nie wpuściliby nas do samolotu, dlatego wracamy nocą samochodem. Słucham radia, żeby nie zasnąć, a mniej więcej na wysokości granicy z Marylandem Virgila nachodzi chęć na rozmowę. Najpierw jednak ogląda się do tyłu, sprawdzając, czy Jenna śpi.

– A jeśli nie żyje? – zagaja. – To co mam zrobić?

Ciekawy początek.

– Masz na myśli Alice?

– No.

Waham się przez chwilę.

– Upewniasz się, kto to zrobił, i pakujesz go za kratki.

– Nie jestem gliniarzem, Serenity. A teraz okazuje się, że chyba nigdy nie powinienem nim być. – Potrząsa głową. – Cały czas myślałem, że to Donny spieprzył. Ale to raczej byłem ja.

Zerkam na niego.

– W rezerwacie panował burdel. Nikt nie wiedział, jak zabezpieczyć scenę zbrodni przy dzikich zwierzętach. Thomasowi Metcalfowi odbiło, chociaż nie wiedzieliśmy tego na początku. Zaginęli ludzie, których nie uznano za zaginionych, w tym kobieta. Tyle wiedziałem. Dlatego na widok nieprzytomnej i zakrwawionej laski poczyniłem pewne założenia, mówiąc ratownikom, że to Alice. Zabrali ją do szpitala i zgłosili pod nazwiskiem Metcalf. – Odwraca głowę i patrzy przez okno. Widzę jego profil w światłach reflektorów z naprzeciwka. – Nie miała przy sobie dokumentów. Nie powinienem był tak tego zostawić. Czemu nie pamiętam, jak wyglądała? Czy miała rude, czy jasne włosy? Dlaczego nie zwróciłem na to uwagi?

– Bo chciałeś jak najszybciej sprowadzić pomoc – zauważam. – Nie zadręczaj się z tego powodu. Nie miałeś zamiaru nikogo wprowadzać w błąd.

Myślę o swojej niedawnej karierze wiedźmy z bagien.

– I tu się mylisz – oznajmia Virgil, zwracając twarz w moją stronę. – Otóż zatailem dowody. Pamiętasz rudy kosmyk znaleziony przy ciele Nevvie? Kiedy przeczytałem raport z sekcji, nie wiedziałem, że należał do Alice, choć przeczuwałem, że to nie była przypadkowa śmierć. Mimo to pozwoliłem się przekonać partnerowi. Że obywatele chcą czuć się bezpieczni, że stratowanie to przykra rzecz, ale morderstwo byłoby znacznie gorsze i takie tam… Dlatego rąbnąłem tę kartkę z raportu i zgodnie z zapowiedzią Donny'ego zostałem bohaterem. Byłem najmłodszym detektywem w naszym dziale, wiedziałaś o tym? – Potrząsa głową.

– Co zrobiłeś z tym świstkiem?

– Rankiem w dniu awansu schowałem go do kieszeni. A potem wsiadłem do samochodu i zjechałem w przepaść.

Odruchowo wciskam hamulec.

– Słucham?

– Na początku myślano, że już po mnie. Chyba znalazłem się w stanie śmierci klinicznej, lecz zdaje się, że spaprałem i to. Bo obudziłem się na odwyku z hektolitrem OxyContinu w żyłach, w męczarniach, które zabiłyby dziesięciu chłopa silniejszych niż ja. Oczywiście nie wróciłem do pracy; w policji krzywo patrzą na niedoszłych samobójców. – Łypie na mnie. – Teraz już wiesz, z kim masz do czynienia. Nie potrafiłem znieść perspektywy zgrywania bohatera przez kolejne dwadzieścia lat. Teraz przynajmniej nie kłamię, kiedy mówię ludziom, że jestem zapitym frajerem.

Myślę o Jennie, która wynajęła fałszywą jasnowidzkę i detektywa o mrocznej przeszłości. O rosnącym prawdopodobieństwie, że to Alice zginęła przed dziesięciu laty w rezerwacie, a ja nie wyczułam tego nawet przez chwilę.

– Ja też muszę ci coś wyznać – mówię. – Pamiętasz, jak mnie zapytałeś, czy mogę nawiązać kontakt z duchem Alice Metcalf? A ja zaprzeczyłam, co miało oznaczać, że ona żyje?

– Uhm. Zdaje się, że twój dar trochę się rozstroił…

– Łagodnie powiedziane. Odkąd udzieliłam senatorowi McCoyowi błędnych informacji na temat syna, przestałam słyszeć cokolwiek. Jestem zużyta. Sucha jak pieprz. Ta dźwignia zmiany biegów ma większe zdolności paranormalne ode mnie.

Virgil wybucha śmiechem.

– Chcesz powiedzieć, że ściemniasz?

– Gorzej. Choć nie zawsze tak było.

Zerkam na niego. Ma wokół oczu zielonkawy cień refleksów ze wstecznego lusterka, jak jakiś superbohater. Ale nim nie jest. Jest niedoskonały, okaleczony i sponiewierany. Jak ja. Jak cała nasza trójka.

Jenna straciła matkę, ja wiarygodność, Virgil wiarę. Wszyscy jesteśmy niedoskonali, choć przez chwilę uwierzyłam, że razem uda nam się stworzyć całość.

Skręcam w Delaware.

– Chyba nie mogła gorzej dobrać pomocników... – wzdycham.

– Tym bardziej trzeba się postarać – odpowiada Virgil.

Alice

Nie byłam w Georgii na pogrzebie Grace.

Pochowano ją w rodzinnym grobowcu, obok ojca. Gideon pojechał, Nevvie oczywiście też – ale realia były takie, że ktoś musiał zostać na miejscu ze zwierzętami, bez względu na okoliczności. W ciągu tego straszliwego tygodnia, zanim woda wyrzuciła ciało Grace na brzeg (Gideon i Nevvie łudzili się, że ona jednak żyje), wręcz stawaliśmy na głowie, by ją zastąpić. Thomas miał zamiar kogoś zatrudnić, ale to wymagało czasu.

Teraz, gdy połowa personelu wyjechała, i on, i ja harowaliśmy na okrągło.

Wiedziałam, że Gideon po pogrzebie wraca do rezerwatu, ale nie sądziłam, że robi to przez wzgląd na mnie. Tak naprawdę nie wiedziałam, czego się spodziewać. Mieliśmy za sobą rok tajemnic, rok błogostanu. Śmierć Grace była dla nas zasłużoną karą.

Najlepiej wyszła na niej właśnie ona. Była wreszcie szczęśliwa.

Nie chciałam o tym myśleć, więc pucowałam posadzki w szopach do połysku i wymyślałam kolejne zabawki dla słoni indyjskich. Przycięłam krzewy, które zaczęły zarastać płot na północnym skraju afrykańskiej zagrody. Normalnie musiałby to zrobić Gideon, myślałam, machając sekatorem. Zmuszałam się do działania, bez reszty skupiona na wykonywanej czynności.

Gideona ujrzałam dopiero następnego ranka, na quadzie pełnym siana, zmierzającym do szopy, gdzie przygotowywałam jabłka naszpikowane lekarstwem. Upuściwszy nóż, podbiegłam z uniesioną ręką, żeby go zawołać, lecz w ostatniej chwili schowałam się za drzwiami.

No bo co właściwie mogłam mu powiedzieć?

Przez chwilę patrzyłam, jak rozładowuje siano, jego napięte ramiona, gdy układał bele w piramidę. Wreszcie zebrałam się na odwagę i wyszłam na zewnątrz.

Zastygł, odstawiwszy to, co trzymał, na ziemię.

– Syrah znowu kuleje – oznajmiłam. – Dasz radę zerknąć?

Pokiwał głową, unikając mojego wzroku.

– Coś jeszcze?

– Popsuła się klimatyzacja w biurze. Ale to nie takie ważne. – Ciasno objęłam się ramionami. – Tak mi przykro, Gideonie...

Kopnął siano, wzbijając między nami chmurę pyłu. Popatrzył na mnie po raz pierwszy, odkąd podeszłam. Miał tak przekrwione oczy. A ja pomyślałam, że eksplodował w nim wstyd.

Wyciągnęłam rękę, ale uchylił się, więc tylko musnęłam go palcami. Potem odwrócił się do mnie tyłem i podjął przerwane czynności.

Zamrugałam, oślepiona słońcem, i poszłam z powrotem do kuchni, gdzie doznałam szoku na widok Nevvie.

Łyżką nakładała masło orzechowe do wydrążonych przeze mnie jabłek.

Thomas i ja nie spodziewaliśmy się jej rychłego powrotu. Bądź co bądź właśnie pochowała dziecko.

– Nevvie... Wróciłaś?

Nie podniosła wzroku.

– A dokąd miałam pójść? – zapytała.

***

Kilka dni później straciłam córkę i ja.

Byliśmy w domu; Jenna płakała, bo za nic nie chciała się położyć i odpocząć. Ostatnio bała się zasypiać. Nie mówiła „drzemka", ale „pożegnanie", w przekonaniu, że gdy zamknie oczy, nie zobaczy mnie już nigdy więcej. Nie pomagały żadne argumenty. Mała szlochała i walczyła ze znużeniem, dopóki ciało nie wzięło góry nad wolą.

Próbowałam ją kołysać i jej śpiewać. Robiłam słoniki z banknotów, co zwykle pomagało. Gdy wreszcie zasnęła, w jedyny ostatnio z możliwych sposobów, wtulona we mnie jak ślimak w muszlę, ledwie wyłuskałam się z jej objęć.

Wtedy zapukał Gideon. Potrzebował pomocy przy ogrodzeniu pod napięciem, bo musiał wyrównać teren w zagrodzie afrykańskiej. Słonie lubiły kopać w poszukiwaniu świeżej wody, lecz dziury stwarzały zagrożenie i dla nich samych, i dla nas. Można było do nich wpaść, złamać nogę lub uderzyć się w głowę. Albo uszkodzić zawieszenie.

Ustawienie płotu pod napięciem wymagało udziału dwóch osób, zwłaszcza w przypadku słoni afrykańskich

– jedna musiała rozwinąć drut, podczas gdy druga trzymała na dystans zwierzęta. Nie miałam ochoty tam iść z dwóch powodów: po pierwsze, Jenna mogła się obudzić i spanikować, a po drugie, nie wiedziałam, na czym stoję w relacjach z Gideonem.

– Idź po Thomasa – zaproponowałam.

– Pojechał do miasta – odparł. – A Nevvie robi Syrah płukanie trąby.

Spojrzałam na córkę, śpiącą jak suseł na kanapie. Mogłam ją obudzić i wziąć z sobą, ale usypianie trwało tyle czasu… A poza tym, gdyby Thomas się dowiedział, gdzie zabrałam małą, byłby wściekły. Od biedy mogłam poświęcić Gideonowi góra dwadzieścia minut i wrócić, zanim Jenna się ocknie.

Wybrałam to drugie rozwiązanie i uwinęliśmy się zaledwie w kwadrans. Nasza doskonała synchronizacja przyprawiała mnie o ból głowy; tyle miałam mu do powiedzenia!

– Gideonie… – zagadnęłam, gdy skończyliśmy. – Co mogę zrobić?

Uciekł spojrzeniem.

– Tęsknisz za nią? – zapytał.

– Tak – wyszeptałam. – No pewnie.

Wydął nozdrza. Jego twarz wyglądała jak wykuta z kamienia.

– I dlatego właśnie nie możemy już dłużej – mruknął.

Zabrakło mi tchu.

– Bo żałuję, że nie ma już Grace?

Potrząsnął głową.

– Nie. Ponieważ ja tego nie żałuję.

Tłumiony szloch wykrzywił mu usta i Gideon padł na kolana. Przycisnął twarz do mojego brzucha.

Pocałowałam go w czubek głowy i objęłam mocno. Nie, raczej ścisnęłam go z całej siły. Żeby się nie rozleciał.

Dziesięć minut później, gdy zajechałam pod dom, zastałam drzwi otwarte. Może w pośpiechu zapomniałam je zamknąć? Tak mi się przynajmniej zdawało, dopóki nie weszłam do środka i nie zobaczyłam, że nie ma Jenny.

– Thomas! – wrzasnęłam, wybiegając na zewnątrz. – Thomas!

Musi być z nim; nie ma innej możliwości! Modliłam się o to, błagałam. Myślałam o chwili, kiedy obudziła się i spostrzegła, że mnie nie ma. Rozpłakała się? Spanikowała? Ruszyła na poszukiwania?

Byłam pewna, że nauczyłam ją zasad bezpieczeństwa, że mała ma olej w głowie, a Thomas obawiał się niepotrzebnie. Lecz gdy teraz patrzyłam na ogrodzenia, na szpary między sztachetami, przez które z łatwością prześlizgnąłby się przedszkolak, traciłam wiarę. Jenna ma trzy lata. Jest rezolutna. A jeśli wybiegła z domu i weszła do zagrody?

Przez krótkofalówkę wezwałam Gideona, który słysząc strach w moim głosie, zjawił się natychmiast.

– Sprawdź w szopach – poprosiłam. – I w zagrodach!

Wiedziałam, że nasze słonie były obeznane z ludźmi, jeszcze z czasów cyrków i ogrodów zoologicznych, ale to wcale nie oznaczało, że nie potrafią zaatakować, gdy ktoś naruszy ich terytorium. Wiedziałam też, że wolą niższe, męskie głosy; zawsze próbowałam tego podczas rozmowy z nimi. Piskliwe tembry wywoływały nerwowość; słonice kojarzyły żeńską tonację z niepokojem. Dziecięcy głosik zaś zaliczał się do tej samej kategorii...

Znałam kiedyś człowieka mieszkającego na terenie rezerwatu, który wybrał się w busz wraz z dwiema córeczkami, gdzie całą trójkę otoczyło stado dzikich słoni. Nakazał córkom zwinąć się w kłębek i nie rzucać w oczy. „Nie podnoście głów!", przykazał. „Choćby nie wiem co!". Dwie duże samice obwąchały dziewczynki, trącając je lekko, jednak nie wyrządziły im najmniejszej krzywdy.

Ale aby przykazać Jennie to samo, musiałabym z nią być. Poza tym ona nie czuła strachu, bo widok słoni stanowił dla niej codzienność.

Pojechałam quadem do najbliższej zagrody, afrykańskiej, bo przecież Jenna nie mogła ujść daleko. Minęłam szopę, staw oraz wzniesienie, gdzie słonie przesiadywały zwykle w chłodne poranki. Stanęłam na najwyższym pagórku i wyjęłam lornetkę.

Przez kolejne dwadzieścia minut jeździłam ze łzami w oczach, zastanawiając się, co powiem Thomasowi, gdy w krótkofalówce zatrzeszczał głos Gideona.

– Mam ją – oznajmił.

Kazał mi wrócić do domu, gdzie zastałam moje dziecko na kolanach Nevvie, lepkie i ciamkające loda na patyku.

– Mama – powiedziało na mój widok. – Ja wołam*.

Tyle że ja na nią nie patrzyłam. Nie odrywałam wzroku od Nevvie, na której moje wzburzenie nie wywarło większego wrażenia. Trzymała rękę na główce Jenny, jakby udzielała jej błogosławieństwa.

* W oryginale gra słów; fonetycznie ice cream (lody) i I scream (wołam, krzyczę) brzmią tak samo (przyp. tłum.).

– Ktoś obudził się z płaczem – poinformowała. – I szukał mamy.

Zabrzmiało to jak wymówka. Że wszystko to moja wina, bo zostawiłam dziecko samo.

I nagle zrozumiałam, że nie zrobię jej awantury i nie zrugam, że zabrała moje dziecko bez pozwolenia.

Jenna potrzebowała matki, a mnie zabrakło. Nevvie potrzebowała dziecka, aby wciąż sprawować nad kimś opiekę.

Wyglądało to na wymarzony układ.

Najdziwniejsze zachowanie, jakie kiedykolwiek zaobserwowałam u słoni, miało miejsce w Tuli Block, na brzegu wyschniętej rzeki, podczas długiej suszy, w okolicy uczęszczanej przez wiele różnych zwierząt. Poprzedniej nocy widziano tam lwy, a rano lamparta. Ale drapieżniki znikły, a stał się cud narodzin. Urodziła słonica o imieniu Marea.

Poród przebiegł normalnie – stado osłoniło współtowarzyszkę, stając głowami na zewnątrz, i trąbieniem powitało młode, które wstało, podpierane przez matkę. Marea obsypała je piaskiem i przedstawiła członkom rodziny, którzy dotykali go kolejno.

Nagle wyschniętym korytem ruszyła słonica o imieniu Thato. Była znajoma, ale nie należała do gromady. Nie mam pojęcia, co robiła tam sama, z dala od reszty swojego stada, ale podeszła do nowo narodzonego słoniątka, owinęła trąbę wokół jego szyi i spróbowała je podnieść.

Widuje się na co dzień, jak matka podpiera młode, wsuwając mu trąbę pod brzuch albo między nogi, lecz podnoszenie młodego za szyję jest mocno nietypowe. Żadna słonica nie robi tego specjalnie. Thato próbowała odejść, słoniątko się wyślizgiwało, im bardziej, tym ona podnosiła je wyżej. W końcu ciężko upadło na ziemię.

Dla stada Marei była to kropla, która przelała czarę. Podniósł się rwetes; słonie na wyścigi dotykały małego, czy nic mu się nie stało, czy nie doznał jakiegokolwiek uszczerbku. Matka przyciągnęła go do siebie i wsunęła sobie między nogi.

Niewiele rozumiałam z tej sceny. Owszem, widywałam, jak słonice wyciągają młode z wody, żeby te nie utonęły. Jak próbują dźwignąć je na nogi. Ale nigdy dotąd, żeby jakaś nosiła dziecko jak na przykład lwica.

Nie miałam pojęcia, co skłoniło Thato do porwania cudzego słoniątka. Czy miała taki kaprys, czy może wyczuła lwa i lamparta, i chciała ochronić młode?

Nie wiedziałam również, dlaczego stado nie zareagowało w pierwszej chwili. Thato była wprawdzie starsza od Marei, ale nie należała do rodziny.

Nazwaliśmy to dziecko Molatlhegi. W języku tswana oznacza to tyle co „zaginiony".

Nocą, po tym jak prawie straciłam Jennę, przyśnił mi się koszmar.

Siedziałam opodal miejsca, gdzie Molatlhegi omal nie został uprowadzony przez Thato. Na moich oczach słonie przeniosły się wyżej, a z wyschniętej gardzieli rzeki wytrysnęła woda. Bulgocząc, stawała się coraz głębsza i bardziej rwąca, aż ochlapała mi nogi. W oddali ujrzałam

Grace Cartwright; weszła w ubraniu do rzeki. Sięgnęła ręką dna, podniosła gładki kamień i schowała do kieszeni. Robiła to raz po raz, napychając kieszenie kurtki i spodni, aż ledwie mogła ustać na nogach.

Następnie weszła w nurt głębiej.

Widziałam i samą głębię, i tempo jej powstawania. Próbowałam ostrzec Grace, lecz nie potrafiłam wydobyć z siebie głosu. Kiedy otworzyłam usta, wypadły z nich tysiące kamieni.

I nagle to ja znalazłam się w wodzie, obciążona. Czułam, jak prąd rozplata mi warkocz, próbowałam nabrać powietrza. Ale z każdym oddechem tylko łykałam kamyki – agat i najeżony kalcyt, bazalt, łupek i obsydian. Tonąc, spojrzałam na akwarelowe słońce.

Zbudziłam się w panice, z ręką Gideona przyciśniętą do ust. Zaczęliśmy się szarpać; kopałam na oślep, aż on znalazł się na jednym brzegu łóżka, a ja na drugim. Między nami wyrósł mur ze słów, które powinny paść, lecz tak się nie stało.

– Krzyczałaś – oznajmił Gideon. – Mogłaś wszystkich obudzić.

Ujrzałam na niebie pierwsze krwawe smugi świtu. I zasnęłam, choć przymknęłam oczy z zamiarem ukradzenia zaledwie paru chwil.

Gdy Thomas obudził się godzinę później, leżałam na kanapie, mocno obejmując drobne ciałko Jenny, jakbym nie rozstawała się z nią ani na chwilę. Spojrzał na mnie nieprzytomnym wzrokiem i ruszył do kuchni w poszukiwaniu kawy.

Tyle że ja już nie spałam. Rozmyślałam o tym, że przez całe życie moje noce były mroczne i bez snów, z jednym pamiętnym wyjątkiem. Wtedy wyobraźnia szalała, a każda godzina po zmroku oznaczała oglądanie pantomimy własnych najskrytszych obaw.

Wtedy byłam w ciąży.

Jenna

Babcia patrzy na mnie jak na ducha. Potem łapie mnie i wodzi rękami po moich włosach i ramionach, odruchowo sprawdzając, czy wszystko jest na swoim miejscu. Ale jej ruchy są szorstkie, jakby chciała sprawić mi ból. Taki jaki sprawiłam jej ja.

– Jenno, bój się Boga! Gdzieś ty była?

Trochę żałuję, że nie skorzystałam z propozycji Serenity i Virgila; mogli mnie odwieźć i przetrzeć nieco szlak. Czuję się tak, jakby między babcią a mną wyrosło Kilimandżaro.

– Przepraszam – mamroczę. – Miałam coś do... załatwienia. – Udaję, że chcę przywitać się z Gertie, która liże mnie po nogach jak dzika. A kiedy skacze, chowam twarz w jej sierści.

– Myślałam, że uciekłaś – mówi babcia. – Że może bierzesz narkotyki. Pijesz. Tyle się mówi o porwaniach dziewcząt, które wsiadły z kimś do samochodu. Tak się martwiłam, Jenno.

Babcia ma na sobie służbowy uniform. Ale chyba płakała i jest blada jak po nieprzespanej nocy.

– Dzwoniłam do wszystkich. Do pana Allena, który powiedział, że nie zajmowałaś się jego dzieckiem, bo we troje wyjechali do Kalifornii. Do twoich koleżanek. Do szkoły.

Patrzę na nią ze zgrozą. Do kogo mogła wydzwaniać? Nie licząc Chatham, która już tu nie mieszka, nie trzymam z nikim. Wychodzi na to, że babcia zadręczała przypadkowe osoby. No, chyba się zapadnę pod ziemię!

Nie wrócę jesienią do szkoły. Nie wiem, czy wrócę tam za dwadzieścia lat. Jestem wstrząśnięta i wściekła. Perspektywa bycia klasową frajerką, której ojciec zabił matkę w napadzie szału, to nie przelewki. A dodatkowo stanę się jeszcze pośmiewiskiem.

Odpycham Gertie.

– Na policję też zadzwoniłaś? – pytam. – Czy wciąż masz z tym problem?

Babcia podnosi rękę, jakby chciała mnie uderzyć. Wzdragam się; byłby to drugi raz w tym tygodniu, gdy obrywam od kogoś, kto powinien mnie kochać.

Ale ona tylko wskazuje na sufit.

– Idź do pokoju – mówi. – I nie wychodź, dopóki nie powiem.

Ponieważ minęło dwa i pół dnia od ostatniej kąpieli, pierwsze kroki kieruję do łazienki. Puszczam wodę do wanny, tak gorącą, że para wypełnia małe pomieszczenie, a lustro zachodzi mgłą, dzięki czemu nie muszę na siebie patrzeć, gdy się rozbieram. Następnie siadam w wannie z kolanami pod brodą i zsuwam się na samo dno. Krzyżuję ręce jak do trumny i jak najszerzej otwieram oczy.

Zasłonka prysznicowa – różowa w białe kwiatki – mieni się jak kalejdoskop. Bąbelki uciekają mi z nosa, jak mali wojownicy kamikadze. Włosy falują wokół głowy jak wodorosty.

„Tak ją znalazłam", powie babcia. „Jakby zasnęła pod wodą".

Wyobrażam sobie Serenity z Virgilem na moim pogrzebie; zauważą, że wyglądam „tak spokojnie". Virgil pewnie wróci do domu i machnie szklaneczkę – albo i pięć – aby uczcić pamięć o mnie.

Coraz trudniej się nie wynurzać. Ucisk w piersi rośnie do tego stopnia, że wyobrażam sobie trzaskające żebra i wklęśniętą klatkę. Przed oczami mam mroczki, jakby ktoś puszczał pod wodą fajerwerki.

Czy tak czuła się mama, zanim *to* się stało?

Wiem, że nie utonęła, ale miała zmiażdżoną pierś; czytałam raport z sekcji. I pękniętą czaszkę. Czy została uderzona w głowę? Czy spodziewała się ciosu? Czy czas zwolnił, a dźwięk płynął falami koloru? Czy słyszała szum krwi pod cienką skórą nadgarstków?

Chcę choć raz poczuć to samo co ona.

Nawet jeśli miałaby to być ostatnia rzecz w życiu.

Gdy ogarnia mnie pewność, że zaraz eksploduję do wewnątrz, i przychodzi czas, aby wpuścić wodę do nosa i zatonąć jak statek, oburącz łapię się krawędzi wanny i wynurzam na powierzchnię.

Nabieram tchu i kaszlę tak, że w wodzie pojawia się krew. Włosy oblepiają mi twarz, dygoczą ramiona. Wychylam się i wymiotuję do śmietnika.

Nagle przypominam sobie kąpiele w dzieciństwie, gdy ledwie mogłam usiedzieć samodzielnie, bez przewracania się na bok. Mama siadała za mną i podpierała mnie własnym ciałem. Namydlała nas obie. Wyślizgiwałam się z jej rąk jak piskorz.

Czasem śpiewała. Czasem czytała artykuły branżowe. A ja siedziałam w okręgu jej nóg i bawiłam się gumowymi kubkami w tęczowych kolorach. Napełniałam je i wylewałam zawartość sobie na głowę lub na jej kolana.

I wiem już, że wtedy czułam to samo co ona.

Czułam się kochana.

***

Jak waszym zdaniem czuł się kapitan Ahab, zanim lina porwała go z pokładu? Czy pomyślał: „No trudno, ale ten cholerny wieloryb był tego wart"?

A gdy do Javerta wreszcie dotarło, że Valjean czuje coś, czego on poczuć nie jest w stanie – litość. Czy wzruszył ramionami i znalazł sobie nową manię, jak robienie na drutach albo *Gra o tron*? Nie. Ponieważ bez nienawiści już nie wiedział, kim jest.

Latami szukałam mamy, a teraz wszystko wskazuje na to, że i tak bym jej nie odnalazła, choćbym poruszyła niebo i ziemię. Bo ona opuściła ją przed dziesięciu laty.

Śmierć jest taka ostateczna. Taka skończona.

Ale nie płaczę, jak się spodziewałam. Już nie. I w ponurym krajobrazie moich myśli lśni iskierka ulgi. Mama nie zostawiła mnie z własnej woli.

Pozostaje jeszcze kwestia, że najprawdopodobniej zginęła z ręki mojego ojca. Nie wiem, czemu nie budzi to we mnie większej zgrozy. Może dlatego, że wcale go nie pamiętam; odkąd go znam, tkwi w zamkniętym świecie własnego umysłu. A ponieważ już raz go straciłam, nie mam poczucia, że doświadczam tego ponownie.

Mama jednak to co innego. W jej przypadku chciałam. Miałam nadzieję.

Virgil zawziął się, aby zapiąć sprawę na ostatni guzik, bo śledztwo zostało spaprane. Zapowiedział, że jutro znajdzie sposób na zbadanie DNA zwłok, które niegdyś wzięto za Nevvie. Wtedy się dowiemy.

Najzabawniejsze jest to, że gdy wreszcie bliska jest chwila wyczekiwana przeze mnie od lat, zadaję sobie pytanie – czy to ma znaczenie? Może w końcu dowiem się prawdy. Może doczekam się puenty, o której zawsze mówiła szkolna pedagog, gdy maglowała mnie w swoim głupim gabinecie. Ale jednego nie doczekam się na pewno. Mamy.

Próbuję czytać jej zapiski, ale nie mogę; oddech więźnie mi w gardle. Wyciągam oszczędności, które skurczyły się do sześciu banknotów dolarowych – i z każdego robię słonia. Mam na biurku całe stadko.

Następnie włączam komputer. Loguję się na stronie NamUs i oglądam nowe przypadki.

Zaginął osiemnastolatek, który podrzucił mamę do pracy w Westminsterze w Karolinie Północnej. Jeździł zielonym dodge dartem z rejestracją 58U-7334. Miał jasne włosy do ramion i paznokcie opiłowane w szpic.

Siedemdziesięciodwulatka z West Hartford w Connecticut, która bierze leki na schizofrenię paranoidalną, wyszła z domu opieki, mówiąc, że idzie na casting do Cirque du Soleil. Miała na sobie niebieskie dżinsy i bluzę z kotem.

Dwudziestodwulatka z Ellendale w Dakocie Północnej, która wyszła z domu ze starszym niezidentyfikowanym mężczyzną i słuch po niej zaginął.

Przejrzenie wszystkiego zajęłoby cały dzień, a w międzyczasie pojawiłyby się setki nowych anonsów. Miliony ludzi pozostawiają w sercu bliskich dziury w kształcie miłości, które kiedyś pewnie spróbuje wypełnić ktoś tyleż dzielny, co głupi. Taki, który nie ma pojęcia, że czeka go dokładnie to samo. I tak dalej. Cud, że ktoś jeszcze pozostaje przy życiu, gdy chodzimy tacy wybrakowani...

Na chwilę popuszczam wodze fantazji i myślę, jak wyglądałoby moje życie. Mama, siostrzyczka i ja, skulone pod kocem na kanapie w deszczową niedzielę; mama siedzi pośrodku, my w jej objęciach oglądamy dziewczyńską komedię. Mama, krzycząca, żebym podniosła bluzę, bo duży pokój to nie kosz z brudnymi rzeczami. Mama, czesząca mnie na bal gimnazjalny, podczas gdy siostra udaje w łazience, że maluje rzęsy. Mama, pstrykająca za dużo zdjęć, kiedy wpinam mojej „parze" kwiat w butonierkę, i ja udająca irytację, choć aż mnie zatyka, że ona przeżywa to tak samo. Mama, masująca mi plecy, gdy ten sam chłopak rzuca mnie po miesiącu; nazywa go durniem, no bo jak nazwać kogoś, kto nie pokochał takiej dziewczyny jak ja?

Drzwi się otwierają i wchodzi babcia. Siada na łóżku.

– W pierwszej chwili pomyślałam, że nie zdajesz sobie sprawy, jak się martwię, gdy nie wróciłaś do domu pierwszego wieczoru. I nawet nie zadzwoniłaś.

Wbijam wzrok w kolana. Robię się czerwona.

– Ale potem zrozumiałam, że to nie tak. Rozumiałaś doskonale, lepiej nawet niż ktokolwiek inny. Bo wiesz, jak to jest kogoś stracić.

– Pojechałam do Tennessee... – wyznaję.

– Pojechałaś dokąd? – pyta babcia. – Jak?

– Autobusem – mówię. – Do rezerwatu, gdzie wysłano nasze słonie.

Babcia podnosi dłoń do gardła.

– Ponad tysiąc kilometrów, żeby pójść do zoo?

– To nie zoo, tylko antyzoo – uściślam. – Owszem. Szukałam kogoś, kto znał mamę. Myślałam, że Gideon wie, co się z nią stało.

– Gideon... – powtarza.

– Pracowali razem – informuję.

Nie wspominam o ich romansie.

– No i? – pyta babcia.

Kiwam głową, powoli zsuwając z szyi apaszkę. Jest tak lekka, że chyba nic nie waży. Jest jak chmurka. Wspomnienie. Oddech.

– Babciu... – szepczę. – Ona chyba nie żyje.

Dotąd nie zdawałam sobie sprawy, jakie te słowa mają ostre krawędzie, jak kaleczą język. Nie wydusiłabym kolejnego zdania, choćbym próbowała.

Babcia sięga po szal i nawija go na rękę jak bandaż.

– Tak – mówi. – Też tak myślę.

I rozrywa szal na pół.

Nie mogę powstrzymać okrzyku zgrozy.

– Co robisz?!

Babcia zgarnia z biurka dzienniki mamy.

– To dla twojego dobra, Jenno.

Łzy napływają mi do oczu.

– To nie twoje!

Zabiera wszystko, co zostało mi po mamie. Jakby obdzierała mnie ze skóry, odsłaniając żywe ciało.

– Ani twoje – ucina. – Nie twoje badania, nie twoja historia. Tennessee? Tego już za wiele. Żyj swoim życiem, nie jej.

– Nienawidzę cię! – krzyczę.

Ale babcia wychodzi. Jeszcze przystaje w progu.

– Szukasz rodziny, Jenno. A masz ją pod nosem.

Po jej wyjściu biorę z biurka zszywacz i rzucam nim o drzwi. Potem siadam, wycieram nos wierzchem dłoni i zaczynam kombinować, jak znaleźć ten szal i go pozszywać. Jak wykraść dzienniki.

Ale prawda jest taka, że nie mam matki. I nigdy nie będę miała. I nie napiszę od nowa swojej historii. Muszę dobrnąć do końca tej, którą mam.

Przypadek zniknięcia mamy lśni na monitorze laptopa, pełen szczegółów, które przestały się liczyć.

Wchodzę w ustawienia profilu NamUs i usuwam go jednym kliknięciem.

Jedną z pierwszych rzeczy, jakich babcia nauczyła mnie w dzieciństwie, była ucieczka z domu w razie pożaru. W każdym pokoju pod oknem znajduje się specjalna drabina, na wszelki wypadek. Jeśli wyczuję dym, jeśli oparzę się o drzwi, mam podnieść roletę, zaczepić drabinę i salwować się ucieczką.

Nieważne, że trzylatka nie podniosłaby drabiny, o otwarciu okna nie wspominając. Znałam procedurę i to miało uchronić mnie od złego.

Czary widocznie zadziałały, bo w domu nigdy nie wybuchł pożar. Zakurzona drabina wciąż tkwi pod oknem, służąc jako półka na książki, stojak na buty, podpórka na plecak – ale nigdy droga ucieczki.

Aż do dziś.

Tym razem jednak zostawiam babci liścik. „Przestanę”, obiecuję. „Ale musisz dać mi ostatnią szansę na pożegnanie. Przyrzekam, że wrócę jutro na kolację”.

Otwieram okno i mocuję drabinę. Wygląda na dość chybotliwą. To dopiero byłaby ironia losu – uciec od pożaru, ale zabić się, spadając z wysokości!

Docieram zaledwie do pochyłego daszku nad garażem, co mnie nie urządza. Ale ucieczki to ostatnio moja specjalność, więc staję na jego skraju i przytrzymuję się rynny. Od ziemi dzieli mnie zaledwie półtora metra.

Rower stoi tam, gdzie go zostawiłam, oparty o balustradę ganku. Wskakuję na siodełko i zaczynam pedałować.

Jazda nocą to coś zupełnie innego. Mknę jak wiatr, czuję się niewidzialna. Ulice są mokre, bo padało, i asfalt lśni wszędzie, z wyjątkiem matowego śladu zostawianego przez rower. Tylne światła samochodów przypominają zimne ognie, które paliłam niegdyś z okazji czwartego lipca – błysk zawisał w ciemności i mogłam wyrysować nim alfabet światła. Jadę na wyczucie, bo nie widzę drogowskazów, ale w mgnieniu oka docieram do baru pod mieszkaniem Serenity.

Bar tętni życiem. Zamiast garstki pijaków widzę dziewczyny w obcisłych kieckach, uwieszone u motocyklowych bicepsów, i chudych facetów, którzy wyszli na dymka w przerwach między drinkami i teraz podpierają ceglaną ścianę. Jazgot szafy grającej wylewa się na ulicę; słyszę, jak ktoś dopinguje kogoś do picia.

– Hej, mała! – bełkocze jakiś typek. – Czy mogę postawić ci drinka?

– Jestem nieletnia – zaznaczam.

– A ja jestem Raoul.

Wymijam go ze spuszczoną głową, wciągając jednocześnie rower na klatkę schodową. Taszczę go na górę, do poczekalni; tym razem uważam na stół. Ale gdy chcę po cichutku zapukać – jest druga w nocy – otwierają się drzwi.

– Też nie możesz spać, skarbie? – pyta Serenity.

– Skąd wiedziałaś, że tu jestem?

– Powiedzmy, że się nie skradałaś. – Patrzy znacząco na rower i odsuwa się na bok, robiąc mi miejsce.

Mieszkanie wygląda tak samo jak za pierwszym razem, kiedy wciąż wierzyłam, że najbardziej w świecie pragnę znaleźć matkę.

– Dziwię się, że babcia puściła cię o tej porze – dodaje Serenity.

– Nie pozostawiłam jej wyboru. – Osuwam się na kanapę. Serenity siada obok. – To na nic – oświadczam.

Nie udaje, że nie rozumie.

– Nie wyciągaj pochopnych wniosków. Virgil mówi...

– Do diabła z Virgilem! – przerywam. – On nie przywróci jej życia. Tylko pomyśl. Jeśli mówisz mężowi, że jesteś w ciąży z innym, ten raczej nie daje ci błogosławieństwa na drogę.

Próbowałam, uwierzcie mi, lecz nie czuję do taty nienawiści, tylko wyłącznie litość. Tępy ból w piersi. Jeżeli to on zabił mamę, nie wydaje mi się, aby miał stanąć przed sądem. Jest ubezwłasnowolniony; więzienie nie ukarze go bardziej niż cela własnego umysłu.

To tylko potwierdza słowa babci. To ona jest jedyną rodziną, jaka mi pozostała.

Wiem, że to przeze mnie. To ja poprosiłam Serenity o pomoc w znalezieniu mamy, to ja zwerbowałam Virgila. Oto, do czego prowadzi ciekawość. Możesz mieszkać na największym wysypisku świata, lecz dopóki nie zajrzysz pod spód, twoja trawa zawsze będzie zielona, a ogród bujny.

– Ludzie nie zdają sobie sprawy, jakie to trudne – oświadcza Serenity. – Gdy przychodzili do mnie, by porozmawiać z wujkiem Solem albo z ukochaną babcią, skupiali się wyłącznie na powitaniu i powiedzeniu im tego, czego nie mieli okazji ująć w słowa za życia nieboszczyka. Lecz jeśli otworzyłeś drzwi, musisz je za sobą zamknąć. Powitanie zawsze pociąga za sobą konieczność pożegnania.

Odwracam się do niej.

– Nie spałam. Kiedy rozmawialiście w samochodzie, słyszałam każde słowo.

Serenity zastyga.

– W takim razie wiesz, że jestem oszustką.

– Wcale tak nie uważam. Znalazłaś naszyjnik. I portfel.

Potrząsa głową.

– Po prostu znalazłam się na właściwym miejscu we właściwym czasie.

Zastanawiam się przez chwilę nad jej słowami.

– Ale chyba na tym polega bycie jasnowidzem?

Widzę, że nigdy nie patrzyła na to w ten sposób. To, co dla jednego jest przypadkiem, dla drugiego poszlaką.

Intuicja, jak mawia Virgil, czy zdolności nadprzyrodzone? Jak zwał, tak zwał. Grunt, że prowadzą do celu.

Serenity podnosi koc z podłogi, żeby przykryć stopy; wystarcza go dla nas obu.

– Możliwe – ustępuje. – Choć to nie to, co kiedyś, kiedy nagle w mojej głowie pojawiały się cudze myśli. Czasem zasięg był dobry, a czasem przerywało i łapałam zaledwie co trzecie słowo. A i tak było to coś więcej niż znalezienie błyskotki w trawie.

Siedzimy pod kocem, który pachnie płynem do płukania i kebabem, a deszcz łomocze o szyby. Uświadamiam sobie, że to wersja zbliżona do mojej wizji deszczowego dnia z mamą.

Zerkam na Serenity.

– Tęsknisz za tym? Za kontaktem z ludźmi, którzy odeszli?

– Tak – przyznaje.

Kładę jej głowę na ramieniu.

– Ja tak samo – szepczę.

Alice

Ramiona Gideona były moją przystanią. Przy nim zapominałam o tym, jak przerażają mnie wzloty i upadki Thomasa, że każdy poranek rozpoczyna się kłótnią, a wieczór kończy ucieczką mojego męża do gabinetu i w zakamarki własnego umysłu. Kiedy byłam z Gideonem, mogłam udawać, że we troje z Jenną tworzymy rodzinę, o której marzyłam od zawsze.

A potem dowiedziałam się, że będzie nas czworo.

– Wszystko się ułoży – zapewnił mnie, ale nie uwierzyłam. Nie mógł znać przyszłości. Mógł jedynie być mój, na co liczyłam. – Nie rozumiesz? – dodał, rozświetlony wewnętrznym światłem. – Jesteśmy sobie pisani.

Może i tak, ale za jaką cenę? Jego małżeństwa? Mojego? Życia Grace?

Mimo to nadal marzyliśmy na głos w technikolorze. Chciałam zabrać Gideona do Afryki i pokazać mu słonie, które nie zostały złamane przez człowieka. On chciał się przenieść na Południe, skąd pochodził. Wskrzesiłam marzenie ucieczki z Jenną, ale tym razem we troje. Udawaliśmy, że gnamy naprzód, lecz tkwiliśmy w miejscu w obawie przed zapadnią w podłodze. On musiał powiedzieć teściowej, ja mężowi.

Czas naglił, bo coraz trudniej było ukryć zmiany zachodzące w moim ciele.

Któregoś dnia Gideon zastał mnie w indyjskiej szopie.

– Powiedziałem Nevvie o dziecku – oznajmił.

Zamarłam.

– I co ona na to?

– Że powinienem dostać wszystko, na co zasługuję. I poszła.

I już, tak po prostu. Stało się. Jeżeli jemu wystarczyło odwagi do rozmowy z Nevvie, ja musiałam się zdobyć na rozmowę z Thomasem.

Cały dzień nie widziałam ani Nevvie, ani Gideona. Za to chodziłam za Thomasem krok w krok, ugotowałam mu obiad. Poprosiłam go, żeby mi pomógł wymoczyć Lilly stopy, choć normalnie zwróciłabym się do opiekunów. Zamiast go unikać, jak robiłam od miesięcy, zapytałam go o kandydatów do pracy i czy postanowił już kogoś zatrudnić. Poleżałam z Jenną, dopóki nie zasnęła, po czym udałam się do biura mojego męża i zaczęłam czytać artykuły. Jakby dzielenie wspólnej przestrzeni było dla nas rzeczą normalną.

Myślałam, że mnie wyprosi, ale uśmiechnął się pojednawczo.

– Zapomniałem już, jakie to miłe – powiedział. – Ty i ja, pracujący razem.

Postanowienie jest jak porcelana, prawda? Masz jak najlepsze chęci, lecz z chwilą gdy pojawia się rysa, lada chwila rozpada się na kawałki.

Thomas nalał nam obojgu whisky. Nie tknęłam swojej szklanki.

– Kocham Gideona – wypaliłam.

Jego ręce znieruchomiały na karafce. Podniósł szklankę i wypił zawartość.

– Myślisz, że jestem ślepy?

– Odchodzimy – dodałam. – Jestem w ciąży.

Thomas usiadł. Ukrył twarz w dłoniach i się rozpłakał. Spoglądałam przez chwilę, rozdarta między chęcią pocieszenia go a nienawiścią do siebie samej, że doprowadziłam do tego, co widzę – złamany człowiek z bankrutującym rezerwatem, niewierną żoną i chorobą psychiczną na dokładkę.

– Thomas… – rzuciłam błagalnie. – Powiedz coś.

Głos mu się załamał.

– Co ja takiego zrobiłem?

Uklękłam na wprost niego. W tamtej chwili ujrzałam w nim mężczyznę w okularach zaparowanych od upału w Botswanie. Mężczyznę, który przyniósł mi na lotnisko roślinę odwróconą do góry korzeniami. Który miał wizję i uczynił mnie jej częścią. Od dawna go nie widziałam. Czy dlatego, że zniknął? A może przestałam patrzeć?

– Ty nic nie zrobiłeś – odrzekłam. – To ja.

Złapał mnie za bark jedną ręką. Drugą tak dał mi w twarz, że poczułam w ustach smak krwi.

– Dziwka – powiedział.

Opadłam w tył, trzymając się za policzek. Nacierał na mnie, a ja się cofałam; byle stamtąd wyjść!

Jenna spała na kanapie. Podbiegłam do niej. Tym razem byłam zdecydowana ją zabrać. Kupię jej ubrania, zabawki i wszystko, czego będzie potrzebować, później. Ale Thomas chwycił mnie za nadgarstek i wykręcił go, przez co upadłam ponownie. Dopadł córki jako pierwszy. Podniósł ją, a ona się do niego przytuliła.

– Tatuś? – westchnęła, w pajęczynie między jawą a snem.

Otoczył ją ramionami i odwrócił się tak, żeby nie mogła mnie zobaczyć.

– Chcesz odejść? – zapytał. – Droga wolna. Chcesz zabrać małą? Po moim trupie. – Posłał mi straszliwy uśmiech. – Albo jeszcze lepiej – dodał – po twoim.

Jenna obudzi się, a mnie nie będzie. Spełni się jej największy koszmar.

Wybacz, kochana, pomyślałam.

I pobiegłam po pomoc, zostawiając ją z ojcem.

Virgil

Nawet jeśli znalazłbym ciało pochowane przed dziesięciu laty, nie zdobędę nakazu. Nie wiem, co sobie myślałem. Że zakradnę się na cmentarz i wykopię domniemaną Nevvie Ruehl łopatą? Jednak zanim ciało trafia do domu pogrzebowego, przeprowadza się sekcję. A podczas sekcji zapewne pobrano próbkę DNA, zachowaną gdzieś w aktach dla potomności…

Nie ma mowy, żeby udostępniono mi wyniki, jestem cywilem. Muszę znaleźć kogoś, kto mnie zastąpi. Dlatego godzinę później wiszę w okienku na posterunku w Boone i znów urabiam Ralpha.

– Wróciłeś? – wzdycha.

– Cóż mogę powiedzieć? Tęskniłem. Nawiedzasz mnie w snach.

– Nie mogę cię wpuścić, Virgilu. Ostatnio ryzykowałem. Nie chcę wylecieć.

– Ralph, obaj wiemy, że jesteś niezastąpiony. Jak hobbit strzegący pierścienia.

– Hę?

– Jesteś Dee Brownem* wydziału. Bez ciebie nikt nie wiedziałby, że Celtics istnieli w latach dziewięćdziesiątych, prawda?

Ralph marszczy się w uśmiechu.

– No, teraz gadasz do rzeczy – oznajmia. – Ci smarkacze nie odróżniają dupy od łokcia. Przychodzę co rano i zawsze ktoś coś poprzestawia, bo kataloguje w komputerze. A potem nie może się połapać. Więc odkładam na miejsce. Zawsze powtarzam: nie ma co ulepszać na siłę.

Kiwam głową, jakbym chłonął każde słowo.

– No właśnie o tym mówię. Jesteś układem nerwowym tego bajzlu, Ralph. Bez ciebie wszystko się rozsypie. I dlatego wiem, do kogo zwrócić się o pomoc.

Wzrusza ramionami, robiąc skromną minę. Zastanawiam się, czy orientuje się, że mu kadzę, aby zyskać coś w zamian. Pozostali pewnie gadają, jaki jest powolny i zdziecinniały. Gdyby się przekręcił w miejscu pracy, zauważyliby po tygodniu.

– Pamiętasz, jak sprawdzałem tamtą starą sprawę? – Nachylam się konspiracyjnie. – Muszę zdobyć próbkę DNA z krwi pobranej przez laboratorium stanowe. Czy mógłbyś wykonać parę telefonów, żeby mi to ułatwić?

– Pomógłbym ci, Virgil, naprawdę. Ale pięć lat temu pękły im rury i zalało całe osiem lat dowodów. Lata 1999–2007 znikły z mapy czasu.

Uśmiech zamiera mi na twarzy.

* Koszykarz NBA, zawodnik m.in. Boston Celtics (przyp. tłum.).

– W każdym razie dzięki – mówię i wymykam się, zanim ktoś mnie zobaczy.

Gdy podjeżdżam do domu i widzę garbusa Serenity, wciąż się głowię, jak powiedzieć o tym Jennie. Ledwie wysiadam, a mała zasypuje mnie pytaniami.

– Czego się dowiedziałeś? Czy można ustalić, kogo pochowano? Minęło dziesięć lat, czy to będzie problem?

Patrzę na nią.

– Przyniosłaś kawę?

– Słucham? – mówi. – Nie.

– To szoruj. Jeszcze się nie rozbujałem.

Wchodzę po schodach do biura, one za mną. Otwieram drzwi, przekraczam sterty dowodów i docieram do biurka. Osuwam się na fotel.

– Znalezienie próbki DNA od osoby zidentyfikowanej przed dziesięciu laty jako Nevvie Ruehl będzie trudniejsze, niż przypuszczałem.

Serenity rozgląda się po biurze, przez które, zdaje się, przeszedł tajfun.

– Cud, że w ogóle możesz tu cokolwiek znaleźć, skarbie…

– Nie szukałem tutaj – zaznaczam.

Nie mam pojęcia, dlaczego trudzę się wyjaśnianiem zawiłości przechowywania dowodów osobie, która zapewne wierzy w czary. Naraz mój wzrok pada na małą kopertę na wierzchu kupki innych śmieci.

W środku znajduje się paznokieć znaleziony w szwie koszuli ofiary.

Tej samej koszuli, która tak wystraszyła Jennę, ponieważ była sztywna od krwi.

Tallulah omiata wzrokiem Serenity i zarzuca mi ręce na szyję.

– Victorze, jak miło! Nigdy nie wiemy, co wynika z naszej pracy poza laboratorium. – Uśmiecha się do Jenny. – Na pewno się cieszysz, że odnalazłaś mamę.

– O, ja nie... – zaczyna Serenity.

– Uhm, niezupełnie – dodaje jednocześnie Jenna.

– Właściwie – tłumaczę – to nie znaleźliśmy jeszcze matki Jenny. Serenity mi pomaga. Jest... jasnowidzem.

Tallulah spada na Serenity jak jastrząb.

– Miałam ciotkę, która przez lata obiecywała, że zostawi mi brylantowe kolczyki. Ale przekręciła się bez testamentu i kolczyki, rzecz jasna, przepadły. Bardzo chciałabym wiedzieć, która z moich kuzyneczek je zgarnęła.

– Dam znać, jeśli cokolwiek usłyszę – mamrocze Serenity.

Wskazuję na papierową torebkę, którą przyniosłem.

– Chciałbym cię prosić o kolejną przysługę, Lulu...

Unosi brew.

– Jeśli dobrze pamiętam, nie rozliczyliśmy się za ostatnią.

Pokazuję dołeczki.

– Ale umowa stoi. Gdy tylko rozwiążę sprawę.

– Czy to ma być łapówka, żeby się wcisnąć bez kolejki?

– To zależy – flirtuję. – A lubisz łapówki?

– Już ty wiesz, co ja lubię... – mruczy Tallulah.

Wyplątuję się z jej ramion i wytrząsam zawartość koperty na sterylny stół.

– Byłbym wdzięczny, gdybyś na to zerknęła.

Koszula jest brudna, poszarpana. I prawie czarna.

Tallulah wyciąga z szafki wacik, zwilża go i pociera o tkaninę. Końcówka barwi się na różowawy brąz.

– Ma dziesięć lat – mówię. – Nie wiem, czy się nadaje. Ale mam nadzieję, że mi powiesz, czy DNA stąd pokrywa się z próbką pobraną od Jenny. – Wyciągam z kieszeni kopertę z paznokciem. – I jeszcze to. Jeśli intuicja mnie nie zawodzi, jedno będzie pasować, a jedno nie.

Jenna stoi po drugiej stronie stołu. Palcami jednej dłoni muska skraj koszuli. Palce drugiej przyciska do tętnicy na szyi.

– Zaraz zwymiotuję – bąka i wypada z sali.

– Pójdę za nią – oznajmia Serenity.

– Nie – mówię. – Ja.

Znajduję małą pod ścianą budynku, tam gdzie swego czasu zrywaliśmy boki. Ale teraz wstrząsają nią konwulsje. Jest rozczochrana, ma rozpłomienione policzki. Kładę jej rękę na plecach.

Ociera usta rękawem.

– Miałeś grypę żołądkową, kiedy byłeś w moim wieku?

– Chyba tak. No chyba.

– Ja też. Nie poszłam do szkoły. Ale babcia musiała iść do pracy. I nie miał kto odgarnąć mi włosów z twarzy, podać mi ręcznika ani zaparzyć herbaty. – Patrzy na mnie. – A to byłoby fajne, wiesz? Zamiast tego mam mamę, która pewnie nie żyje, i ojca, który ją zabił.

Osuwa się po ścianie. Przysiadam obok.

– Czy ja wiem…?

Jenny odwraca się w moją stronę.

– Co chcesz przez to powiedzieć?

– To ty pierwsza powiedziałaś, że twoja mama nie była morderczynią. I że kosmyk przy zwłokach dowodzi jedynie, że się o siebie otarły z Nevvie.

– Przecież mówiłeś, że widzieliście Nevvie w Tennessee?

– Owszem. I myślę, że doszło do zamiany ciał. Że ofiara zidentyfikowana jako Nevvie Ruehl to ktoś inny. Ale to nie oznacza, że Nevvie nie była zamieszana w całą sprawę. Dlatego poprosiłem Lulu o zbadanie paznokcia. Powiedzmy, że krew będzie należała do twojej mamy, ale paznokieć nie. A to może wskazywać, że mama szarpała się z kimś przed śmiercią. Być może ta szarpanina wymknęła się spod kontroli – tłumaczę.

– Dlaczego Nevvie miałaby skrzywdzić moją mamę?

– Ponieważ – odpowiadam – nie tylko twój tata zdenerwował się na wieść, że zaszła z Gideonem w ciążę.

– Jest prawdą powszechnie znaną – mówi Serenity – że nie ma na świecie większej furii niż matczyna zemsta.

Kelnerka, która podchodzi z dzbankiem kawy, obrzuca ją dziwnym spojrzeniem.

– Powinnaś wyhaftować to na poduszce – stwierdzam.

Siedzimy w barze mlecznym niedaleko mojego biura. Nie sądziłem, że Jenna będzie głodna, ale ku mojemu zdziwieniu ma wilczy apetyt. Pochłonęła już cały talerz naleśników i połowę mojego.

– Kiedy przyjdą wyniki z laboratorium? – pyta Serenity.

– Trudno powiedzieć. Lulu wie, że chcę je na wczoraj.

– Nadal nie pojmuję, dlaczego Gideon skłamał w kwestii zwłok – rzuca Serenity. – Przecież gdyby znalazł Alice, rozpoznałby ją na pewno.

– To proste. Gdyby powiedział, że to Alice, ściągnąłby na siebie podejrzenia. W przypadku Nevvie jest pokrzywdzonym. A gdy ona budzi się w szpitalu i przypomina sobie, co zaszło, ucieka, obawiając się aresztowania za morderstwo.

Serenity potrząsa głową.

– Wiesz co? Kiedy już znudzi cię bycie detektywem, zostań wróżbitą. Zbiłbyś fortunę na udawanych seansach.

Ludzie w barze patrzą jakoś dziwnie. Pewnie tutaj wypada rozmawiać o pogodzie i Red Soxach, ale nie o śledztwach i rzeczach nadprzyrodzonych.

Podchodzi ta sama kelnerka.

– Podać coś jeszcze? Bo jeśli nie, prosiłabym o zwolnienie stolika.

Hm, bar jest prawie pusty. Próbuję dyskutować, ale Serenity macha ręką.

– Niech się wypchają! – mówi.

Wyciąga z kieszeni banknot dwudziestodolarowy, akurat na pokrycie rachunku, i trzy centy górką. Z rozmachem kładzie go na blacie, po czym wstaje i wychodzi.

– Serenity?

Jenna siedziała tak cicho, że prawie o niej zapomniałem.

– Mówisz, że Virgil mógłby zostać wróżbitą. A ja?

Na twarzy Serenity pojawia się uśmiech.

– Kochana, już ci mówiłam, że twój dar jest większy, niż ci się zdaje. Masz starą duszę.

– Nauczysz mnie?

Serenity zerka na mnie, a potem przenosi wzrok z powrotem na Jennę.

– Czego?

– Bycia jasnowidzem.

– Kotku, to tak nie działa.

– A jak? – naciska Jenna. – Nie wiesz, prawda? Nie próbowałaś od długiego czasu. Dlatego może warto spróbować czegoś innego?

Odwraca się do mnie.

– Wiem, że dla ciebie liczą się tylko fakty, dane i namacalne dowody. Ale sam powiedziałeś, że czasem człowiek patrzy na coś dziesięć razy i doznaje olśnienia za jedenastym. Portfel, naszyjnik, nawet zakrwawiona koszula... Czekały dziesięć lat, żeby ktoś się nimi zajął. Pamiętasz, jak wczoraj powiedziałaś, że kiedy znaleźliśmy te rzeczy, ty byłaś na właściwym miejscu i we właściwym czasie? – zwraca się do Serenity. – Ja tak samo. A co jeśli te znaki nie były przeznaczone dla ciebie, tylko dla mnie? I nie słyszysz mojej mamy, bo ona chce porozmawiać ze mną i z nikim innym?

– Jenno... – mówi łagodnie Serenity. – To byłoby tak, jakby ślepy prowadził głuchego.

– Co masz do stracenia?

Nasza jasnowidzka parska gorzkim śmiechem.

– Hm, zastanówmy się... Szacunek do samej siebie? Spokój ducha?

– Moje zaufanie? – dodaje Jenna.

Serenity patrzy na mnie ponad głową małej. „Pomocy!", woła jej spojrzenie.

Rozumiem, po co Jennie ten happening – w przeciwnym razie nie zamknie się koło, a ona będzie się poruszać po linii prostej. A ta ma to do siebie, że prowadzi nas tam, gdzie nie chcemy się zapuszczać. To dlatego gdy jesteś policjantem i mówisz rodzicom, że ich dziecko zginęło w wypadku samochodowym, oni chcą wiedzieć wszystko dokładnie – czy droga była oblodzona i czy samochód wpadł w poślizg, żeby wyminąć przyczepę. Potrzebują szczegółów tych ostatnich chwil, bo tylko one im pozostaną. To dlatego powinienem powiedzieć Lulu, że nici z randki, bo dopóki tego nie zrobię, ona będzie się łudzić nadzieją. I dlatego Alice Metcalf prześladuje mnie od dziesięciu lat.

Jestem facetem, który nigdy nie wyłącza DVD, choćby film był do dupy. Oszukuję i czytam w książce najpierw ostatni rozdział, na wypadek gdybym padł trupem przed zakończeniem. Brak finału nie dawałby mi spokoju przez wieczność.

Co swoją drogą jest zastanawiające, gdyż oznacza, że ja – Virgil Stanhope, mistrz pragmatyzmu i ekspert w swoim fachu – muszę choć trochę wierzyć w brednie propagowane przez Serenity Jones.

Wzruszam ramionami.

– Może ona ma rację – mówię.

Alice

Jednym z powodów, dla których niemowlęta nie pamiętają najwcześniejszych wspomnień, jest brak znajomości języka, by je opisać. Do pewnego wieku mają po prostu nieprzystosowane struny głosowe, co oznacza, że używają krtani wyłącznie w sytuacjach ekstremalnych – ciało migdałowate wysyła bezpośredni impuls do głośni, dzięki czemu zrozpaczony maluch natychmiast wybucha płaczem. Wydaje przy tym dźwięk tak uniwersalny – jak wykazano na podstawie badań – że każdy człowiek, nawet student płci męskiej bez doświadczenia z dziećmi, rzuca się na ratunek.

W miarę jak dziecko dorasta, nabiera sprawności również jego krtań. U dwu- lub trzylatka brzmienie płaczu się zmienia, w związku z czym ludzie nie tylko tracą chęć niesienia pomocy, ale wręcz reagują irytacją. Z tego właśnie powodu maluchy uczą się komunikacji werbalnej, gdyż tylko dzięki niej mogą zwrócić na siebie uwagę.

A co się dzieje z bezpośrednim sygnałem, nerwem łączącym krtań z ciałem migdałowatym? Hm... Nic. Gdy struny głosowe obrastają go jak heliotrop, trwa tam, gdzie był, tyle że rzadko używany. Do czasu, aż ktoś wyskoczy nam spod łóżka na biwaku. Albo skręcimy do lasu i zza krzaka wyłoni się dzik. Bądź w jakiejkolwiek innej chwili grozy. Kiedy to się stanie, rozbrzmiewa alarm. Dźwięku, jaki wówczas z siebie wydobywamy, nie da się wyartykułować na zawołanie.

Serenity

W czasach, kiedy jeszcze byłam dobra w te klocki, przy nawiązywaniu kontaktu z konkretnym zmarłym polegałam na Desmondzie i Lucindzie, moich duchach przewodnich. Wyobrażałam je sobie jako telefonistów łączących rozmowę, co sprawdzało się o wiele lepiej niż prowadzenie domu otwartego i każdorazowe przeczesywanie tłumu nieboszczyków w poszukiwaniu tego, z kim miałam nadzieję się porozumieć.

Oto channeling w najczystszej postaci: zawieszasz szyld, otwierasz kramik i zbierasz się w sobie. Przypomina to nieco konferencję prasową, podczas której jeden przekrzykuje się przez drugiego. Dla medium to piekło, nie gorsze jednak od błądzenia po omacku.

Proszę Jennę o znalezienie miejsca, które jej zdaniem miało szczególne znaczenie dla Alice, i tym sposobem wszyscy troje raz jeszcze przemierzamy rezerwat w stronę wielkiego dębu, królującego jak tytan z rozpostartymi ramionami nad poletkiem fioletowych grzybów.

– Przychodzę tu czasem posiedzieć – oznajmia Jenna. – Kiedyś przyprowadzała mnie mama.

Grzybowy kobierzec robi wręcz nieziemskie wrażenie.

– Dlaczego one nie rosną wszędzie? – pytam.

Jenna potrząsa głową.

– Nie wiem. Według dzienników mamy, tutaj pochowano dziecko Maury.

– Może natura chciała to upamiętnić… – rzucam.

– Albo w glebie jest więcej azotanów – mamrocze Virgil.

Gromię go wzrokiem.

– Tylko bez takich! Duchy wyczują twoje nastawienie.

Ma minę, jakby rozbolał go ząb.

– Może pójdę tam, czy coś? – Wskazuje na miejsce w oddali.

– Nie, potrzebujemy cię tutaj. Chodzi o energię – zaznaczam. – Tak właśnie ujawniają się duchy.

Siadamy. Jenna zdenerwowana, Virgil z oporami, a ja – no cóż – zdesperowana. Przymykam oczy i kieruję krótką modlitwę do mocy: „Nie będę więcej prosić o odzyskanie daru. Tylko dziś, dla niej".

Może Jenna ma rację? Może matka próbowała się z nią skontaktować od początku, lecz mała po prostu nie dopuszczała do siebie możliwości, że Alice nie żyje. Może wreszcie jest gotowa, by słuchać?

– To co? – pyta szeptem Jenna. – Bierzemy się za ręce?

Miewałam klientów, którzy pytali, czy mogą powiedzieć bliskim, że za nimi tęsknią. „Właśnie to zrobiliście", odpowiadałam. To samo mówię Jennie.

– Powiedz jej, dlaczego chcesz z nią porozmawiać.

– Czy to nie oczywiste?

– Dla mnie tak, ale być może nie dla niej.

– No więc… – Jenna przełyka ślinę. – Nie wiem, czy można tęsknić za kimś, kogo prawie się nie pamięta, ale to właśnie czuję. Kiedyś wymyślałam bajeczki, dlaczego nie mogłaś po mnie wrócić. Że porwali cię piraci i musiałaś żeglować po Karaibach w poszukiwaniu złota, ale nocami patrzyłaś w gwiazdy i myślałaś sobie: „Przynajmniej Jenna też je ogląda". Albo miałaś amnezję i dzień w dzień usiłowałaś rozgryźć przeszłość, tak aby wszystkie strzałki skierowały cię z powrotem do mnie. Albo wyjechałaś na potajemną misję i nie mogłaś zdradzić, kim jesteś, żeby się nie zdemaskować, a gdy wreszcie powrócisz do domu i staniesz wśród wiwatów tłumu i powiewających sztandarów, zobaczę w tobie bohaterkę. Moi nauczyciele angielskiego mówili, że mam niesamowitą fantazję. Nie rozumieli, że dla mnie to namacalna rzeczywistość, która czasem uwiera jak kamyk w bucie. A może po prostu nie mogłaś wrócić? Dlatego teraz próbuję do ciebie dotrzeć.

Patrzę na nią.

– I co?

Jenna bierze głęboki oddech.

– Nic.

Co skłoniłoby Alice Metcalf, gdziekolwiek się znajduje, żeby przystanąć i nadstawić ucha?

Czasami wszechświat robi ci prezent. Ot, tak – widzisz dziewczynkę, przerażoną, że jej matka odeszła na zawsze, i nagle wiesz, co należy uczynić.

– Jenno... – Nabieram tchu. – Widzisz ją?

Podrywa głowę.

– Gdzie?

Pokazuję.

– O, tam.

– Nic nie widzę – mówi bliska łez.

– Musisz się skupić…

Nawet Virgil wychyla się i wytęża wzrok.

– Nie widzę…

– Może za słabo się starasz! – warczę. – Staje się coraz jaśniejsza, Jenno. To światło ją pochłania. Opuszcza ten świat. Masz ostatnią szansę.

Co zwróciłoby uwagę matki?

Płacz dziecka.

– Mamo! – krzyczy Jenna, dopóki nie chrypnie. Dopóki nie zgina się wpół na polu fioletowych grzybów. – Nie ma jej? – szlocha z rozpaczą. – Naprawdę znikła?

Podpełzam, żeby ją objąć. Nie wiem, jak wytłumaczę, że wcale nie widziałam Alice, że okłamałam Jennę, aby mała przelała serce w ten jeden desperacki okrzyk. Virgil podnosi się i patrzy spode łba.

– Duby smalone… – mamrocze.

– A to co? – pytam.

Sięgam po coś ostrego, co dźgnęło mnie w łydkę, aż podskoczyłam.

Tkwi zagrzebane pod kapeluszami grzybów, niewidoczne. Szperam wśród korzeni i wyciągam… ząb.

Alice

Zawsze podkreślałam, że słonie posiadają niezwykłą zdolność godzenia się ze śmiercią, tak by rozpacz nie ważyła na ich przyszłym życiu.

Z pewnym wyjątkiem.

W Zambii osierocona mała słonica przystała do stada młodych samców. Wśród ludzi nastoletni chłopcy poklepują się na powitanie, a dziewczęta obejmują; podobnie wśród słoni. Młoda samica doświadczyła wszelkich zachowań właściwych męskiej hordzie, tak różnych od tego, czego doznałaby w innych okolicznościach. Samce tolerowały jej obecność, gdyż mogły z nią współżyć – zupełnie jak Anybodys z *West Side Story* – ale tak naprawdę nie chciały jej w swojej społeczności. Urodziła już jako dziesięciolatka, a ponieważ nie miała matki, która byłaby dla niej przykładem, ani doświadczenia z młodymi, jak w tradycyjnym, matriarchalnym stadzie, traktowała dziecko tak, jak sama była traktowana przez samców. Czyli jak piąte koło u wozu. Gdy słoniątko zasypiało obok niej, wstawała i odchodziła. Malec budził się i zaczynał wzywać mamę, ale ona ignorowała wołanie. W tradycyjnym stadzie pisk malucha postawiłby na nogi co najmniej trzy samice, które sprawdziłyby, czy u niego wszystko w porządku.

W buszu młoda samica odgrywa rolę zastępczej matki na długo przedtem, zanim doczeka się własnego potomstwa. Przez piętnaście lat jest starszą siostrą słoniątek, które rodzą się w stadzie. Widywałam młode, które przysysały się do młodych samic, szukając pociechy, choć te nie miały jeszcze piersi ani mleka, lecz wzorem matek i ciotek stawały na wysokości zadania i dumnie udawały. Mogły sprawować funkcję matek bez jarzma odpowiedzialności, do czasu gdy stawały się gotowe.

Jak jednak widać, gdy zabraknie rodziny, która przekazałaby samicy wzorzec postępowania, sytuacja przybiera tragiczny obrót.

Kiedy pracowałam w Pilanesbergu, wydarzyła się historia z młodymi samcami, które przeniesione w tamten rejon zaczęły atakować pojazdy. Zabiły turystę. W rezerwacie znaleziono ponad czterdzieści martwych nosorożców, zanim odkryto, że padły ofiarą słoniowych wyrostków, których agresywne zachowanie bardzo odbiegało od normy.

Gdzie tkwi wspólny mianownik postawy samicy, która zaniedbywała dziecko, i narowistej bandy młodych słoni? Na pewno w braku opieki rodzicielskiej, ale czy tylko? Otóż wszystkim tym słoniom wymordowano rodziny na ich oczach.

Rozpacz, którą badałam w buszu, kiedy stado traciło na przykład przewodniczkę, w wymiarze długofalowym różni się od rozpaczy wynikającej z widoku gwałtownej śmierci członka rodziny. Po śmierci naturalnej stado pomaga cierpiącej jednostce otrząsnąć się z bólu. Po masowym mordzie – jak sama nazwa wskazuje – nie ma już gromady, która stanęłaby murem za bratem lub siostrą.

Po dziś dzień społeczność badaczy zwierząt nie kwapi się do przyjęcia tezy, że trauma po śmierci rodziny jest determinantą słoniowych zachowań. Moim zdaniem wynika to nie tyle z naukowych obiekcji, ile z politycznego wstydu. Ostatecznie to my, ludzie, zgotowaliśmy słoniom ten los.

W tym kontekście należy pamiętać, że śmierć to naturalna kolej rzeczy. A morderstwo – bynajmniej.

Jenna

– To ząb słoniątka Maury – mówię Virgilowi, gdy czekamy w tym samym pomieszczeniu, gdzie przed dwiema godzinami spotkaliśmy się z Tallulah.

Wmawiam to sobie. Bo inna możliwość jest nie do przyjęcia.

Virgil obraca ząb w palcach, co nasuwa mi skojarzenie z opisem słoni pocierających stopami o fragmenty kości. Tych z dzienników mamy, odebranych mi przez babcię.

– Za mały na słoniowy – stwierdza.

– Tam są i inne zwierzęta. Kuny wodne. Szopy. Jelenie.

– Nadal uważam, że powinniśmy zabrać go na policję – oznajmia Serenity.

Nie mam siły, żeby spojrzeć jej w oczy. Wyjaśniła mi swój trik z mamą i to, że mama jednak się nie pojawiła (przynajmniej wedle wiedzy Serenity). Ale z jakiegoś powodu czuję się z tym gorzej.

– I zabierzemy – potwierdza Virgil. – W swoim czasie.

Drzwi się otwierają, owiewa nas podmuch klimatyzacji. Wchodzi wkurzona Tallulah.

– No i do czego to podobne? Nie jestem na twoje wyłączne usługi, Vic! Wyświadczam ci przysługę, a…

Virgil pokazuje jej ząb.

– Przysięgam na Boga, Lulu, że więcej cię nie poproszę o nic. Ale możliwe, że właśnie znaleźliśmy szczątki Alice Metcalf. Zapomnij o koszuli. Jeśli uda ci się zbadać DNA…

– Nie muszę – przerywa mu Tallulah. – To nie jest ząb Alice Metcalf.

– A mówiłam, że to ząb zwierzęcia! – mamroczę.

– Nie, to ludzki ząb. Pracowałam sześć lat w gabinecie dentystycznym, pamiętasz? – zwraca się do Virgila. – Drugi trzonowiec, powiedziałabym ci to nawet wyrwana ze snu. Ale to mleczak.

– Mleczak? – powtarza tępo Virgil.

Tallulah oddaje mu ząb.

– Należał do dziecka. Najprawdopodobniej poniżej piątego roku życia.

Ból, który rozrywa mi dziąsła, jest nie do opisania. To wyrwa, z której płynie lawa. Gwiazdy wybuchające w moich oczodołach. Nerw, obnażony i rozedrgany.

Oto, co się stało.

Kiedy się budzę, mamy nie ma. Jest tak, jak się obawiałam.

Dlatego nie lubię zamykać oczu, bo wtedy ludzie znikają. A jeśli ludzie znikają, nigdy nie wiadomo, czy wrócą.

Nie widzę mamy. Nie widzę taty. Zaczynam płakać, a wtedy ktoś – ktoś inny – podnosi mnie z ziemi. „Nie płacz", szepcze ona. „Patrz. Mam loda".

Pokazuje: czekoladowy, na patyku, który zawsze jem zbyt powoli, więc topnieje mi w rękach, nadając im odcień skóry Gideona. Lubię, kiedy to się dzieje, bo wtedy pasujemy do siebie.
Ona wkłada mi kurtkę i buty. Mówi, że idziemy szukać przygód.
Świat na zewnątrz wydaje się zbyt duży, jak wtedy gdy przymykam oczy i martwię się, że nikt nie znajdzie mnie w ciemności. Właśnie wtedy zaczynam płakać i mama zawsze przychodzi. Kładzie się ze mną na kanapie i leży, dopóki nie przestaję myśleć o tym, że połyka nas noc. A gdy przypominam sobie o tym znowu, wstaje słońce.
Ale dziś mama nie przychodzi.
Wiem, dokąd idziemy. To miejsce, gdzie czasami biegam po trawie i dokąd chodzimy oglądać słonie. Ale nie powinnam tu być, bo tata zawsze krzyczy. Płacz podchodzi mi do gardła i chyba zaraz się wydostanie, ale ona podrzuca mnie na biodrze i mówi: „Pobawimy się, Jenno. Lubisz się bawić, prawda?".
O tak! Uwielbiam zabawę.
Wśród drzew widzę słonia; bawi się w chowanego. Może to właśnie o to chodzi? To zabawne, że Maura szuka. Ciekawe, gdzie można się zaklepywać?
„Od razu lepiej", mówi ona. „Moja grzeczna dziewczynka. Moja wesoła dziewczynka".
Ale ja nie jestem grzeczną ani wesołą *jej* dziewczynką. Należę do mojej mamy.
„Połóż się", nakazuje ona. „Połóż się na plecach i patrz na gwiazdy. Ciekawe, czy zobaczysz wśród nich słonia?".

Lubię zabawy, więc się kładę. Ale widzę tylko noc, jak odwróconą do góry dnem miskę, pod którą schował się księżyc. A co jeśli pod nią utknę? I jeśli mama mnie nie znajdzie?

Zaczynam płakać.

„Cii", mówi ona.

Zasłania mi ręką usta i naciska. Próbuję się wyrwać; nie podoba mi się ta zabawa.

Ona w drugiej ręce trzyma duży kamień.

Chyba zasypiam na jakiś czas. Śni mi się głos mamy. Widzę wyłącznie drzewa, nachylone ku sobie, jakby opowiadały sobie sekrety, podczas gdy ku mnie przedziera się przez nie Maura.

A potem nagle znajduję się gdzie indziej, poza, nad i dokoła, i widzę siebie jak na filmie z dzieciństwa, który mama puszcza mi z płyty, chociaż w nim jestem. Unoszę się i kołyszę, droga jest daleka. Maura odkłada mnie i pociera tylną nogą. Nadaje się do zabawy w chowanego, myślę. Taka jest delikatna! Słonica poklepuje mnie trąbą, w taki sposób, w jaki mama uczyła mnie dotykać pisklęcia, które wypadło z gniazda na wiosnę. Jakbym udawała, że jestem wiatrem...

I wszystko jest miękkie – i tajemnica oddechu Maury na moim policzku i rozłożyste gałęzie, którymi okrywa mnie jak kocem. Żebym nie zmarzła.

Serenity staje przede mną, ale zaraz znika.

– Jenno? – słyszę jej głos i zaraz potem widzę już tylko czarno-białą kaszkę, jak na ekranie telewizora.

Nie ma mnie w laboratorium. Nie ma mnie nigdzie.

„Czasem zasięg był dobry, a czasem przerywało i łapałam zaledwie co trzecie słowo”, powiedziała kiedyś Serenity.

Próbuję słuchać, lecz łapię tylko niezrozumiałe strzępy.

A potem zapada cisza.

Alice

Nie znaleźli jej ciała.

Ja widziałam je na własne oczy, ale gdy na miejsce przyjechała policja, Jenna znikła. Czytałam o tym w gazetach. Nie mogłam im powiedzieć, że ją widziałam, leżącą na ziemi w zagrodzie. Oczywiście w ogóle nie mogłam zawiadomić policji, bo wtedy by mnie zabrała.

Dlatego obserwowałam Boone z odległości trzynastu tysięcy kilometrów. Przestałam prowadzić dziennik, ponieważ każdy kolejny dzień był po prostu dniem bez mojego dziecka. Martwiłam się, że zanim dobrnę do końca książki, przepaść pomiędzy tym, kim byłam, i tym, kim jestem teraz, poszerzy się tak, że nie dosięgnę wzrokiem drugiego brzegu. Przez jakiś czas chodziłam do psychoterapeuty, pod innym pretekstem (wypadek samochodowy) i przybranym imieniem (Hannah; palindrom, na opak brzmi tak samo). Pytałam go, czy to normalne, że po stracie dziecka nie przestaję słyszeć po nocach jego płaczu, który mnie budzi. Pytałam, czy to normalne otwierać oczy z przeświadczeniem, że ono śpi za ścianą. „Dla ciebie normalne", odparł, i była to nasza ostatnia rozmowa.

Miał odpowiedzieć: „Już nigdy nic nie będzie normalne".

***

W 1999 roku, w dniu gdy dowiedziałam się o raku, który zabija moją matkę, pojechałam na oślep w busz, żeby nie myśleć. I natknęłam się na przerażający widok – pięć słoniowych trupów z odciętymi trąbami. I jedno zrozpaczone, przerażone słoniątko.

Stało ze zwieszoną trąbą i przezroczystymi uszami. Nie mogło mieć więcej niż trzy tygodnie. Ale ja nie wiedziałam, jak się o nie zatroszczyć, więc jego historia nie znalazła szczęśliwego finału.

Podobnie jak historia mojej matki.

Wzięłam półroczny urlop dziekański i byłam przy niej, dopóki nie umarła. A gdy zostałam sama na świecie, powróciłam do Botswany, rzucając się w wir pracy, żeby nie rozpaczać. I nagle zdałam sobie sprawę, że te wspaniałe, dobrotliwe słonie traktują śmierć rzeczowo. Nie roztrząsały przeszłości, nie wyrzucały sobie, że nie zadzwoniły z życzeniami w Dniu Matki, a gdy się z nią pokłóciły, zamiast przyznać, że jest dla nich wzorem, nie wykręcały się nadmiarem pracy od przyjazdu w Święto Dziękczynienia, Boże Narodzenie, sylwestra, swoje urodziny. Te myśli mnie wykańczały, a każda kolejna wpędzała w coraz większe poczucie winy. Tematem odczuwanego przez słonie smutku zainteresowałam się niemal przypadkiem; wymyślałam przeróżne powody, dla których miało to znaczenie naukowe. Tak naprawdę jednak pragnęłam nauczyć się czegoś od zwierząt, którym wszystko wydawało się takie proste…

Kiedy wróciłam do Afryki w poszukiwaniu terapii po drugiej stracie w moim życiu, akurat trafiłam na eskalację kłusownictwa. Zabójcy nabrali sprytu. Podczas gdy kiedyś strzelali do najstarszych samic i samców z największymi kłami, dziś na chybił trafił uśmiercali młodziaka, wiedząc, że skupi się wokół niego społeczność. A to już oznaczało zabijanie hurtowe. Przez długi czas nikt nie chciał przyznać, że słonie w Południowej Afryce znów są zagrożone, ale tak właśnie było. Kłusownictwo szerzyło się również w sąsiednim Mozambiku, skąd osierocone słoniątka uciekały w popłochu do Parku Krugera.

Znalazłam jedno z nich, gdy ukrywałam się w RPA. Jego matka, ofiara kłusowników, została postrzelona w bark; leżała z jątrzącą się raną. Młoda samica nie odstępowała jej na krok, a przy życiu utrzymywała się, pijąc mocz matki. Że matkę trzeba będzie uśpić, wiedziałam od razu. Wiedziałam też, że przypieczętuje to los córki.

I stwierdziłam, że nie dopuszczę do tego nigdy więcej.

Założyłam ośrodek w Phalaborwa, w Południowej Afryce, na wzór słoniowego sierocińca Dame Daphne Sheldrick w Nairobi. Filozofia jest bardzo prosta – gdy słoniątko traci rodzinę, trzeba mu zapewnić nową. Personel towarzyszy małym bez przerwy – podając im butelki, ofiarowując miłość, śpiąc obok nich w nocy. Zmienia się, żeby żaden słonik nie przywiązał się nadmiernie do konkretnego człowieka. W tej kwestii życie udzieliło mi gorzkiej nauczki, że wystarczy jedno- lub dwudniowy urlop opiekuna, by malec wpadł w głęboką depresję, która potrafi doprowadzić do śmierci.

Nasi podopieczni nigdy nie bywają bici, nawet gdy rozrabiają. Zresztą po reprymendzie tak usilnie pragną zadowolić opiekunów, że ta na ogół wystarcza. Słonie pamiętają wszystko, dlatego warto później okazać trochę ciepła, by nie stwarzać wrażenia, że to kara nie za chwilową niegrzeczność, tylko za całokształt.

Młode karmimy specjalnym mlekiem, a po piątym miesiącu podajemy im owsiankę, mniej więcej tak jak ludzkim dzieciom wprowadza się pokarmy stałe. Olej kokosowy zastępuje tłuszcz, jaki słoniątka dostawałyby z mlekiem matki. Postępy w przybieraniu na wadze oceniane są na podstawie wyglądu policzków, które – podobnie jak u niemowląt – powinny być zaokrąglone.

Dwulatki przenosimy do nowego ośrodka, z nieco starszymi słoniami; towarzyszą im niektórzy znajomi opiekunowie, maluchy znają również swoich współbraci ze „żłobka". Wprawdzie personel już z nimi nie sypia, ale w nocy znajduje się w zasięgu słuchu od szopy. Dzień w dzień młode prowadzane są do Parku Krugera, aby mogły zapoznać się ze stadami żyjącymi w naturze. Starsze słonice z ośrodka pretendują do roli przewodniczek; biorą pod opiekę młodsze i każda adoptuje „własne" dziecko. Maluchy idą pierwsze, za nimi podążają osobniki nieco starsze. I prędzej czy później przyłączają się do dzikiej gromady.

Zdarzyło się kilkukrotnie, że zasymilowane słonie wracały do nas po pomoc, na przykład kiedy młodej matce zabrakło pokarmu i mogła stracić dziecko czy gdy noga dziewięcioletniego samca uwięzła w sidłach. Nie ufają ludziom bezgranicznie, gdyż zdążyły już dowiedzieć się z pierwszej ręki, do czego zdolny jest człowiek, ale najwyraźniej nie przykładają do wszystkich jednej miarki.

Miejscowi skrócili określenie, pod którym jestem im znana – „Miss Alice" – i nazwa przylgnęła do ośrodka. „Gdy znajdziecie samotne słoniątko, przyprowadźcie je do Msali". Jeśli wykonam moją pracę, jak należy, te osierocone maleństwa w końcu odejdą i połączą się z dzikim stadem w Parku Krugera, gdzie ich miejsce. Bądź co bądź nasze dzieci też będą kiedyś musiały radzić sobie bez nas.

Lecz wszystko traci sens, gdy odchodzą przedwcześnie…

Virgil

Pamiętacie, jak w dzieciństwie uważaliście, że chmury są z waty, a potem dowiadywaliście się, że składają się z kropel wody? I że gdybyście zapragnęli uciąć sobie na nich drzemkę, spadlibyście z hukiem na ziemię?

Najpierw upuszczam ząb.

No, może nie całkiem upuszczam. Upuszczenie go wskazywałoby, że go trzymałem, a on po prostu znienacka stracił oparcie w mojej dłoni i przeleciał przez nią jak przez sito. W panice podnoszę wzrok i próbuję złapać się tego, co najbliżej. Czyli Tallulah.

Moja ręka przecina ją jak powietrze. Jej ciało faluje i znika jak kłąb dymu.

To samo dzieje się z Jenną. Migocze, ma twarz wykrzywioną strachem. Próbuję ją zawołać, ale mój głos brzmi jak ze studni.

Nagle przypominam sobie długą kolejkę na lotnisku, która nie reaguje, kiedy się wpycham. I bileterkę, tę, która bierze mnie na stronę i mówi: „Nie powinno tu pana być".

Przypominam sobie kelnerki, które obojętnie mijały mnie i Jennę, dopóki nie przyszła ta jedna. Czy to możliwe, że pozostałe nas nie widziały?

Myślę o Abby, mojej gospodyni, ubranej jakby się urwała z czasów prohibicji, co zapewne się zgadza. O Ralphie, który wyglądał jak skamielina w czasach, gdy jeszcze pracowałem w policji.

Tallulah, kelnerka, bileterka, Abby, Ralph – ci wszyscy ludzie byli jak ja. Żyli na tym świecie, ale z niego nie pochodzili.

I pamiętam wypadek. Łzy na mojej twarzy, Eric Clapton w radiu oraz to, że na ostrym zakręcie wciskam pedał gazu. Usztywniłem ramiona, żeby nie okazać się tchórzem i nie złapać za kierownicę, i w ostatniej chwili rozpiąłem pas. Zderzenie było wstrząsem, mimo że się go spodziewałem – przednia szyba prysnęła mi na twarz, kierownica wbiła się w pierś i wyrzuciło mnie z fotela. Przez jedną niemą, wspaniałą chwilę – frunąłem.

Podczas długiej drogi powrotnej z Tennessee zapytałem Serenity, jakie to uczucie umrzeć.

Zastanawiała się przez chwilę.

– A jak zasypiasz?

– O co ci chodzi? – zapytałem. – Po prostu.

– Właśnie. Najpierw nie śpisz, potem dryfujesz przez chwilę, a potem gaśniesz jak światło. Twoje ciało się odpręża. Usta wiotczeją. Serce zwalnia. Odłączasz się od trzeciego wymiaru. Zachowujesz pewną świadomość, ale jest tak, jakbyś znalazł się w innej sferze. W stanie zawieszenia.

Dziś chciałbym do tego dodać, że kiedy śpisz, świat, który śnisz, jest twoją rzeczywistością.

– Serenity...

Próbuję się odwrócić, żeby ją zobaczyć, lecz nagle staję się lekki, jakbym nie ważył nic. Nie muszę nawet się poruszać, wystarczy, że pomyślę, a jestem tam, gdzie mam być. Mrugam i ją widzę.

W przeciwieństwie do mnie, do Tallulah i Jenny, jej ciało nie drży i się nie rozwiewa. Pozostaje niewzruszone jak skała.

„Serenity…", myślę, a ona się odwraca.

– Virgil? – szepcze.

Zanim znikam, myślę jeszcze, że pomimo jej wyznania – pomimo mojego sceptycyzmu – ona wcale nie jest beznadziejnym jasnowidzem. Jest zajebiście wspaniałym.

Alice

Straciłam dwoje dzieci. Jedno, które znałam i kochałam, i jedno, którego nie dane mi było poznać. Jeszcze zanim uciekłam ze szpitala, wiedziałam, że poroniłam.

Dzisiaj mam ich ponad setkę; wypełniają całą moją codzienność. Stałam się jedną z tych kruchych, wszędobylskich osób, które powstają z cierpienia niczym tornado i wirują tak szybko, że często nie zdają sobie sprawy, jaką powodują przy tym autodestrukcję.

Najgorsza jest chwila, gdy mój dzień dobiega końca. Gdybym mogła, najchętniej zatrudniłabym się jako opiekunka i spała z młodymi. Ale jest Msali i ktoś musi go reprezentować.

Ludzie tutaj wiedzą, że prowadziłam badania w Tuli Block. I że przez krótki czas mieszkałam w Stanach. Ale większość nie kojarzy dawnej badaczki z obecną aktywistką. Od dawna nie jestem już Alice Metcalf.

Jeśli o mnie chodzi, ona też nie żyje.

Budzę się z krzykiem.

Nie lubię spać, ale skoro muszę, pragnę zasypiać jak kamień, bez snów. To dlatego wypruwam sobie żyły i śpię po dwie, trzy godziny na dobę. Nie ma dnia, nie ma chwili, żebym nie myślała o Jennie, lecz od dawna nie myślałam o Thomasie i Gideonie. Wiem, że Thomas wciąż mieszka w ośrodku. A kiedyś po pijaku wygooglowałam, że Gideon wstąpił do wojska i zginął w Iraku po wybuchu samochodu pułapki na zatłoczonym placu. Wydrukowałam sobie artykuł, w którym mowa o pośmiertnym przyznaniu mu medalu za odwagę. Pochowano go w Arlington. Jeśli kiedykolwiek wrócę do Stanów, może tam zajrzę...

Leżę w łóżku, patrzę w sufit i powoli wracam do świata. Rzeczywistość jest lodowata; zanurzam się w niej po jednym palcu i powoli przyzwyczajam do temperatury, zanim wskoczę cała.

Moje spojrzenie pada na jedyną pozostałość po dawnym życiu, jaką przywiozłam do Afryki. To drąg, niecałe osiemdziesiąt centymetrów długości i około dwudziestu średnicy, z pnia młodego drzewa; kora została zdarta paskami i na okrętkę. Jest piękny jak indiański totem. Jeśli człowiek wpatruje się w niego wystarczająco długo, mógłby przysiąc, że kryje zakodowaną wiadomość...

Rezerwat dla słoni w Tennessee, gdzie trafili nasi podopieczni, ma stronę internetową, dzięki której jestem na bieżąco i która ma za zadanie uświadamiać ludziom ogrom pracy na rzecz zwierząt pokrzywdzonych w niewoli. Jakieś pięć lat temu w ośrodku zorganizowano licytację świąteczną – na aukcji wystawiono „dzieła" niedawno zmarłego słonia, który lubił obdzierać z kory pniaki, tworząc niezwykłe unikatowe wzory.

Od razu wiedziałam, że chodzi o Maurę. Widziałam, jak to robi, dziesiątki razy.

Nie zatem nic dziwnego w tym, że Sierociniec dla Słoni Msali w Południowej Afryce postanowił wesprzeć rezerwat w Tennessee. Nikt się nie domyślił, kto wysłał czek ani kto po otrzymaniu pniaka wraz z fotografią dobrze znanego słonia – i podpisem „R.I.P. Maura" – płakał przez godzinę.

Kłoda wisi od pięciu lat na ścianie, na wprost mojego łóżka. Lecz teraz oto, na moich oczach, spada i pęka na pół.

W tej samej chwili dzwoni telefon.

– Poszukuję Alice Metcalf – słyszę męski głos.

Moja ręka zamienia się w kawałek lodu.

– Kto mówi?

– Detektyw Mills, policja w Boone.

A więc przeszłość mnie dogoniła.

– Przy telefonie – mamroczę.

– Z całym szacunkiem, proszę pani, ale piekielnie trudno panią znaleźć.

Przymykam oczy, czekam na zarzut.

– Pani Metcalf – mówi detektyw. – Znaleźliśmy ciało pani córki.

Serenity

Stoję w prywatnym laboratorium z trzema innymi osobami, a po chwili nagle zostaję w nim sama, szukając na czworakach zęba, który spadł na podłogę.

– W czym mogę pomóc?

Wciskam ząb do kieszeni, stając twarzą w twarz z brodatym mężczyzną w białym kitlu. Niepewnie podchodzę do niego i mocno klepię go po ramieniu.

– Pan naprawdę tu jest…

Facet cofa się i rozmasowuje obojczyk. Patrzy na mnie jak na wariatkę. Kto wie, może i zwariowałam.

– Owszem. Ale skąd pani się tutaj wzięła? Kto panią wpuścił?

Nie podzielę się z nim podejrzeniem, że „osoba", która mnie wpuściła, była zjawą.

– Szukam laborantki o imieniu Tallulah.

Łagodnieje.

– Była pani jej przyjaciółką?

B y ł a . Potrząsam głową.

– Znajomą.

– Tallulah zmarła przed trzema miesiącami. Zdaje się, że miała niewykrytą wadę serca. Trenowała właśnie do pierwszego półmaratonu. – Mężczyzna wsuwa ręce do kieszeni kitla. – Przykro mi, że dowiaduje się pani ode mnie...

Wybiegam z laboratorium, mijając po drodze sekretarkę w recepcji, ochroniarza i dziewczynę, która siedzi na betonowym murku przed wejściem i rozmawia przez komórkę. Nie mam pojęcia, kto jest żywy, a kto nie, dlatego wbijam wzrok w ziemię i unikam kontaktu wzrokowego.

W samochodzie włączam klimatyzację na cały regulator i przymykam oczy. Virgil tu siedział. Jenna z tyłu. Rozmawiałam z nimi, dotykałam ich, słyszałam wyraźnie jak dzwon.

Jak dzwon. Wyciągam komórkę i przeglądam listę ostatnich połączeń. Gdzieś powinien być numer Jenny; dzwoniła do mnie z Tennessee, samotna i przestraszona. No ale duchy bez przerwy manipulują energią. Dzwoni dzwonek do drzwi, drukarka zaczyna drukować, migają światła, chociaż nie ma burzy.

Wciskam „połącz" i słyszę automatyczną wiadomość. „Nie ma takiego numeru".

To niemożliwe. Niemożliwe. Przecież tylu ludzi widziało mnie z Virgilem i z Jenną!

Zapuszczam silnik i z piskiem opon wyjeżdżam z parkingu, z powrotem, w kierunku baru mlecznego, gdzie rano obsługiwała nas niemiła kelnerka. Kiedy wchodzę, brzęczy dzwonek nad drzwiami, a Chrissie Hynde śpiewa w szafie grającej o pieniądzach brzęczących w kieszeni. Wyciągam szyję i rozglądam się po czerwonych siedziskach w poszukiwaniu kobiety, która przyjmowała od nas zamówienie.

– Przepraszam... – zaczepiam ją, gdy obsługuje stolik młodzieży w strojach piłkarskich. – Pamięta mnie pani?

– Nie zapomina się trzech centów napiwku – mamrocze.

– Ile osób siedziało przy moim stole?

Idę za nią do kasy.

– Czy to podchwytliwe pytanie? Była pani sama. Ale żarcia zamówiła pani tyle, że wystarczyłoby do wykarmienia połowy afrykańskich dzieci.

Otwieram usta, żeby zaznaczyć, że Jenna i Virgil zamawiali dla siebie, ale to nieprawda. Powiedzieli mi, co chcą, a potem poszli do toalety.

– Przyszłam z mężczyzną po trzydziestce, krótko ostrzyżonym, we flanelowej koszuli mimo upału. I z nastolatką z rudym zmierzwionym warkoczem...

– Proszę posłuchać. – Kelnerka sięga pod ladę i podaje mi wizytówkę. – To można leczyć. Ale nie tutaj.

Zerkam na napis. PRZYCHODNIA PSYCHIATRYCZNA GRAFTON COUNTY.

***

Siadam w archiwum miejskim z red bullem i danymi z 2004 roku. Narodziny, zgony, małżeństwa.

Tyle razy czytam akt zgonu Nevvie Ruehl, że chyba znam go na pamięć.

BEZPOŚREDNIA PRZYCZYNA ZGONU: a) urazy wewnętrzne, b) w wyniku stratowania przez słonia.

RODZAJ ŚMIERCI: przypadkowa.

MIEJSCE ZDARZENIA: rezerwat dla słoni w Nowej Anglii, Boone, NH.

OKOLICZNOŚCI ZDARZENIA: nieznane.

Następny jest akt zgonu Virgila. Zmarł na początku grudnia.

BEZPOŚREDNIA PRZYCZYNA ZGONU: a) uraz klatki piersiowej, b) w wyniku wypadku samochodowego.

RODZAJ ŚMIERCI: samobójstwo.

Aktu zgonu Jenny Metcalf oczywiście nie ma, gdyż jej zwłoki nie zostały odnalezione.

Aż do historii z zębem.

Raport koronera jest zgodny z prawdą. Wtedy w rezerwacie faktycznie zginęła Nevvie Ruehl, a nieprzytomną kobietą, którą Virgil odstawił do szpitala, i która stamtąd uciekła, była Alice Metcalf.

Wreszcie wiem na pewno, dlaczego Alice Metcalf nie mogła porozumieć się ani ze mną, ani nawet z Jenną. Bo Alice Metcalf najprawdopodobniej pozostaje wśród żywych.

Ostatni akt zgonu, który sprawdzam, należy do Chada Allena, nauczyciela, którego brzydkim dzieckiem rzekomo zajmowała się Jenna.

– Znała go pani? – Pracownica archiwum zagląda mi przez ramię.

– Niezupełnie – odmrukuję.

– Straszliwa tragedia. Zatrucie czadem, cała rodzina. Chodziłam do niego na matematykę, kiedy to się stało.

– Patrzy na stertę papierów na stole. – Potrzebuje pani kopii?

Potrząsam głową. Chciałam tylko zobaczyć dokumenty na własne oczy.

Dziękuję i wracam do samochodu. Jadę bez celu, bo tak naprawdę nie wiem, co z sobą począć.

Myślę o moim sąsiedzie z samolotu do Tennessee, który wsadził nos w gazetę, kiedy zaczęłam rozmawiać z Virgilem. Pewnie wziął mnie za pomyloną.

Przypominam sobie wizytę u Thomasa w Hartwick House – pacjenci widzieli i Jennę, i Virgila, ale pielęgniarki i salowi zwracali się wyłącznie do mnie.

Wspominam pierwsze spotkanie z Jenną, gdy spłoszyłam klientkę, panią Langham. Co takiego powiedziałam do Jenny? Że jeśli zaraz nie wyjdzie, wezwę policję? Oczywiście pani Langham jej nie widziała, więc sądziła, że te słowa kieruję do niej.

Orientuję się, że niechcący znalazłam się w znajomej okolicy. Naprzeciwko stoi budynek, w którym mieści się biuro Virgila.

Parkuję i wysiadam z garbusa. Dziś jest tak gorąco, że asfalt pływa mi pod stopami, a mlecze więdną w szczelinach chodnika.

W budynku pachnie jakoś inaczej. Coś jakby pleśnią, wilgocią. Szybka w drzwiach jest pęknięta, na co wcześniej nie zwróciłam uwagi.

Idę na drugie piętro, do biura. Ciemno i zamknięte na głucho. Na drzwiach wisi tabliczka. DO WYNAJĘCIA. NIERUCHOMOŚCI HIACYNT 603-555-2390.

Szumi mi w głowie. Prawie jak wstęp do migreny, ale tak właśnie brzmią przekonania wywracane na nice.

Zawsze sądziłam, że ducha i widmo dzieli przepaść, że ten pierwszy gładko wstąpił w inny wymiar istnienia, drugiego zaś coś trzyma. Widma, z którymi wcześniej miałam do czynienia, były uparte, czasem nie zdawały sobie sprawy, że nie żyją. Słyszały odgłosy ludzi zamieszkujących „ich" domy i myśleli, że straszy. Dręczyły ich gniew i rozczarowanie. Miały swoje plany. Tkwiły jak w potrzasku, dlatego miałam za zadanie im pomagać.

Ale to było wtedy, gdy rozpoznawałam je bez trudu.

Zawsze sądziłam, że ducha i widmo dzieli przepaść, bo po prostu nie wiedziałam, jak cienka jest granica pomiędzy żywym a umarłym.

Wyciągam z torebki zeszyt, do którego wpisała się Jenna podczas pierwszej wizyty. Jest jej nazwisko, nabazgrane okrągłym, pochyłym pismem. I adres: 145 Greenleaf.

Dzielnica wygląda dokładnie jak trzy dni temu, kiedy przyjechaliśmy z Virgilem, by porozmawiać z Jenną i stwierdziliśmy, że mała tu nie mieszka. Ale bardzo możliwe, że mieszkała. Tyle że obecni właściciele nie mają o tym pojęcia.

Drzwi otwiera kobieta, z którą rozmawiałam wtedy, z synkiem przyklejonym do jej nogi jak pąkla.

– To znowu pani? – pyta. – Przecież mówiłam, że nie znam tej dziewczyny.

– Wiem. Przepraszam za kłopot, otrzymałam jednak, hm, smutną wiadomość w związku z jej osobą. I próbuję zrozumieć pewne sprawy. – Pocieram palcami skroń. – Czy mogłaby mi pani powiedzieć, kiedy państwo kupili ten dom?

Za plecami słyszę wakacyjną ścieżkę dźwiękową: dzieciaki sąsiadów z piskiem zjeżdżają po zjeżdżalni, pies ujada za płotem, ktoś kosi trawnik. W tle rozbrzmiewa melodyjka obwoźnej lodziarni. Ulica tętni życiem.

Kobieta ma minę, jakby chciała zatrzasnąć mi drzwi przed nosem, ale mój ton chyba daje jej do myślenia.

– W dwutysięcznym roku – odpowiada. – Nie byliśmy jeszcze małżeństwem. Poprzednia właścicielka Z-M-A-R-Ł-A – literuje i zerka na syna. – Nie lubimy rozmawiać przy nim o takich sprawach, rozumie pani. Ma wybujałą fantazję i czasami nie może spać.

Ludzie boją się rzeczy, których nie rozumieją, więc muszą je jakoś oswoić. Wybujała wyobraźnia. Strach przed ciemnością. Albo nawet choroba psychiczna.

Przykucam twarzą w twarz z chłopcem.

– Kogo widzisz? – pytam.

– Starszą panią – szepcze. – I dziewczynkę.

– Nic ci nie zrobią – zapewniam. – I naprawdę istnieją, choćby inni twierdzili inaczej. Po prostu dzielą z tobą przestrzeń, tak jak ty dzielisz się w przedszkolu zabawkami.

Matka odciąga małego.

– Dzwonię na policję! – fuka.

– Gdyby pani syn urodził się z niebieskimi włosami, choć w rodzinie nie było takiego przypadku, a pani nigdy by się z czymś podobnym nie spotkała... Kochałaby go pani?

Gospodyni chce zamknąć drzwi, ale przytrzymuję je ręką.

– Kochałaby go pani?

– No przecież! – mówi sztywno.

– Właśnie – odpowiadam.

Po powrocie do samochodu zaglądam do zeszytu, na ostatnią stronę. Wpis Jenny powoli znika, jak wypruwany ścieg.

Na wieść, że znalazłam ludzkie szczątki, oficer dyżurny prowadzi mnie do pokoju na tyłach posterunku. Udzielam detektywowi – dzieciakowi nazwiskiem Mills, który wygląda, jakby golił się góra dwa razy w tygodniu – możliwie wyczerpujących informacji.

– W kartotece znajdzie pan sprawę z 2004 roku, gdy znajdował się tam rezerwat dla słoni. Myślę, że zginęły wówczas dwie osoby.

Patrzy na mnie zaciekawiony.

– A skąd pani to wie?

Jeśli mu powiem, posadzą mnie w sali obok Thomasa. Albo zakują w kajdanki i wymuszą na mnie przyznanie się do morderstwa.

Ale Jenna i Virgil sprawiali wrażenie całkowicie namacalnych. Wierzyłam we wszystko, co mówili.

„Jak na jasnowidza przystało, prawda?".

Głos jest cichy, ale znajomy. Południowy akcent; zdania wznoszą się i opadają melodyjnie. Wszędzie rozpoznałabym Lucindę.

Godzinę później jadę do rezerwatu pod eskortą dwóch policjantów. „Eskorta" to taki eufemizm; kazali mi po prostu wsiąść na tylne siedzenie radiowozu i tyle.

Przedzieram się przez trawę, z dala od ścieżki, jak Jenna. Policjanci niosą łopaty i sita do przesiewania ziemi. Mijamy staw, gdzie znaleźliśmy naszyjnik Alice. Po krótkich poszukiwaniach trafiam pod dąb, gdzie rosną fioletowe grzyby.

– Tutaj – oznajmiam. – Tu znalazłam ząb.

Policjanci przyprowadzili z sobą eksperta sądowego. Nie wiem, czym się zajmuje – może analizą gleby, a może jest antropologiem? – w każdym razie urywa jeden z grzybowych kapeluszy.

– *Laccaria amethystina* – oświadcza. – Amoniaczek. Rośnie w glebie o dużej zawartości azotu.

Skubany Virgil!, myślę. Miał rację.

– Rosną wyłącznie tutaj – mówię. – Nie ma ich nigdzie indziej w rezerwacie.

– Może występować tam, gdzie płytko pochowane są zwłoki.

– Zakopano tu również martwe słoniątko – dodaję.

Detektyw Mills unosi brwi.

– Jest pani kopalnią informacji, prawda?

Ekspert pokazuje policjantom, którzy mnie przywieźli, gdzie mają kopać.

Zaczynają po drugiej stronie pnia, naprzeciwko miejsca, gdzie siedzieliśmy wczoraj. Przesiewają ziemię, aby nie przeoczyć niczego, co się w niej znajduje. Siadam w cieniu i patrzę na rosnącą kupkę. Policjanci podwijają rękawy. Jeden wskakuje do dołu i kopie dalej.

Detektyw Mills przysiada obok.

– No więc... – zagaja. – Proszę mi przypomnieć, co pani robiła tutaj wczoraj.

– Byłam na pikniku.

– Sama?

Nie.

– Tak.

– A słoniątko? Skąd pani o nim wie?

– Jestem przyjaciółką rodziny – odpowiadam. – I dlatego wiem również, że nigdy nie odnaleziono dziecka Metcalfów. A dziewczynka zasługuje na pochówek, nie sądzi pan?

– Detektywie? – Jeden z policjantów gestem przywołuje Millsa. W ciemnej ziemi błyska biel. – Zbyt ciężkie, żeby wyciągnąć.

– Kopcie dokoła.

Staję na krawędzi dołu. Policjanci rękami odgarniają ziemię ze szkieletu, zupełnie jak dzieci, którym nacierające fale chcą zepsuć zamek z piasku. Wreszcie pojawia się kształt. Oczodół. Otwory, z których wyrosłyby kły. Ażurowa czaszka, ukruszona z wierzchu. Symetria, jak w teście Rorschacha. „Co widzisz?".

– A nie mówiłam?

Przestają wreszcie wątpić w moje słowa i kopią w kolejnych kwadratach, odwrotnie do ruchu wskazówek zegara. W drugim znajdują zardzewiały widelec. Przy trzecim rytmiczny świstu łopat ustaje znienacka.

Podnoszę głowę i widzę, że jeden z policjantów trzyma nadłamany łuk żebrowy.

– Jenna... – mówię ściszonym głosem, ale w odpowiedzi słyszę tylko wiatr.

Przez kilka dni próbuję odnaleźć ją po drugiej stronie. Wyobrażam sobie, jak się denerwuje i traci głowę. A co gorsza – jest osamotniona. Błagam Lucindę i Desmonda o pomoc. Desmond twierdzi, że Jenna znajdzie mnie sama, kiedy będzie gotowa. Że musi sporo przemyśleć. Lucinda przypomina, że oboje milczeli przez siedem lat, gdyż moim zadaniem było ponownie uwierzyć w siebie.

Jeżeli to prawda, mówię, to dlaczego teraz nie mogę dotrzeć do jednego cholernego ducha?

„Cierpliwości", perswaduje Desmond. „Musisz odnaleźć to, co zagubione".

Zapomniałam już, jaki z niego filozof. Ale zamiast się zżymać, dziękuję mu za radę i czekam.

Dzwonię do pani Langham i proponuję jej darmową sesję w ramach rekompensaty za moje grubiaństwo. Waha się, ale należy do osób, które pójdą do sklepu, by uszczknąć coś z darmowych półmisków, byleby nie płacić za lunch. Wiem, że nie odmówi. Kiedy przychodzi, po raz pierwszy rozmawiam z Bertem, jej mężem, zamiast udawać. I okazuje się, że po śmierci jest on takim samym burakiem jak za życia. „Czego ona znowu chce?", warczy. „Spokoju człowiekowi nie da! Na miłość boską, myślałem, że jak pójdę do piachu, to się wreszcie odczepi!".

– Pani mąż – mówię – jest samolubnym, niewdzięcznym draniem, który nie chce mieć z panią do czynienia.

Powtarzam słowo w słowo, co powiedział.

Pani Langham milczy przez chwilę.

– Jakbym słyszała Berta – stwierdza w końcu.

– Uhm.

– Ale go kochałam – dodaje.

– Wcale sobie na to nie zasłużył – zapewniam.

Po kilku dniach wraca po radę odnośnie do finansów i ważnych decyzji. Z koleżanką. Koleżanka dzwoni do siostry.

Niebawem mam więcej klientów, niż mogę upchnąć w kalendarzu.

Każdego popołudnia chodzę na grób Virgila. Nietrudno było go znaleźć, w Boone jest tylko jeden cmentarz. Przynoszę mu jego ulubione rzeczy: sajgonki, „Sports Illustrated", nawet jacka danielsa. Tym ostatnim polewam grób. Może przynajmniej wytępię chwasty.

Gadam do niego. Opowiadam, że w prasie wspomniano o moim udziale w znalezieniu zwłok Jenny. Że sprawa tragedii w rezerwacie urosła do rangi lokalnego *Peyton Place*. I że byłam podejrzana, dopóki detektyw Mills nie ustalił, że tamtej nocy nagrywałam program w Hollywood.

– Rozmawiasz z nią? – pytam któregoś popołudnia, gdy niebo nabrzmiewa deszczowymi chmurami. – Czy już ją znalazłeś? Martwię się.

Virgil się nie odzywa. Kiedy pytam o to Lucindę i Desmonda, mówią, że jeśli przeszedł na drugą stronę, być może jeszcze się nie rozeznał, jak odwiedzić trzeci wymiar. Że wymaga to energii i skupienia. No i praktyki.

– Tęsknię za tobą – mówię Virgilowi, całkiem serio.

Miewałam koleżanki po fachu, które udawały, że mnie lubią, a były po prostu zazdrosne, i znajomych, którzy chcieli ze mną trzymać, bo należałam do grona hollywoodzkiej śmietanki. Ale nigdy nie miałam zbyt wielu prawdziwych przyjaciół. A już na pewno nie sceptycznych, którzy mimo to akceptowali mnie bezwarunkowo.

Zwykle jestem na cmentarzu sama, nie licząc grabarza, który chodzi w dźwiękoszczelnych słuchawkach, z wykaszarką. Ale dziś coś się dzieje w pobliżu ogrodzenia. Widzę grupkę ludzi. Pewnie pogrzeb.

Rozpoznaję jednego z mężczyzn nad grobem. Detektyw Mills.

Kojarzy mnie natychmiast. To jeden z plusów posiadania różowych włosów.

– Pani Jones – mówi. – Dobrze znów panią widzieć.

Uśmiecham się.

– Pana również.

Rozejrzawszy się, stwierdzam, że osób jest mniej, niż wyglądało na pierwszy rzut oka. Kobieta w czerni, jeszcze dwóch policjantów i grabarz, który uklepuje ziemię na drewnianej trumience.

– Miło, że pani przyszła – dodaje detektyw. – Jestem pewien, że doktor Metcalf to doceni.

Kobieta odwraca się na dźwięk swojego nazwiska. Blada ściągnięta twarz w obramowaniu rudej grzywy. Jakbym znów zobaczyła Jennę – trochę starszą, z paroma emocjonalnymi bliznami.

Ta, której poszukiwałam tak usilnie, sama staje na mojej drodze z wyciągniętą ręką.

– Nazywam się Serenity Jones – mówię. – To ja znalazłam pani córkę.

Alice

Niewiele zostało z mojego dziecka.

Jako naukowiec wiem, że tak właśnie dzieje się z ciałem w płytkim grobie. Że drapieżniki rozwłóczą fragmenty szkieletu. Że szczątki dziecka są porowate, z większą zawartością kolagenu i łatwiej rozkładają się w kwasowej glebie. Mimo to nie jestem przygotowana na widok cienkich kości, rozsypanych jak bierki. Kręgosłup. Kilka żeber. Czaszka. Kość udowa. Sześć paliczków.

To wszystko.

Będę szczera – niewiele brakowało, a odwołałabym przyjazd. Podświadomie czekałam na jakiś haczyk; myślałam, że to pułapka, że zakują mnie w kajdanki, jak tylko wyjdę z samolotu. Ale to było moje dziecko. Zakończenie, na które czekałam od lat. Czy mogłabym nie przyjechać?

Detektyw Mills załatwił wszystkie formalności i poleciałam z Johannesburga. Teraz patrzę, jak trumna Jenny znika w ziemi i myślę: „To wciąż nie jest moja córka".

Po krótkim pogrzebie detektyw pyta, czy przynieść mi coś do jedzenia. Potrząsam głową.

– Jestem wykończona – mówię. – Pójdę odpocząć.

Ale zamiast wrócić do hotelu, jadę wynajętym samochodem do Hartwick House, gdzie od dziesięciu lat mieszka Thomas.

– Przyjechałam do Thomasa Metcalfa – informuję pielęgniarkę w recepcji.

– Kim pan jest?

– Jego żoną.

Patrzy na mnie zdumiona.

– Jakiś problem? – pytam.

– Nie. – Otrząsa się kobieta. – Po prostu on rzadko ma gości. Trzecie drzwi na lewo.

Na drzwiach Thomasa ktoś przylepił naklejkę, uśmiechniętą buzię. Wchodzę do środka i widzę mężczyznę siedzącego przy oknie, z dłońmi zaciśniętymi na książce, którą trzyma na kolanach. W pierwszej chwili myślę, że zaszła pomyłka, że to nie Thomas. Thomas nie ma przecież siwych włosów. Thomas się nie garbi, nie ma zapadniętej klatki piersiowej. Ale wtedy on odwraca się; uśmiech go przeobraża, a spod nowej powłoki wyłania się znajoma twarz.

– Alice… – mówi. – Gdzieś ty się podziewała?

Pytanie jest tak bezpośrednie i tak niedorzeczne w świetle tego, co zaszło, że nie mogę powstrzymać uśmiechu.

– Ach – odpowiadam. – Tu i tam.

– Mam ci tyle do powiedzenia! Nawet nie wiem, od czego zacząć.

Ale zanim zaczyna, drzwi się otwierają i wchodzi pielęgniarz.

– Podobno masz gościa, Thomasie. Czy zechciałbyś przejść do świetlicy?

– Dzień dobry – mówię na powitanie. – Jestem Alice.

– A nie mówiłem, że przyjdzie? – wtrąca z zadowoleniem Thomas.

Pielęgniarz potrząsa głową.

– A niech mnie drzwi ścisną! Dużo o pani słyszałem.

– Alice i ja wolelibyśmy porozmawiać na osobności – oznajmia Thomas, a ja czuję ucisk w żołądku.

Miałam nadzieję, że upływ dziesięciu lat złagodzi nieuniknioną konfrontację. Byłam naiwna.

– Jasne – mówi pielęgniarz i na pożegnanie puszcza do mnie oko.

Nadeszła chwila, w której Thomas zażąda wyjaśnień, co zaszło tamtej nocy w rezerwacie. I wrócimy do punktu wyjścia.

– Thomas. – Skaczę na głęboką wodę. – Tak strasznie mi przykro...

– I słusznie – kwituje. – Twoje nazwisko powinno znaleźć się na drugim miejscu. Wiem, że twoja praca jest dla ciebie ważna i ani myślę tego umniejszać, ale doskonale wiesz, że nie wypada przypisywać sobie cudzych zasług.

Mrugam ze zdziwieniem.

– Słucham?

Podaje mi książkę.

– Tylko uważaj, na miłość boską. Ściany mają uszy.

To książka Dr Seussa. *Kto zje zielone jajka sadzone*.

– To twój artykuł? – pytam.

– Zaszyfrowany – szepcze Thomas.

Przyszłam tu w nadziei na znalezienie kogoś, kto przetrwał, z kim podzielę się wspomnieniem najgorszej nocy w swoim życiu i kto pomoże mi mu sprostać. Tymczasem widzę Thomasa tak uwięzionego w przeszłości, że przerasta go przyszłość.

Może tak jest zdrowiej?

– A wiesz, co zrobiła dziś Jenna? – pyta nieoczekiwanie mój mąż.

Łzy napływają mi do oczu.

– Opowiedz.

– Wyjęła z lodówki wszystkie nielubiane warzywa i oznajmiła, że da je słoniom. A kiedy powiedziałem, że są zdrowe, odrzekła, że to tylko eksperyment, a słonie to jej grupa testowa. – Uśmiecha się konspiracyjnie. – Ma dopiero trzy latka... Pomyśl, co będzie za dwadzieścia.

Zanim wszystko się posypało, zanim Thomas zachorował i doszło do zamknięcia rezerwatu, byliśmy z sobą szczęśliwi. Nosił nasze dziecko, oniemiały ze szczęścia. Kochał mnie. Kochał nas obie.

– Będzie niesamowita – dodaje Thomas, odpowiadając na własne pytanie.

– O tak – mówię nieswoim głosem. – Na pewno.

W motelu ściągam buty i kurtkę, po czym zasuwam rolety. Siadam na obrotowym krześle przy biurku i patrzę w lustro. To nie jest twarz osoby, która zaznała spokoju. W zasadzie wcale się nie czuję tak, jak miałam się poczuć na wieść o odnalezieniu córki. To miała być kropka nad i, most łączący rzeczywistość z „co by było gdyby". A ja wciąż trwam w miejscu. Utknęłam.

Pusta twarz telewizora wygląda jak twarz szydercy. Nie chcę go włączać. Nie chcę wysłuchiwać kolejnych doniesień o potwornościach na świecie, o nieprzerwanym paśmie tragedii.

Wzdrygam się na dźwięk pukania do drzwi. Nie znam tutaj nikogo.

To może oznaczać tylko jedno.

Że jednak po mnie przyszli. Wiedzą już, co zrobiłam.

W przypływie determinacji nabieram tchu. Nic nie szkodzi. Spodziewałam się tego. Niech się dzieje, co chce, przynajmniej wiem, gdzie jest Jenna. Maluchy w Południowej Afryce są pod dobrą opieką. Jestem gotowa.

Ale kiedy otwieram drzwi, w progu widzę kobietę o różowych włosach.

Wyglądają jak wata cukrowa. Dawałam ją Jennie, która uwielbiała słodkości. Po afrykanersku to *spook asem*. „Oddech ducha".

– Dzień dobry – mówi.

Jak ona miała na imię? Tranquility? Sincerity?

– Jestem Serenity. Poznałyśmy się dzisiaj.

Kobieta, która znalazła szczątki Jenny.

O co jej chodzi? Może o nagrodę?

– Powiedziałam pani, że znalazłam jej córkę – zaczyna drżącym głosem. – Ale skłamałam.

– Detektyw Mills wspomniał, że przyniosła mu pani ząb...

– Owszem. Ale widzi pani, to Jenna do mnie przyszła. Nieco ponad tydzień temu... – Urywa z wahaniem. – Jestem jasnowidzem.

Może to stres po pogrzebie, może świadomość, że Thomasowi się upiekło, bo o niczym nie wie, a może to po prostu rezultat zmiany stref czasowych. Gniew prawie mnie zaślepia. Łapię Serenity za ramiona i potrząsam.

– Jak pani śmie?! – wołam. – Jak pani śmie robić sobie pośmiewisko ze śmierci mojej córki?

Zatacza się, zaskoczona atakiem. Zawartość jej olbrzymiej torebki rozsypuje się na podłogę.

Pada na kolana i zgarnia wszystko z powrotem.

– Nawet mi to nie przyszło do głowy – wykrztusza. – Chciałam tylko powiedzieć, że Jenna bardzo panią kocha. Nie zdawała sobie sprawy, że nie żyje. Myślała, że ją pani zostawiła.

Co ta oszustka wyprawia? Jestem naukowcem, nie wierzę w jej bajeczkę. Ale serce mi pęka.

– Po co pani przyszła? – pytam gorzko. – Po pieniądze?

– Widziałam ją – upiera się kobieta. – Rozmawiałam z nią, mogłam jej dotknąć. Nie wiedziałam, że jest duchem, myślałam, że to nastolatka. Patrzyłam, jak je, śmieje się, jeździ na rowerze i sprawdza wiadomości w komórce. Była tak namacalna, jak teraz pani.

– Czemu wybrała właśnie panią? – Słyszę swój głos. – Czemu nie kogoś innego?

– Ponieważ byłam jedną z niewielu osób, które ją zauważały. Duchy nas otaczają, rozmawiają z sobą, wynajmują pokoje w hotelach, jedzą w McDonaldzie i robią wszystko to, co zwykli ludzie, ale widzą je tylko ci, którzy nie mają uprzedzeń. Jak dzieci. Psychicznie chorzy. I jasnowidze. – Kobieta milknie. – Myślę, że do mnie przyszła, bo ją słyszałam. A została, ponieważ wiedziała, w przeciwieństwie do mnie, że mogę jej pomóc panią odzyskać.

Płaczę. Świat robi się rozmazany.

– Niech już pani sobie idzie. Proszę wyjść.

Wstaje, chce coś dodać, lecz po namyśle opuszcza głowę i odchodzi.

Coś zostało na podłodze. Jakiś świstek. Musiał jej wypaść, nie zauważyła.

Powinnam zamknąć drzwi. Powinnam się odwrócić. Ale przykucam i podnoszę papierowego słonika.

– Skąd pani go ma? – pytam szeptem.

Serenity przystaje. Odwraca się i patrzy na to, co trzymam.

– Od pani córki.

Dziewięćdziesiąt osiem procent nauki da się wyjaśnić racjonalnie. Można do upadłego drążyć temat, liczyć zachowania powtarzalne, agresywne lub odosobnione, aż będą się troić w oczach, zestawiane z sobą jako symptomy traumy. Ale nigdy nie zdołamy wyjaśnić, co skłania słonia do pozostawienia na grobie przyjaciela ukochanej opony, a matkę do pozostawienia zwłok dziecka. Oto dwa procent, których nie sposób zmierzyć i zracjonalizować. Ani zakwestionować ich istnienia.

– Co jeszcze mówiła Jenna? – pytam.

Serenity powoli robi krok w moją stronę.

– Mnóstwo rzeczy. Opowiadała o pani pracy w Botswanie. Że miałyście identyczne trampki. Że zabierała ją pani do zagrody, mimo protestów jej ojca. I że nigdy nie przestała pani szukać.

– Rozumiem – mówię, przymykając oczy. – A czy wspomniała, że jestem morderczynią?

Kiedy dobiegliśmy z Gideonem do domu, zastaliśmy drzwi otwarte na oścież. Jenna znikła. Nie mogłam oddychać, nie mogłam zebrać myśli.
Wbiegłam do gabinetu Thomasa; może wziął ją z sobą?
Był sam. Spał z głową na rękach. Obok, na biurku, leżały rozsypane tabletki i stała opróżniona do połowy butelka whisky.
Ulga, jaką poczułam na ten widok, szybko minęła, bo przecież przepadła Jenna! Sytuacja się powtórzyła: obudziła się, a mnie nie było. Jej najgorszy koszmar stał się moim koszmarem.
To Gideon działał; ja straciłam głowę. Próbował połączyć się z Nevvie, która miała nocny obchód, ale nie odpowiadała, więc się rozdzieliliśmy.
On poszedł do szopy indyjskiej, ja wbiegłam do zagrody afrykańskiej. Było dokładnie tak, jak przy pierwszym zniknięciu małej, dlatego nie zdziwił mnie widok Nevvie tuż za płotem. „Masz dziecko?", krzyknęłam.
Wokół panowały egipskie ciemności; chmury przesłoniły księżyc, toteż widziałam piąte przez dziesiąte, trochę jak na starym filmie, którego klatki nie do końca do siebie pasują. Zauważyłam jednak, że Nevvie zamiera na dźwięk słowa „dziecko". Jak jej usta wykrzywiają się w uśmiechu. „Jakie to uczucie", zapytała. „Stracić córkę?".
Rozejrzałam się dzikim wzrokiem, lecz sięgałam wzrokiem zaledwie na kilka metrów. „Jenno!", krzyknęłam, ale odpowiedziała mi cisza.

Podbiegłam do Nevvie. „Gadaj, co z nią zrobiłaś!”.
Próbowałam z niej wytrząsnać odpowiedź. A ona tylko
się uśmiechała.
Była silna, ale w końcu zacisnęłam ręce na jej szyi.
„Gadaj!”, krzyknęłam. Szarpnęła się i zipnęła. Zagrody
były niebezpieczne za dnia z powodu dziur kopanych
przez słonie, nocą zaś zamieniały się w istne pole
minowe, ale miałam to w nosie. Żądałam odpowiedzi.
Zatoczyłyśmy się do przodu, a potem w tył. Nagle się
potknęłam.
Na ziemi leżało zakrwawione ciałko Jenny.
Odgłos pękającego serca jest potworny. A rozpacz to
wodospad.
„Jakie to uczucie stracić córkę?”.
Furia uderzyła mi do głowy, popłynęła w żyłach i dodała
skrzydeł, gdy rzuciłam się na Nevvie. „To ty!”, zawyłam,
ale głos wyszeptał w mojej głowie: „Nie. To ja”.
Nevvie była silniejsza, walczyła o życie. Ja walczyłam,
by pomścić śmierć dziecka. A potem wpadłam do starej
dziury po wodzie. Próbowałam złapać się Nevvie,
czegokolwiek, ale otoczyła mnie ciemność.
Co było później, nie pamiętam. Chociaż Bóg jeden
wie, że przez dziesięć lat usilnie chciałam sobie
przypomnieć...
Kiedy odzyskałam przytomność, wciąż było ciemno
i huczało mi w głowie. Krew spływała mi po twarzy
i szyi. Wylazłam z dołu, do którego wpadłam,
na czworakach, bo nie potrafiłam ustać na nogach.
Nevvie wpatrywała się we mnie. Miała pękniętą czaszkę.
A ciało mojego dziecka znikło.

Rozpłakałam się, potrząsnęłam głową. Nie, to nie może być prawda! Nie rozumiałam, co się stało. Zerwałam się i pobiegłam. Biegłam, bo straciłam córkę, dwa razy. Biegłam, bo nie mogłam sobie przypomnieć, czy zabiłam Nevvie Ruehl. Biegłam, dopóki świat nie stanął dęba i nie obudziłam się w szpitalu.

***

– Pielęgniarka powiedziała mi, że Nevvie nie żyje, a Jenna znikła – mówię do Serenity, która siedzi na obrotowym krześle. Ja wiszę na skraju łóżka. – Nie wiedziałam, co robić. Widziałam ciało córki, ale nie mogłam o tym powiedzieć nikomu, bo wszyscy dowiedzieliby się, że zabiłam Nevvie, i zostałabym aresztowana. Przyszło mi do głowy, że może Gideon znalazł małą i przeniósł, ale wówczas on też widziałby Nevvie. Nie miałam pojęcia, czy już powiadomił policję.

– Przecież jej nie zabiłaś – mówi Serenity. – Została stratowana.

– Później.

– Mogła upaść, jak ty, i uderzyć się w głowę. A jeśli nawet stało się to przez ciebie, policja wykazałaby zrozumienie.

– Dopóki nie wyszłoby na jaw, że sypiam z Gideonem. Bo wtedy wzięto by mnie pod lupę. Spanikowałam. Uciekłam i to było głupie. Myślałam wyłącznie o tym, jaka byłam samolubna i ile przez to straciłam. Dziecko. Gideona. Thomasa. Rezerwat. Jennę.

„Mama?”.

Patrzę przez ramię Serenity, w lustro nad hotelowym biurkiem. Lecz zamiast różowego tapiru dostrzegam zarys potarganego rudego warkocza.

„To ja", mówi Jenna.

Wstrzymuję oddech.

– Córeczko?

W jej głosie pobrzmiewa triumf.

„Wiedziałam. Wiedziałam, że żyjesz!".

To wystarczy, bym przyznała, przed czym uciekłam wtedy. Co mnie do tego skłoniło.

– A ja wiedziałam, że ty nie – szepczę.

„Dlaczego odeszłaś?".

Czuję pod powiekami łzy.

– Tamtej nocy widziałam twoje... Wiedziałam, że cię już nie ma. Inaczej bym została. Szukałabym cię całą wieczność. Ale było za późno. Nie mogłam cię ocalić, więc próbowałam ratować siebie.

„Myślałam, że mnie nie kochasz".

– Kochałam cię. – Brakuje mi tchu. – Nade wszystko. Ale nie tak, jak należy.

W lustrze nad biurkiem, za krzesłem, na którym siedzi Serenity, obraz się krystalizuje. Widzę koszulkę na ramiączkach. Małe złote kółeczka w uszach.

Obracam krzesło, tak aby Serenity też siedziała przodem do lustra.

Jenny ma szerokie czoło i spiczasty podbródek, jak Thomas. Piegi, które w Vassar były moją zmorą. Oczy w identycznym kształcie jak moje.

Wyrosła na ślicznotkę.

„Mamo", mówi. „Kochałaś mnie idealnie. Dzięki temu zdążyłam cię znaleźć".

Czy to takie proste? Czy miłość to nie wielkie czyny i puste obietnice, ale droga przebaczenia? Okruchy wspomnień wiodące jak po nitce do kłębka, do osoby, która czeka?

„To nie była twoja wina".

Rozklejam się. Dopiero dźwięk tych słów uzmysławia mi, jak ich łaknęłam.

„Mogę na ciebie zaczekać", mówi moja dziewczynka.

Napotykam w lustrze jej wzrok.

– Nie – odpowiadam. – Naczekałaś się dosyć. Kocham cię, Jenno. Zawsze cię kochałam i zawsze będę. Rozstanie nie oznacza, że spisuje się kogoś na straty. Nawet gdy mnie nie widziałaś, w głębi serca czułaś moją obecność. I nawet gdy ja ciebie nie widzę… – Zawieszam głos. – Czuję to samo.

Kiedy to mówię, twarz Jenny znika. Widzę już tylko odbicie Serenity. Jest wstrząśnięta, ogłuszona.

Ale nie patrzy na mnie. Patrzy na punkcik w lustrze, gdzie idzie Jenna, kanciasta, o zbyt długich kończynach. Gdy staje się coraz mniejsza, widzę, że nie oddala się ode mnie, ale raczej zbliża do kogoś.

Mężczyzna ma krótko ostrzyżone włosy i niebieską flanelową koszulę. To nie Gideon; nie rozpoznaję go, widzę go na oczy po raz pierwszy. Ale gdy unosi dłoń na powitanie, Jenna macha do niego z entuzjazmem.

Poznaję za to stojącego przy nim słonia.

Jenna przystaje przed Maurą, która czule owija ją trąbą, obejmuje. Zamiast mnie. Po czym wszyscy odwracają się i odchodzą.

Patrzę. Mam oczy szeroko otwarte, dopóki nie znikną.

Jenna

Czasem do niej wracam.

Idę w porze zawieszenia, między nocą a świtem. Zawsze się budzi. Opowiada mi o sierotach, które przywieziono do rezerwatu. O mowie, którą wygłosiła w zeszłym tygodniu dla agencji dzikiej przyrody. O słoniątku, które zaprzyjaźniło się z pieskiem, tak jak Syrah z Gertie.

To bajki, które mnie ominęły.

Moją ulubioną jest prawdziwa historia człowieka z Południowej Afryki, zwanego Zaklinaczem Słoni. Naprawdę nazywał się Lawrence Anthony i podobnie jak mama walczył o dobro słoni. Kiedy dwa dzikie stada miały zostać zastrzelone za wyrządzone szkody, uratował je i sprowadził do swego rezerwatu na resocjalizację.

Po śmierci Lawrence'a Anthony'ego ruszyły w kierunku płotu jego posiadłości. Szły przez ponad pół dnia, mimo że nie były tam od ponad roku. Przez dwa dni stały w ciszy, oddając świadectwo.

Skąd wiedziały?

Ja znam odpowiedź.

Jeśli myślisz o kimś, kogo kochałeś i straciłeś, to jakbyś z nim był.

Reszta to szczegóły.

Posłowie

Niniejsza powieść jest fikcją, czego niestety nie można powiedzieć o niedoli słoni na świecie. Z uwagi na rosnące ubóstwo w Afryce i popyt na kość słoniową w Azji, wzrasta skala kłusownictwa, do którego dochodzi w Kenii, Kamerunie, Zimbabwe, Republice Środkowoafrykańskiej, Botswanie, Tanzanii oraz w Sudanie. Krążą pogłoski, że Joseph Kony uzbroił swoją armię partyzancką za wpływy z nielegalnej sprzedaży kości słoniowej pochodzącej z Republiki Konga. Większość nielegalnych transportów trafia przez nieszczelne granice do portów w Kenii i Nigerii, skąd płynie do krajów azjatyckich, takich jak Tajwan, Tajlandia i Chiny. Pomimo zapewnień władz chińskich o rzekomym zakazie handlu produktami z kości słoniowej władze Hongkongu niedawno dwa razy przechwyciły kontrabandę z Tanzanii o wartości ponad dwóch milionów dolarów. W Zimbabwe zaś zabito czterdzieści jeden słoni, zatruwając ich wodopój cyjankiem. Pozyskano w ten sposób kość słoniową o wartości stu dwudziestu tysięcy dolarów.

Kłusownictwo zaburza dynamikę populacji. Kły pięćdziesięcioletniego samca ważą ponad siedem razy więcej niż kły samicy, dlatego to samce idą na pierwszy ogień. Później ginie zazwyczaj przewodniczka stada, jako największa samica, nierzadko o najcięższych kłach; jej śmierć pociąga za sobą kolejne ofiary, o czym świadczy choćby liczba osieroconych malców. Joyce Poole i Iain Douglas-Hamilton to dwoje spośród ekspertów, którzy pracują ze słoniami w buszu, oddanych walce z kłusownictwem i uświadamianiu ludziom konsekwencji nielegalnego handlu kością słoniową, prowadzącego między innymi do dezintegracji słoniowych społeczności. Według obecnych szacunków każdego roku w Afryce ginie 38 tysięcy słoni. Jak tak dalej pójdzie, w ciągu niespełna dwudziestu lat nie zostanie na tym kontynencie ani jeden osobnik.

Ale kłusownictwo nie stanowi jedynego zagrożenia. Słonie są odławiane na sprzedaż do parków rozrywki typu safari, cyrków i ogrodów zoologicznych. W latach dziewięćdziesiątych w RPA, gdy ich populacja rozrosła się nadmiernie, dokonywano systematycznego uboju selektywnego. Do stad strzelano scoliną, która paraliżowała zwierzęta, nie pozbawiając ich przytomności; w konsekwencji pozostawały świadome, gdy ludzie krążyli wokół nich i mordowali poszczególne sztuki strzałem za ucho. A gdy myśliwi zdali sobie sprawę, że słoniątka nie opuszczają ciał matek, przywiązywali je do nich na czas przygotowania do transportu. Niektóre sprzedawano za granicę do cyrków i zoo.

I to one właśnie mają czasem szczęście trafić do miejsc w rodzaju rezerwatu dla słoni w Hochenwaldzie. Schronisko w Nowej Anglii zostało przeze mnie wymyślone, natomiast to w Tennessee istnieje naprawdę. Co więcej, stworzone przeze mnie fikcyjne postacie obecnych w książce słonic zostały oparte na prawdziwych życiorysach jego mieszkanek.

Podobnie jak moja Syrah, słonica Tarra przyjaźniła się z psem. Sissy, odpowiedniczka Wandy, przetrwała powódź. Pierwowzorem Lilly była Shirley, która przeżyła pożar na statku i atak, w wyniku którego paskudnie złamała tylną nogę i kuleje do dziś. Olive i Dionne, przyjaciółki, to tak naprawdę nierozłączne Misty i Dulary. Hester, afrykańska słonica z charakterkiem, wzorowana jest na Florze, osieroconej w Zimbabwe w wyniku uboju selektywnego. Te szczęściary mieszkają w jednym z nielicznych rezerwatów na świecie, które zapewniają słoniom godną emeryturę. Ich historie to zaledwie czubek góry lodowej niezliczonych przypadków zwierząt cierpiących w cyrkach i przetrzymywanych w opłakanych warunkach w ogrodach zoologicznych.

Gorąco namawiam wszystkich miłośników zwierząt do odwiedzenia strony www.elephants.com rezerwatu w Tennessee. Obejrzycie tam transmisje na żywo (uprzedzam, że można się uzależnić). Możecie też „adoptować" słonia, wpłacić dotację, zostając honorowym opiekunem, bądź zapewnić wszystkim słoniom dzienną dawkę pożywienia. Żadna kwota nie jest zbyt mała, liczy się każdy grosz. Zajrzyjcie także na stronę Global Sanctuary for Elephants (www.globalelephants.org), organizacji, która pomaga w zakładaniu holistycznych, bliskich naturze ostoi dla słoni na całym świecie.

Ci z was, którzy chcieliby dowiedzieć się czegoś więcej o kłusownictwie i/lub słoniach na wolności bądź przyłączyć się do ludzi walczących na rzecz wprowadzenia międzynarodowych restrykcji zapobiegających kłusownictwu, odsyłam do stron: www.elephantvoices.org, www.tusk.org, www.savetheelephants.org.

Na koniec zamieszczam listę pozycji, które pomogły mi w trakcie pisania tej książki. Większość zapisków Alice została zapożyczona z materiałów autentycznych autorstwa wymienionych poniżej niezwykłych kobiet i mężczyzn.

Anthony, Lawrence, *The Elephant Whisperer*, Thomas Dunne Books 2009.

Bradshaw, G.A., *Elephants on the Edge*, Yale University Press 2012.

Coffey, Chip, *Growing Up Psychic*, Three Rivers Press 2012.

Douglas-Hamilton, Iain, Douglas-Hamilton, Oria, *Among the Elephants*, Viking Press 1975.

King, Barbara J., *How Animals Grieve*, University of Chicago Press 2013.

Moss, Cynthia, *Elephant Memories*, William Morrow, 1988.

Moss, Cynthia J., Croze Harvey, Lee Phyllis C. (red.), *The Amboseli Elephants*, University of Chicago Press 2011.

Masson, Jeffrey Moussaieff, McCarthy, Susan, *When Elephants Weep*, Delacorte Press 1995.

O'Connell, Caitlin, *The Elephants Secret Sense*, Free Press 2007.

Poole, Joyce, *Coming of Afe with Elephants*, Hyperion 1996.

Sheldrick, Daphne, *Love, Life and Elephants* Farrar, Straus & Giroux 2012.

Nie sposób nie wspomnieć również o dziesiątkach artykułów autorstwa badaczy, którzy zajmują się obserwacją słoni i ich życia.

Podczas pracy wielokrotnie dochodziłam do wniosku, że słonie w sferze uczuciowej są bardziej rozwinięte niż ludzie, zwłaszcza w takich obszarach jak żal po stracie, instynkt opiekuńczy czy gromadzenie wspomnień. Jeśli wyniesiecie cokolwiek z tej książki, niech będzie to świadomość kognitywnej i emocjonalnej inteligencji tych pięknych zwierząt – i zrozumienie, że ich los znajduje się w naszych rękach.

JODI PICOULT, wrzesień 2013

Podziękowania

Do wychowania słoniątka potrzebne jest całe stado. W procesie powstania książki rzecz ma się podobnie, dlatego pragnę podziękować wszystkim „zastępczym matkom", które przyczyniły się do wydania niniejszej powieści.

Dziękuję Milli Knudsen oraz zastępcy prokuratora okręgowego Manhattanu Marcie Bashford za informacje na temat niewyjaśnionych przestępstw, a detektywowi sierżantowi Johnowi Grasselowi z policji stanowej Rhode Island za drobiazgowy wykład na temat pracy detektywa i nieustanną gotowość do udzielania odpowiedzi na moje gorączkowe pytania. Dziękuję Ellen Wilber za ciekawostki sportowe i Betty Martin za to, że zna się (między innymi) na grzybach. Jason Hawes z *Łowców duchów*, mój przyjaciel jeszcze z czasów, zanim stał się gwiazdą telewizji, przedstawił mi Chipa Coffeya – niezwykłego utalentowanego jasnowidza, który oczarował mnie wnikliwością, podzielił się ze mną doświadczeniami i pomógł zgłębić tajniki umysłu Serenity. Zwracam się do wszystkich niedowiarków – godzina w towarzystwie Chipa skłoniłaby was do zmiany zdania!

Rezerwat dla słoni to prawdziwe miejsce w Hochenwaldzie w stanie Tennessee – tysiąc hektarów azylu dla słoni indyjskich i afrykańskich, które spędziły większość życia w niewoli. Jestem niezmiernie wdzięczna, że mogłam poznać go od podszewki, co uświadomiło mi ogrom pracy na rzecz jego mieszkańców. Rozmawiałam z ludźmi, którzy tam pracowali bądź pracują do dziś: Jill Moore, Angelą Spivey, Scottem Blaisem oraz kilkunastoma obecnymi opiekunami. Dziękuję za osadzenie mojej fikcji w rzeczywistości, przede wszystkim jednak dziękuję Wam za to, czego dokonujecie każdego dnia.

Dziękuję Anice Ebrahim, mojemu ówczesnemu wydawcy w RPA, która nawet nie mrugnęła, kiedy poprosiłam ją o eksperta od słoni. Dziękuję Jeanette Selier z South African National Biodiversity Institute za bycie skarbnicą wiedzy, pokazanie mi stad w Tuli Block w Botswanie oraz konsultacje. Jestem ogromnie wdzięczna Meredith Ogilvie-Thompson z Tusk za przedstawienie mnie Joyce Poole, prawdziwej gwieździe wśród badaczy słoni. Możliwość rozmowy z autorką najważniejszych pozycji z literatury tematu wciąż zapiera mi dech w piersi.

Pragnę podziękować również Abigail Baird, profesorowi nadzwyczajnemu w instytucie psychologii Vassar College – za niewolniczą pracę, tłumaczenie akademickich artykułów na język zrozumiały dla mnie i noszenie czarnego polaru w czterdziestostopniowym upale; można z Tobą słonie kraść! I kolejnej osobie z „botswańskiej ekipy": mojej córce Samancie van Leer – za bycie dziewczynką na posyłki, robienie niezliczonych zdjęć i nadanie kosmatej, niebieskiej kierownicy imienia Bruce. W buszu słoniowa matka i córka trwają w bliskim kontakcie przez całe życie; obym miała tyle samo szczęścia.

Niniejsza powieść wyznacza początek mojej współpracy z Ballantine Books/Random House. To dla mnie zaszczyt należeć do ekipy, która przez rok zarażała mnie swoim entuzjazmem. Dziękuję Ginie Centrello, Libby McGuire, Kim Hovey, Debbie

Aroff, Sanyu Dillon, Rachel Kind, Denise Cronin, Scottowi Shannonowi, Matthew Schwartzowi, Joeyowi McGarveyowi, Abbey Cory, Theresie Zoro, Paolo Pepe oraz kilkudziesięciu pozostałym piechurom tej niezwyciężonej armii. Wasz zapał i kreatywność to dla mnie źródło nieustannego podziwu; nie wszyscy pisarze mają takie szczęście. Dziękuję niezmordowanemu działowi promocji: Camille McDuffie, Kathleen Zrelak i Susan Concoran; ze świecą szukać takich cheerleaderek.

Współpraca z nowym wydawcą przypomina nieco dawne ortodoksyjne wesele – ufasz, że znajdą ci małżonka na miarę, ale szydło wychodzi z worka dopiero przed ołtarzem. No cóż, Jennifer Hershey okazała się wspaniała. Jej wnikliwość, wdzięk oraz inteligencja biją z każdej sugestii i komentarza. Myślę, że włożyła w tę książkę tyle samo serca, co ja.

Lauro Gross – cóż mogę powiedzieć? Bez Twojego wsparcia i wytrwałości moje życie nie byłoby takie samo. Uwielbiam Cię.

Jane Picoult, mamo. Byłaś moją pierwszą czytelniczką czterdzieści lat temu i pozostajesz nią do dziś. Jenna to owoc naszej miłości.

Dziękuję Tobie i całej reszcie mojej rodziny: Kyle'owi, Jake'owi, Sammy (raz jeszcze) i Timowi – dzięki Wam powstała książka o więzi z ludźmi, których kochamy. Dzięki Wam wiem, że na świecie nie ma nic ważniejszego.

Pytania do dyskusji

1. Jenna, która pragnie poznać losy matki, wolałaby mieć pewność, że Alice zmarła, a nie odeszła i zamieszkała gdzie indziej. Jak to rozumiesz? Jak wpływa na Jennę odnalezienie banknotu złożonego w kształt słonia? Jaką rolę spełnia ta zabawka w powieści?
2. Jenna idzie do jasnowidzki Serenity, która „miała" dar, lecz go utraciła. Czy wierzysz w parapsychologię? Dlaczego tak/nie? Co sprawia, że wróżka postanawia pomóc dziewczynce? Alice opisuje „rytuał pożegnalny" po śmierci słonicy Bontle. Jak opis ten wpłynął na twój stosunek do słoni?
3. W jakim sensie Virgil jest typowym gliną? Co czyni go nietypowym?
4. „Może dorastanie polega na tym, aby skupiać się na tym, co mamy". Zgadzasz się z tym?
5. „Zapamiętujemy złe chwile, traumatyczne puszczamy w niepamięć". Jak to rozumiesz?
6. Alice zmienia specjalizację, by badać rytuały żałobne słoni w buszu. Czy jej osobiste uczucia powinny wpływać na rzetelność naukowca? Czy nie są zbyt subiektywne?
7. Młode słonie znajdują się pod opieką wszystkich samic w stadzie. Czy uważasz, że wychowanie dziecka to również „praca dla wielu"? Czy relacje Jenny z pozostałymi bohaterami książki potwierdzają tę tezę?

8. Alice odkrywa, że jest w ciąży, i postanawia odwiedzić Thomasa w Stanach. Dlaczego nie mówi mu o dziecku?
9. Thomas-romantyk wita Alice nietypowym prezentem. Jaką rolę odgrywa w ich relacji ten symbol?
10. „I pomyślałam – nie po raz pierwszy – że wybaczanie i zapominanie nie wykluczają się nawzajem". Jak to rozumiesz?
11. W rezerwacie pojawia się Maura, nowa słonica. Czy proces aklimatyzacji zwierzęcia wpływa na wybór życiowy Alice?
12. Jak mówi Alice, słonie w buszu dotkliwie cierpią, a potem odpuszczają. Czy uważasz, że ludzie są zdolni do tego samego?
13. „Niemówienie całej prawdy to jeszcze nie kłamstwo. Czasami to jedyny sposób, aby ochronić ukochaną osobę". Jak rozumiesz to zdanie?
14. „Nie ma perspektywy w smutku ani w miłości. Jakże mogłaby być, jeśli ktoś staje się dla nas centrum wszechświata – bo przepadł lub się odnalazł?". Jak można zinterpretować tę myśl?
15. „Jeśli myślisz o kimś, kogo kochałeś i straciłeś, to jakbyś z nim był". Czy zgadzasz się z tym stwierdzeniem?
16. „W buszu samica z córką są nierozłączne aż do śmierci", pisze Alice. W jaki sposób myśl ta nawiązuje do tematyki książki?
17. W którym momencie lektury zacząłeś się domyślać, że pewne rzeczy są innymi, niż się wydaje?